JN097444

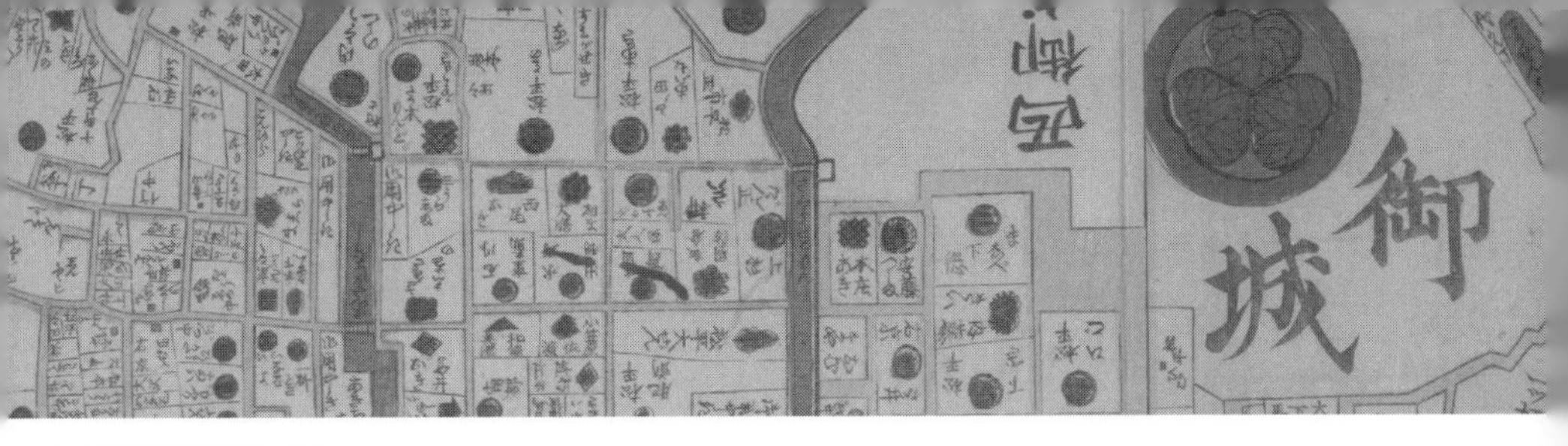

EToS
江戸東京研究センター
Hosei University Research Center for
Edo-Tokyo Studies

法政大学江戸東京研究センター・
小林ふみ子・中丸宣明＝編

好古趣味の歴史
江戸東京からたどる

 文学通信

好古趣味の歴史○目次

Ⅱ　風俗や慣習の由来を探る

Ⅲ　盛時の歌舞伎と遊里の面影を求めて

Ⅳ　響き続ける江戸

古き江戸をいかにたずねたか――はじめに

●小林ふみ子

「古いモノ・コト」――そう聞いて、魅力を感じるか、どうか。現代では人それぞれの価値観によって大きく分かれるところであろう。しかし、そのように意見が割れるどころか、「新しいモノ・コト」を好む人が多くなったのは明治以降、「文明」の「進歩」が目に見えるようになってからのことで、圧倒的多数派になったのはあるいは第二次大戦後のことかもしれない。

○実用性を超えた「好古」の営み

それ以前には、そうではなかった。広く記録をたどっていにしえの諸事象のさまを考究することは、日本では古来行われてきた。宮廷周辺の儀礼、しきたりなどの有職故実(ゆうそくこじつ)が平安時代より孜々(しし)として研究され続け、武士に政治の実権が移ってからは武家方の故実の探究が発達した。時代が下るにつれて世が衰えていくとした仏教の教えをはじめとする下降史観が底流した前近代、古きを貴ぶのは、いってみれば当然のことであったろう。

公家の有職故実にしても、武家故実にしても、「事実」を調べて、その結果を当代の儀礼や制度など活かすというような意図が、なんらかのかたちで前提とされていた。それがいつしか、そうした広い意味での実用性を離れ、純粋に学問的ないし趣味的な「好古」の営みとして行われるようにもなる。

「好古」がそんな実用的な目的を超越して大きく展開されはじめたのは、十八世紀なかばのことであった。まさに「好古」を号として古きを追い求めた京都の和学者藤貞幹（一七三二～一七九七）、あるいは老中退任後の白河藩主時代に学者・絵師らに命じて大部な古器物図録『集古十種』を編纂させたことでも知られる松平定信（一七五八～一八二九）あたりが、その代表格といってよかろうか。そのような営みは個々に進められただけでなく、学者・文人たちが会集し、情報を共有するかたちで、各地で広がりをみせたこともよく知られている。

こうした動きは、歴史ある都を擁する上方にあっては、貞幹のように、より古いものをめざして古代・中世へとさかのぼることが志向され、実際、それが可能であった。

○新興都市江戸の「事実」考証と記録

それに対して、新興都市江戸では事情が大きく異なっていたらしい。なにしろ都市としての歴史が十六世紀末の徳川家康の入府以降にほぼ限られ、それ以前のありようを伝える史資料が乏しかった。中世にさかのぼろうとすると、とたんに来歴の怪しい文書に頼らざるをえなかったことは、本書の神田稿（Chapter2）が詳らかにしている。いきおい徳川の世を迎えて以降に関心を集中せざるをえない。その結果として、尊卑雅俗を問わずさまざまな物事が関心の対象となった。歴史・地理はもちろん、古器物、慣習、行事から、流行や風俗まであらゆる物事について、書籍・文書や碑銘、伝聞・伝承、絵画など、多くの資料を集め、それらにもとづいて「事実」が考証、記録されることになる。

そのような営みを記録したのがいわゆる「考証随筆」であった。

近世日本において、「随筆」と総称される、文体も内容も多種多様な書き物が制作されたことは、少しこの時代のことを調べたことがある人のあいだではよく知られている。近世という時代は、中国においても「筆記小説」と称される同種の書物が多数編まれたように、知識人の裾野が広がり、モノを書き残す人が増えたなかで国を超えて起こった共通の現象であった。日本ではその「随筆」のなかでも、とりわけさまざまな対象についてそのなりたちや来歴などを「考証」した過程・結果をまとめたものが「考証随筆」と呼ばれ、本書でみていくような「好古」の基盤となる。本書では、さらにそれが大きな価値観の転換期を経た近代に入ってどうなってゆくのかも追っていこう。

○本書の構成

第一部「知識を集め地理をひもとく」では、江戸をめぐる地理情報がどのように探究され、それがどのような文芸的営みを生みだし、どんな都市像を描いたのか、江戸時代から明治にかけての流れをたどる。十八世紀後半以降、文人大田南畝や戯作者山東京伝、曲亭馬琴、そして近代の作家幸田露伴、森鷗外へと、それぞれの歩みをみていくなかでうかびあがるのは、近世と近代の間の断絶だけではない。地名へのこだわりに象徴されるような、なにがしか共通するこの都市への向き合い方がみえてくる。

第二部「風俗や慣習の由来を探る」では、江戸の都市生活や風俗の特徴的な物事が記録されるようになり、それが後世に考証の対象となってゆくさまをみる。十八世紀前半

から、江戸の都市文化の成熟とともに、新奇な風俗として、一見、とるにたらないようなものごと、たとえば名物や街頭の物売りや芸能、行事などが記録され始める。のちの考証家たちがそれらに驚くべき関心と労力をふり向けたことと、その意味を探る。このうち金稿（Chapter6）では、朝鮮通信使たちのまなざしと、日本人の書き残したものを交差させることで、両者の認識の違いまでもうかびあがってくる。

第三部「盛時の歌舞伎と遊里の面影を求めて」では、「悪所」と呼ばれて人びとを魅了した江戸の華に対する好古趣味、そしてそれが生みだしたものについて考察する。「元禄」という年号に象徴される往時に活躍した名優、名妓、その姿を描いた絵師菱川師宣や英一蝶、彼らとゆかりの深かった俳人其角、また鳥居派の浮世絵師らの絵画や句作が愛好され、それを元にさまざまな作品が生みだされたさまをみる。

第四部「響き続ける江戸」では、明治に入ってからの古物に向けられたまなざしの変化、また新旧の価値観の交錯を眺める。「趣味」という価値判断で「好古」の対象を選別するようになったこの時代、方法として継承された考証随筆も書画骨董という美的な価値のあるものに重きがおかれるようになっていた。また、江戸を愛したことで知られる作家永井荷風、そして石川淳が、近代人としてそれぞれに〈江戸〉との距離を測りながら、自らの文学のなかにそこから得たものを再生したことが描きだされる。

○江戸東京流の記憶のとどめ方

このように近世から近代にかけて、江戸東京という都市の空間や広い意味でのその文化は、かずかずの作者・作家たちにとって自分たちの拠りどころ、いってみればアイデンティティ探究のよすがとなり、ときにその作品世界の羅針盤とされ、あるいは新たな創作の着想源ともなった。その興味が向けられたのは、都市を代表する「名所」——寺社や橋梁などの大きな建築構造物、あるいは隅田川のような象徴的な地形、多くの人を集めた盛り場などもあるいっぽうで、小さな地名の一つひとつ、なんでもない事物、かたちのない慣習や行事、身分階層や活躍した分野の貴賤、客観的な功績の大小を問わない、さまざまな先人たちにまで及んでいたことがみえてくる。

災害の多い日本列島で、この都市は、大地震や洪水、高潮にたびたび見舞われただけでなく、海外の大都市に較べると、木造建築が圧倒的多数を占めたために火災に対しても脆弱であった。しかも、さきに記したように歴史が比較的浅く、残すべきモノゴトが数百年のうちに集中していた。そのなかで記録、記憶・口碑、また残された事物を最大限に活用し、風俗や慣習に至るまですべてを書きとめ、あるいは再現しようとし、またそれらを生かして新たな世界を築きあげようとした、それが江戸東京流の記憶のとどめ方であったのではないか——そんな見通しのもとに本書を読みすすめていただきたい。

・本書は、二〇一九年二月二〇・二十一日に法政大学江戸東京研究センターで開催したシンポジウム「追憶のなかの江戸~江戸は人びとの記憶のなかでどのような都市として再構成されたのか」における発表をもとに、各寄稿者が再構成したものである。
・原文の引用は読みやすさに配慮して、かなに濁点・半濁点を付し、漢字は通行の字体に改めるとともに適宜ふりがなを施して、句読点を付けた。

I

知識を集め地理をひもとく

Chapter1

江戸の歴史のたどり方
——考証の先達、瀬名貞雄・大久保忠寄と大田南畝

●小林ふみ子

江戸志撰者之譜

東武懐山子輯著

近藤久兵衛藤原義傳之明和元年閏十二月十八日 [illegible]

四年五月廿二日死時年五十有六歳

塵槙校正

元飯田町住町人山田屋[illegible]右衛門

一名カントウト云 [illegible]

改正新編江戸志巻之一

一 御曲輪内　東西南北　江戸橋筋東北　同東南

一 城東　日本橋邊　日本橋南筋　京橋南筋

一 城南　櫻田邊　永田馬場邊　霞関邊

一 城西　糀町　番町邊

一 城北　飯田町邊　小川町邊

一 城艮　三河町邊　駿河臺邊　神田邊

『新編江戸志』十巻。近藤義休・義傳父子が、十八世紀なかばまでの江戸の地誌をふまえて編纂した写本を、江戸の武家故実や地理を研究した瀬名貞雄が、蔵書家として知られた大久保忠寄の協力を得ながら文献や伝承を駆使して増補した書物。瀬名は、事物の由緒や歴史を考証するという行為が確立していく過程で、大田南畝を介して山東京伝にも影響を与えた。図版は馬琴旧蔵本で、編者、校正者について詳しく注記している。

（国立国会図書館蔵）

1　考証随筆の成立まで

十九世紀はじめより流行する考証随筆の淵源としてこれまで考えられてきたのは、中国、清朝の儒学の考証学であった（揖斐一九八六、井上一九九七など）。それは実際、当時の認識でもあって、その代表的な学者大田錦城が「近世清人の学、此方へうつりて……山東京伝に下り及べり」（『梧窓漫筆拾遺』）と記したことも早くに指摘されている（中山一九三九）。戯作者にして晩年には熱心に考証随筆を手がけ、本書においてもさかんに論じられることになるその山東京伝（一七六一～一八一六）自身、「和学」への志をあげることから、和学の考証研究もその背景として論じられてきたが、歴史や律令を研究した塙保己一周辺の国学（井上一九九七）、また小山田与清ら同時代の和学者たちとの交流（佐藤深雪一九九二、山本和明一九九四）、その人びとによる好事のグループ（佐藤悟一九九三）が念頭におかれていた。

しかし、考証随筆の成立をうながしたのはそれだけであったろうか。思想史の分野では、江戸だけでなく三都でそれぞれ進行した好古の動きについて、老中松平定信が主導した寛政はじめ（一七八九～）の内裏造営と同四年の畿内寺社宝物調査をその盛行の契機とみる見解が出されている（表一九九七）。何かほかにここにつながる流れはなかったのか。

本章では、そのような営みに結実してゆく関心の芽が、広く文献に通じた旗本の学者たちにみられ、とりわけ江戸の地理や伝承の部分において、江戸の文壇で重きをなした大田南畝（一七四九～一八二三）を介して京伝へと流れこむという見通しを提出したい。南畝は京伝にとって、青年期に黄表紙の評価によって戯作者としての地位を確立する足がかりをもたらした恩人というだけでなく、自身の考証随筆類に多くの書物を提供し、文化十一年（一八一四）の刊行のはるか前に執筆中の考証随筆『骨董集』原稿を見せる（南畝『細推物理』享和三年〈一八〇三〉四月条）

ような、この道の理解者であった（井上一九九七）。

2 文事の旗本たち

本章の主人公となるのは瀬名貞雄（一七一九〜一七九六）と大久保忠寄（一七三二〜一八〇二）である。いずれも寛延二年（一七四九）生まれの南畝より、二、三十歳の年長にあたる旗本で、これから論じるように多くの書物に通じた知識人であった。南畝については、旗本たちの文事への憧憬が指摘されていることからしても（宮崎一九九三）、彼らへの敬愛を想定する条件は十分に整っている。

とりわけ瀬名貞雄をめぐっては、南畝が江戸の地理や歴史、慣習などを四十一条にわたって問うたのに対するその回答をまとめた『瀬田問答』（天明五〜寛政二年〈一七八五〜一七九〇〉実施）の存在が知られ、南畝が編んだ江戸の地誌『武江披砂』（寛政年中ごろ成、写）に貞雄の著作を多数引用しているほか、外編と称するその付録には貞雄の随筆より十二条を抜き書きし、彼の号亀文にちなんで「緑毛遺文」と名づけている。さらに菊岡沾涼『江戸砂子』正続（享保十七〈一七三二〉・二十年刊）以後の江戸の地誌のなかで重要な、酒井忠昌『南向茶話』（寛延四年〈一七五一〉成、写）および柏崎永以『事蹟合考』（延享三年〈一七四六〉成、写）を貞雄から借りて写し（中央公論社版『燕石十種』第二巻朝倉治彦解説参照）、そのうち後者は考証随筆『近世奇跡考』（文化元年〈一八〇四〉刊）で京伝が利用するところとなる。貞雄は江戸の俗文化方面にも関心を寄せ、物故した過去の役者たちの墓誌を集めた『俳優墳墓志』を作成した。同書は散逸してしまったが、南畝の著述のなかにわずかにその面影をとどめている（光延二〇〇九→二〇一二）。ほかにも南畝は多くを貞雄の蔵書から写しとった。南畝が江戸の地理・歴史情報を得るうえで、この人が重要な役割を果たしていたことがよくわかる。

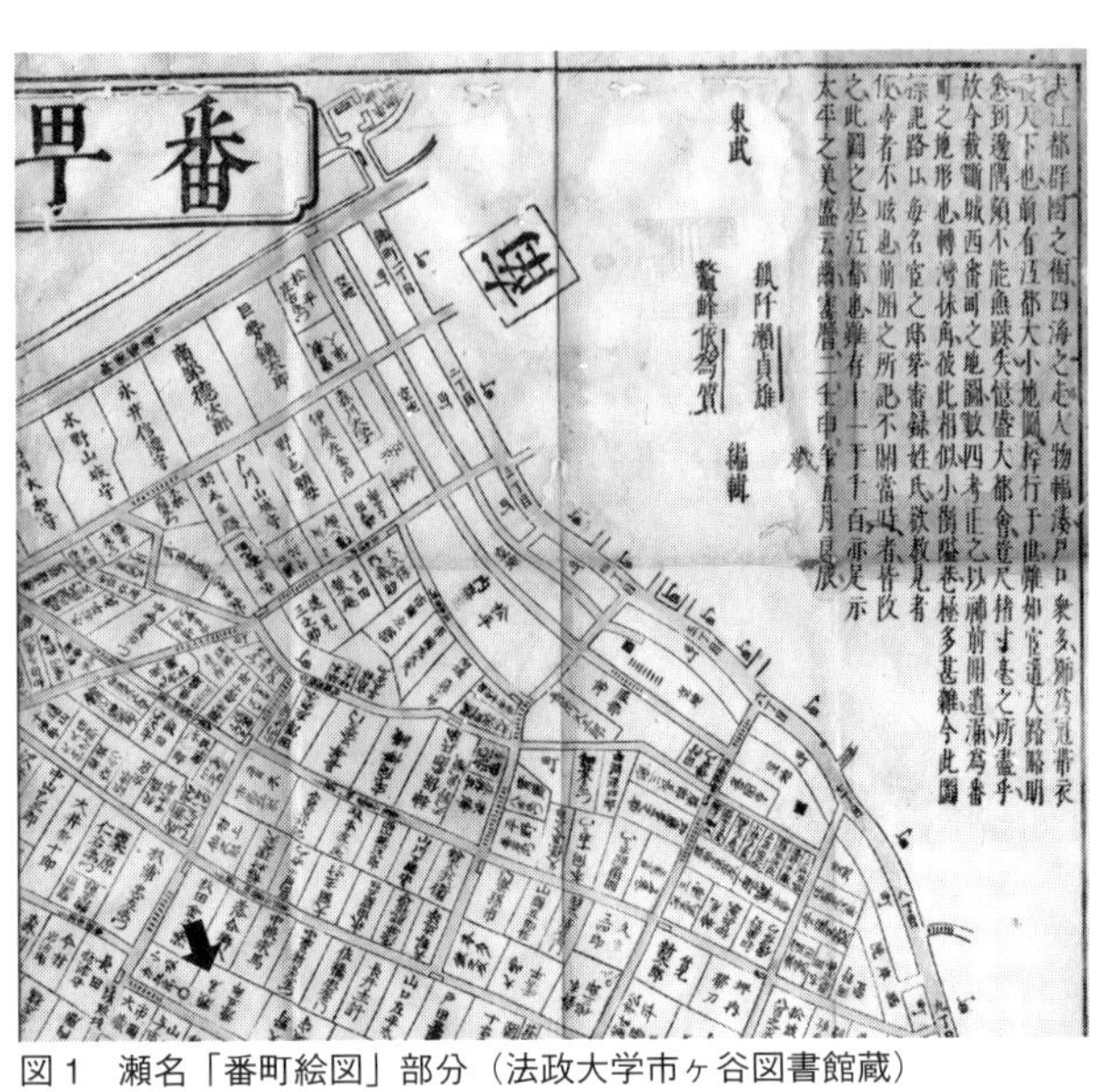

図１　瀬名「番町絵図」部分（法政大学市ヶ谷図書館蔵）

実際、貞雄は、宝暦五年（一七五五）から安永四年（一七七五）にかけて別号「狐阡軒」によって、吉文字屋板と通称される最初の江戸切絵図八図のうち五図を編集・刊行した、いわば江戸の地理情報の第一人者であった（中野一九八八）。しかも、最初の板行以来、版元が二度変わる合間に武家の屋敷替えなどの変更を細かく加えていることが詳細に研究されている（斎藤一九八一）。南畝との交流がはじまったのち、寛政元年（一七八九）には七十を超えた高齢にして奥右筆組頭格に任じられ、官撰の大名家の家伝『藩翰譜続編』の編に従事することになる。衆人の知る博学多識の人物であった。

南畝がどのようにしてその知遇を得たのかは定かではない。自ら手がけた切絵図のうち番町絵図【図１】によれば、瀬名は市ヶ谷御門南側の裏六番町通りに屋敷を構えた（上図矢印部）。神楽坂の西側にあたる牛込中御徒町住まいの南畝宅からほど近くはあるが、それだけで縁ができるものでもなかろう。南畝が師事した幕臣にして歌人、和学者であった内山賀邸の縁も考えられるが、若き日の南畝を狂歌の道に誘った大根太木も鍵をにぎる人物の可能性がある。前述のように貞雄の『南向茶話』を借りるにあたって、実はこの人の手を借りていたことが写本よりわかる。元飯田町中坂住の辻番請負を業とする町人で山田屋半右衛門と称し、本名は松本熊長。俳名を雁奴といい、和学に通じて歌人萩原宗固ともつながりをもっていた（小林二〇一一）。さらに本章扉に掲げた『新編江戸志』の校正役として巻頭に名を連ねるのが「塵積」、すなわち居所を塵積楼と称した、その雁奴であったこと、複数伝本の注記が伝える。後述のようにその原本の一つを貞雄が入手して、記述を増補しているのである。

大久保忠寄、号酉山のほうは、とりわけ蔵書家として当時から名高く、寛政五年（一七九三）には公儀より賜金を得て芝愛宕山麓の書庫「愛岳麓」を修築していることが、旗本を含む官製の諸家系譜集成『寛政重修諸家譜』をはじめ諸書に伝えられる。南畝との関係では、その全集をひもとくと、彼が寛政四年秋より大久保酉山蔵書の借り出しを開始していることがわかる。記録の残る寛政九年の年始のあいさつまわりでは正月二日にその名がみえ（『会計私記』）、日常的な交流があったことをうかがわせる。かの斉藤月岑編『江戸名所図会』松平冠山序（天保三年〈一八三二〉付、同七年刊）冒頭で、若き日に『都名所図会』を目にしてこのような書物が江戸にもなくてはと「酉山大久保翁に聞」いた、と言及されるような江戸地理研究の権威であった。その蔵書目録の解題でも、酉山が師事した伊勢貞丈の著書のほか、地誌・絵図の収集がその目立った特徴であることが指摘されている（佐藤哲彦二〇〇四）。

3　瀬名貞雄・大久保忠寄の交渉と考証、そして南畝

同じ旗本でも、寛延元年（一七四八）に大番に就いて天明二年（一七八二）に退隠した貞雄と、宝暦十三年（一七六三）より寛政元年（一七八九）まで西の丸の書院番を勤めた忠寄のあいだに、職務上の接点は想定しがたいが、二人は関心を共有する間柄にあったらしい。

そのことをよく表す写本群がある。書名は一定せず、『江都好古記』の題をもつのが二本（尊経閣文庫本・東京都公文書館本）、これを副題として『古碑銘之類』を題とする本（国立国会図書館本）、『古碑類録』と称する本（宮内庁

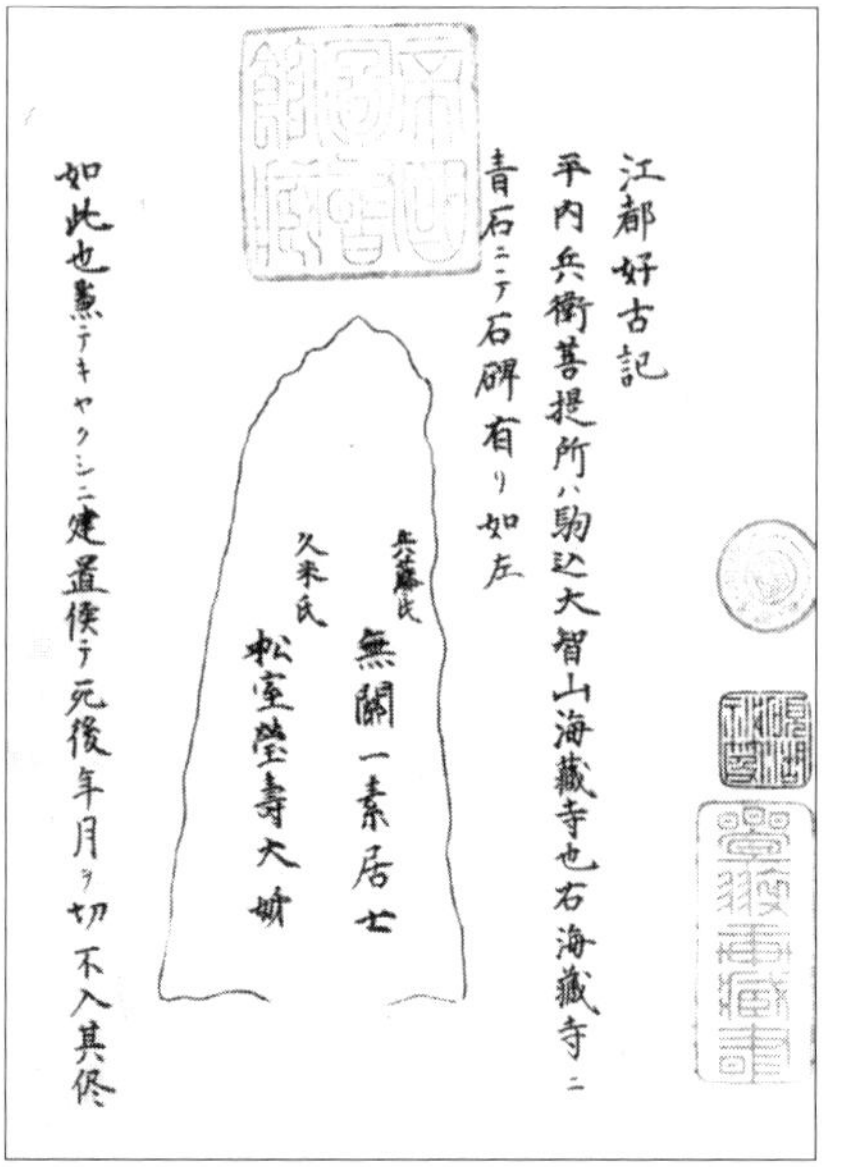

図2　『古碑類録』（国立国会図書館蔵）

書陵部池底叢書本・無窮会神習文庫玉篇本〈未見〉）、『江戸古跡考』を書名とする本（西尾市岩瀬文庫本）、また巻頭に瀬名貞雄による「道灌山之譜」が加えられたことでそちらの書名で整理されている例もある（東京都立中央図書館加賀文庫本）。また後人が本書を含む数冊を取り合わせて編集した『燕都小細礫遺誌』と題する本もある（文政五年松波茂興識語、東京国立博物館本）。

最後の例を除き、（休止中のため未見の無窮会本は措くとして）基本的な内容はほぼ同じで、巻頭や奥書に記名はない。唯一、都公文書館本にのみ最終丁ウラ（頁）の隅に小さく朱書きで「此書ハ大久保酉山作ナリ」とみえる。実際、本文に「忠寄考」「忠寄按」などとする記述がみえるところから、大久保忠寄周辺で作られたものと考えられる。内容は、瀬名貞雄による、浅草寺境内の久米平内像の主と混同された兵藤平内の墓石【図2】と、久米平内と平内兵衛が別人であることについての考証を巻頭に置き、以下、墓碑や鐘銘、擬宝珠といった江戸の金石文や扁額の記録と、それらにまつわる情報を載せる。なかに安永八年（一七七九）に掛けられた扁額の記録を載せ、天明元年（一七八一）に撤去されたことが小字で追記されることから、そのころの成立かと推測される。やはり安永期の記載をもつ同趣の金石文等の記録である加賀美遠清『集古一滴』と合写された本も少なくない。宮内庁本の表紙に「寛政三亥年春二月」と記載があることは、このときまでの成立を裏付ける。

金石文の記録の合間でひときわ力がこもっているのが、描かれた馬が抜け出すという伝承のある浅草観音堂の古絵馬の作者をめぐる考証で、絵師を狩野元信という俗伝、同玉楽とする『江戸砂子』説を否定したあと、つぎのように論じる。やや長いが、考証全文を引用する（国立国会図書館本による、なお岩瀬文庫書誌データベースに同項全文掲載）。

予按ルニ此説、皆誤也。伊勢平蔵貞丈予ニ談テ云、元文ノ初、貞丈一日、黒沢杢助安倍定紀ガ家ニ往テ、彼祖父木工助定幸ガ編集セル所ノ相驥鑑及驪黄物色図並図説ヲ視ル。時ニ定紀談テ云、此驪黄物色図ハ狩野主馬尚信ヲシテ画シムル所也。定幸駿馬ノ骨相并毛色ヲ口授シテ画シム。依之尚信始テ駿馬ヲ画クノ法ヲ覚エ、精妙ヲ得タル事ヲ喜テ、駿馬ヲ画テ浅草観音堂ニ懸タリ。其絵馬、今猶存セリ。俗ニ其馬、板ヲ離レテ草ヲ食シト云者、是也ト。

又瀬名源五郎源貞雄談テ云、彼絵馬ノ縁ニ寛永十九壬午年二月十九日観音堂炎焼之時、武州住木村市兵衛出之ト記テアリ。今文字薄ク成リテ明カニ見エズ。尚信ハ慶長八年癸卯ニ生レ、慶安二年己丑三月四日四十七歳ニテ卒ス。寛永十九年観音堂炎上ノ時ハ尚信四十歳、存命也。当時存命セル人ノ画ナレ共、其画、駿馬ノ図ナルヲ賞シ、且俗ニ奇怪ヲ談ズル画ナル故、是ヲ愛シテ取出セシモノナラン。彼画者ノ事、異説アリト云へ共、定紀祖父ノ事ヲ談ゼシナレバ、尚信カ画也ト云フヲ以テ正トスベキ耳。浅草観音堂炎焼之事、多賀三右衛門高補之家系ニ、寛永十九年壬午二月十九日浅草観音堂炎上之節、御書院番池田帯刀組多賀外記常勝〈高補之高祖父也〉御小性組松平右衛門大夫組戸田半十郎御使ヲ勤ムトアリ。忠寄考。（傍線、ふりがなは引用者、後述）

いわく、元文はじめ（一七三六年ごろ）、伊勢貞丈が、黒沢杢助宅で祖父定幸が駿馬の骨相・毛色を狩野尚信に口授して描かせたという『驪黄物色図説』を見せられ、これによって伝説を生むほどの馬図が描かれたと聞いた、と。

杢助は本姓安倍氏、名定紀（記）、祖父定幸が馬預として家康に仕えて以来の旗本であった。続けて引く瀬名貞雄の言には、この絵馬には寛永十九年（一六四二）の観音堂炎上時に搬出した人物名も墨書されること、生没年からしてこれを描いた尚信存命中の火災ながら、名画の世評の高さゆえにこうして救出されたのであろうという推測が記され、さらに別の文献でその火災の年月日の裏付けもとっている。

このあと、検証のために黒沢の家系を付ける。こうして大筋は口承によりつつ、黒沢家の家系、尚信の年齢、浅草観音堂炎上の年次を、記録に照らしあわせて検証する。忠寄と貞雄が知識を寄せあって、このような作業が行われていた（なお同説は後年、池田冠山『浅草寺志』では否定されるが、根拠とする尚信の生年に誤りがあり、論が成立しない）。

この考証について、南畝も聞き及んでいたのか、『瀬田問答』で絵馬の作者について問い、貞雄もこの黒沢杢助と尚信の逸話をもってこれに答えている（姓を黒川と誤るが）。しかしそれだけではない。南畝はこの逸話を『武江披砂』にほぼまるごと引用している。以下はその本文である。傍線の種類によって前掲の記述と対応させた（『全集』による）。

元文ノ初、黒沢杢之助安倍定紀、伊勢平貞丈へ語テ云、予ガ祖父定幸、相驥鑑及驪黄物色図編集ノトキ、狩野主馬尚信ニ図ヲ絵書ス。此時馬ノ骨相毛色ヲ口授ス。尚信始テ画馬ノ精妙ヲ覚へ歓喜ノアマリ馬ヲ画キ、浅草観音堂ノ絵馬トス。今俗、狩野古法眼元信ト云ヒ、或ハ画馬夜板ヲハナレ草ヲ喰シナド妄談スル也。此絵馬今ニ存スト云。

杢之助ハ咎有テ、元文三年戊午九月廿七日重追放被仰付、家断絶ス。

忠寄云、此絵馬于今アリ。縁ニ寛永十九壬午年二月十九日炎焼之時武州住木村市兵衛出之トアリト云。（中略）

瀬名貞雄云、今ハ文字ウスクナリテ下ヨリハシカト不見。尚信ハ慶長八年癸卯ニ生レ、慶安二年己丑三月四日四十七歳ニテ卒ス。寛永十九年観音堂炎上ノ時ハ尚信四十歳ナリ。存在ノ者ノ画ナレドモ、画馬ノ筆精図ヲ賞美シテ、炎上ノ時モ此画ヲ取出シ、出シタル者ノ名ヲモ記テ賞美スルカ。再版江戸砂子、狩野玉楽ガ画ナルベシナド云ヘドモ、黒沢定紀祖父ノ時ノ事ヲ談ズレバ、是ヲ正トスベキ歟。多賀三右衛門高補之家系ニ、寛永十九年壬午二月十九日浅草観音堂炎上ノ節、御書院番池田帯刀組多賀外記常勝〈高補之高祖父也〉御花畑番〈今ノ御小性組〉松平右衛門大夫組戸田半十郎御使ヲ勤ムトアリ。

先に掲げた大久保忠寄の考証文と、瀬名の追加に至るまで、表現にわずかな違いはあれ、内容は一致している。このように南畝は先達たちの共同作業をみつめ、それを吸収したのであった。

この全文はのちに和学者山崎美成の随筆『海録』（写）巻一・同『三養雑記』（天保十一年〈一八四〇〉跋刊）にも収載される。前者では寛政元年（一七八九）の修復時に難読の別の落款が確認されたことが加筆され、そこまで含めて「忠寄考」とされるが、後者ではその名は出されていない。

4 『新編江戸志』増補改訂作業

瀬名貞雄と大久保忠寄の協力関係は、本章扉に掲げた『新編江戸志』の増補作業でも力を発揮したようであり、また、ここにも南畝がかかわっていた形跡がある。

この書は全十ないし十一巻（分割法の相違）、写本六〜十数冊の体裁で伝来した地誌である。巻頭の「大意」によれば、『江戸砂子』以来の江戸の地誌はとるに足りないものが多いなか、『江戸砂子』の情報を補った酒井忠昌『南向茶話』『求涼雑記』を継承し、補綴するものだという。国文学研究資料館の日本古典籍総合目録データベースでは三十点以上の伝本が登録され、写本としては比較的広く流布した書といえる。無款ながら彩色入りの挿絵を加えた『新編江戸名所図誌』（『江戸地誌叢書五』に東京都公文書館本を影印）、また同じく絵入りで『江戸百景』と題した本（東洋文庫蔵）

まである。諸本による本文や表記の異同も少なくないが、その関係を整理する用意も紙幅もないため、ここでは措く。

諸本では共通して巻首に「懐山子輯著／塵積校正」とされ、巻末などにもそれ以上の情報はない。この「懐山子」は、旗本近藤金八郎義休とされ、南畝も自身の随筆『一話一言』にそう記すが、伝本によってはそれぞれに注記があり、なかに義休とするものだけでなく、その嗣子義傅のこととする本が、内閣文庫八冊本をはじめとして複数ある。これを考慮すると、いわば近藤義休原撰、義傅編輯となろうか。

『寛政重修諸家譜』によれば、近藤義休は小十人組頭ののち小普請となり、安永二年（一七七三）に没。その子義傅は明和元年（一七六四）に大番に就き、父の死にともなって家督相続したわずか二年後、大坂在番中に没している。この時期にやはり大番組にあった貞雄と職務の上で接点があった可能性もあり、父の遺志を継いで『江戸志』を編もうとした矢先に亡くなったことを哀惜して、貞雄がその事業を継承したという想像もできようか。

瀬名貞雄の増補作業について、俳人金子直徳による江戸西郊の地誌『若葉の梢』寛政十年（一七九八）付の序に、このような一節がある（国立国会図書館本による）。


大久保酉山翁・瀬名貞雄公と共に大田覃先生を案内として棣棠村の草廬を問せ給ふ時、江戸志再撰の思し召立れしなど、ほとりの旧地に巡見し給ふとて誘引し給ふ。

「棣棠」は山吹のことで、同書に見える高田馬場の茶屋の北裏という山吹の里であろう。ここに南畝の案内で忠寄・貞雄が訪れたと記す。実施時期は不明ながら、関連すると考えられるのは、やはりその周辺の地誌『高田雲雀』（『未刊随筆百種』十三所収）である。南畝が天明八年（一七八七）付でその巻末に貞雄の蔵本を写したことを記す本で、さらに自ら付した「拾遺」がまさに金子直徳の語るところであったとする（ただし『全集』未載）。この記述のなかに

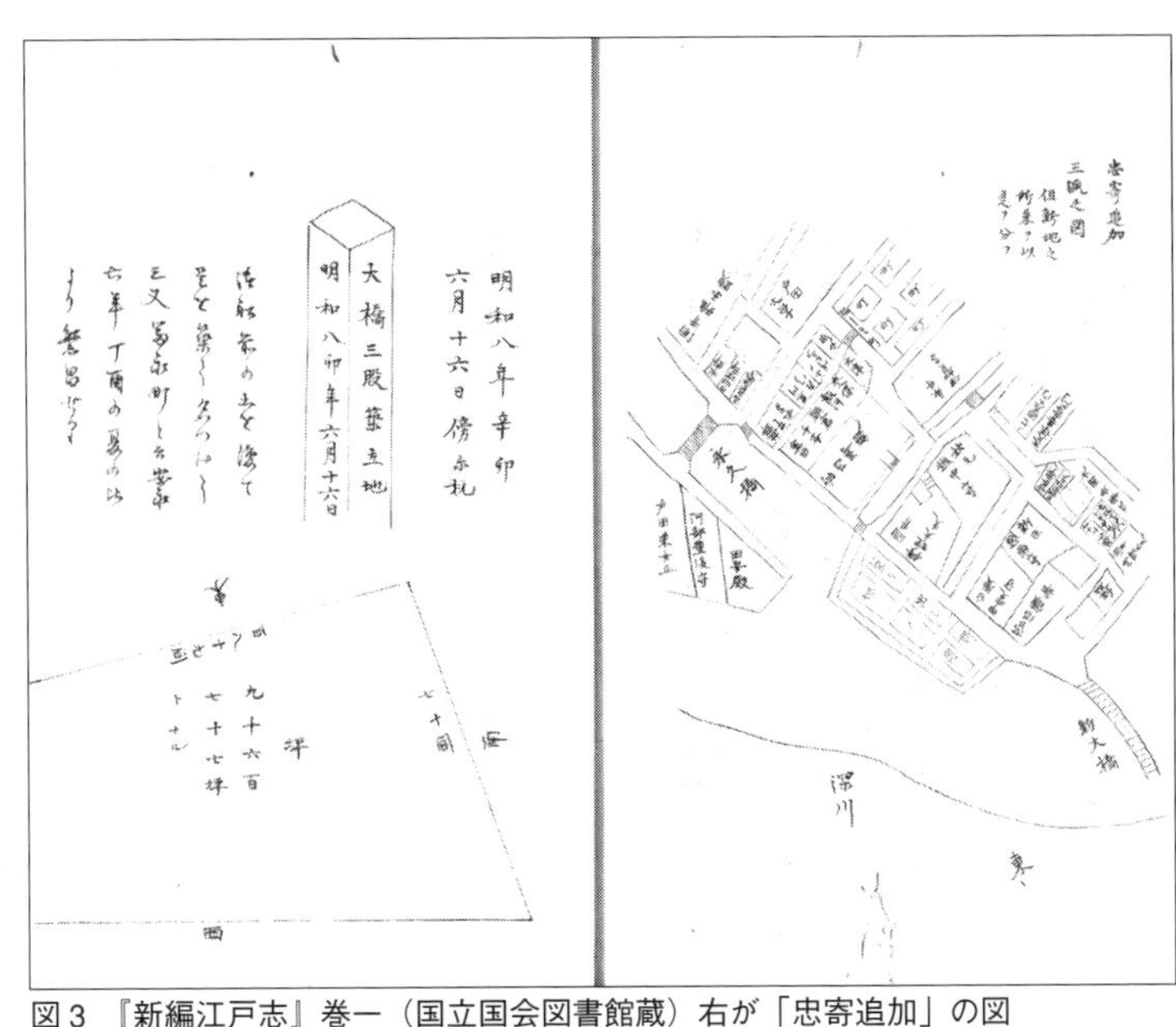

図3 『新編江戸志』巻一（国立国会図書館蔵）右が「忠寄追加」の図

は寛政七年から起算した年代記載があるから、成立はその頃のことであったろう。これは貞雄の最晩年にあたる。『高田雲雀』本編のほうには貞雄・南畝それぞれの考察も挟まれ、彼らが忠寄もろとも同じ頃に現地を踏査してまわることは十分に考えられよう。そしてそれが『江戸志』の「再撰」のためであったというのである。実際、岩瀬文庫本『新編江戸志』では第一冊の表紙の識語に「大久保忠寄／瀬名貞雄／校本」とする。

とはいえ『新編江戸志』本文で多くの項目に「貞雄云」とする補記があるのに対して、忠寄の関与のあとは一カ所に限られている。巻一・城東「三派（みつまた）」項で、将来の備忘のためにと中洲新地の形状の記録を付すという貞雄の言に続き、「忠寄追加　三派之図」を置く【図3】。これだけとはいえ、忠寄がかかわったことは紛れもない。また、巻頭に百八点に及ぶ引用文献を掲げるうちに「江戸図寛永天和寛文元禄」、そのほか、明暦・延宝、（また年代不明の）「江戸古絵図」を掲げるのも、前述のように地図を多く所有していた忠寄の寄与を思わせ、実際に多くの項目で地図を使用して考証が加えられている。
補記される前の原書『江戸志』は全巻にわたって江戸の全方位の地理・地名について詳細な情報を集積するが、貞雄の増補は巻一御曲輪内東西南北、巻二浅草・今戸から千住、巻七赤坂・青山・麻布あたり、そして巻十深川から亀戸方面に集中し、それ以外にはさほど見られない。基本的には原書の記載を、文献や伝承などで検証、補足するものである。

たとえば巻一「石川島」項は、「はなれ島也　石川氏代々宅地」、これに続けて『諸家続胤』という書物を引用して「石川重次其子政次、慶長五年御使番、同十九年御目付、其子重信代々此地に住するよしを記せり」とする原書に対して、貞雄は以下のように大猷院、つまり三代将軍家光をめぐる伝承を補記する（以下、国立国会図書館馬琴旧蔵十巻本による、以下同）。

> 貞雄追甫、或人の説に云、大猷院の御時、異国より鎧一領を献ず。おもうして誰も是を携出して奏者すべき人なし。公ののたまふには簱本の内、穿鑿すべしと宣ふ。時に石川氏の先祖大力にして、将軍家思召の通り、彼鎧を片手にて持出て披露しけり。（下略）

こうして石川氏の先祖が御前で大力を披露したこと、これに続けてその褒美としてこの島を所望して与えられたこと、そのため別名を鎧島ということを記す。この説は『江戸砂子』にはなく、のちに『江戸名所図会』にやはり「ある人のいふ」として採られることになる。

同じく巻一、日本橋の「式部小路」をみてみよう。ちなみに後年、本書でもたびたび登場する戯作者柳亭種彦が、『源氏物語』をいわば江戸時代化した『偐紫田舎源氏』初編（文政十二年刊〈一八二九〉）で作者阿藤の居所と設定する地名である。原書には「日本橋の南二丁目新道を云よし。寛文江戸図に久志本式部宅地、此所にあり」。久志本式部は公儀に代々仕えた医官で、その居宅跡という。これに「貞雄云、寛永九年壬申九月六日大猷公より久志本式部へ此会所屋敷を下さる、と前撰集に見へたり」と補記する。『前撰集』は不明ながら、前述の南畝問・貞雄答『瀬田問答』の所引の記事内容からしても家光時代の記録かと推測される。この地名については、『江戸砂子』には場所の説明のみ、後年の『江戸名所図会』では記載そのものがない。それがここでは、式部に屋敷地が下賜されたという名の由来が明かにされ、その年代までもが特定されているのである。

やはり巻一の、永田町の地名の由来となった「永田馬場」項では、今は一軒のみだが、かつては永田氏の旗本屋敷が並んでいたとする『江戸砂子』説を否定し、古地図を引いてこう記す。

> 貞雄曰、是相違也。今、現に永田辻之丞、永田右馬之丞、大岡家の前に両家あり。按ずるに、寛文江戸図には長門馬場といふ御馬屋此所に有。永田馬場とはなし。永田氏屋敷も永田伝十郎及永田市十郎屋敷と只弐軒ならではなし。然ば長門馬場といへるが本名なるべし。中頃、永田氏のやしき多くなりて此名有歟。近世又、永田右馬之丞、永田善二郎屋敷只弐軒ならではなし。

かつてたしかに「長門」という馬場があってこれがもとの名であり、永田氏の屋敷はもともと、また今も二軒しかないが、一時は多かったためその名で定着した、と推測する。ほかの地誌にはない記述で、のちに編まれる官撰の江戸の地誌資料集『御府内備考』（文政十二年〈一八二九〉成）にも引用されることになる。

このように江戸の街の隈々までの地名・地形・建造物などについて、伝承、文献や地図の伝える限り、内容に検討を加えつつ情報を網羅する。それらに多く、将軍家をはじめとする武家方の逸話が盛りこまれることで、江戸という都市の基層に、武家衆によってかたちづくられてきた都としての性格が色濃くあることをくりかえし確認させ、その印象を増幅していく。街の形成過程が、それにかかわった武士たちの名とともに記憶されるのである。

5　山東京伝の考証へ

京伝の『近世奇跡考』（文化元年〈一八〇四〉刊）のもくじを一覧すると、瀬名貞雄の関心との重なりが見いだされる。巻二の四「久米平内石像の考」が『瀬田問答』を直接引用してこれに依拠するのは明白な例で、貞雄のこの考証は先述のように忠寄の編んだ江戸の古跡にかんする写本にも載せられた、彼の代表的な所論であった。さらに、とくに情報源として言及はされないが、巻一の十七にみえる往年の吉原三浦屋の名妓高尾（たかお）とそのゆかりの僧侶として知られる土手の道哲（どうてつ）のこと、二つの寺に高尾の墓所があることなどは、貞雄も『新編江戸志』浅草西方寺（さいほうじ）の項に詳述している。初代と二代の高尾のことは『瀬田問答』で南畝が尋ね、貞雄が解説したことであった。この関心は京伝の『近世奇跡考』巻四の九「三浦屋高尾の考」に受けつがれるが、それだけではなかった。ここから出発した南畝が、貞雄も言及した吉原事情通で、幕臣にして三味線の名手原武太夫（はらぶだゆう）からの聞き書き、『新撰江戸志』の貞雄による二代高尾の墓の論などをまとめて『高尾考』とする。それを京伝や、秋田藩の重臣にして黄表紙の作で名高い朋（ほう）誠堂喜三二（せいどうきさんじ）ら、多くの人士が増補していったのが、幕末に蔵書家岩本活東子（いわもとかつとうし）によって『燕石十種』一に収められる『高尾考』となるのである。ここに考証の関心が貞雄、南畝、そして京伝へとつながっていったことが確認できる。

さらにおそらく『近世奇跡考』巻一の九、伝説の彫工「左り甚五郎（ひだりじんごろう）家譜」も、実はさきの浅草観音堂絵馬の考証とかかわって『新編江戸志』巻二に引用される家譜によっている。かの絵馬をめぐる伝承には続きがあり、絵の馬が夜な夜な抜け出して「近辺の作物を荒すより、左甚五郎縄を書添てより其事なしと江戸砂子にも見」えるとしながら、貞雄はそれを疑ってこう記す。

左甚五郎が繋ぎ留たるといふも恐らくはいぶかし。左甚五郎は関東へは来らず。播州明石に居住しけるとなん。予一年、慥に知れる人の伝へしを書付置ぬ、左のごとし。

左甚五郎 伏見住人 寛永十一甲戌年四月廿八日死四十一 ―― 左宗心 元禄十五年午三月十五日死七十一
 ├ 左勝政 京今出川寺町に住 享保十二丁未五月十三日死 ―― 左利左衛門
 ├ 左半十郎 ―― 左勝兵衛 ―― 左嘉兵衛

『近世奇跡考』当該項は、高名な左甚五郎も実はその伝は詳しく知られていないけれども「予、其譜を得て、始て時代を知る」として、甚五郎以下三代について記す。その記載が右の引用と完全に一致するのである。これに続いて別の文献一点を引いたあと「亀文翁云、左甚五郎は関東には不レ来。播州明石に住みけるとぞ」と添える。ここで書名は明示されないが、この亀文こそ、瀬名貞雄の号であった。

このように南畝を通して京伝の『近世奇跡考』へと流れこんでいく関心の源の一つが、瀬名貞雄という人物とその周辺の歴史・地理考証であった。しかも久米平内も高尾・道哲も、左甚五郎も、京伝が好んで戯作に登場させる、とりわけ関心の高い話柄となっていく（山本陽史一九八八）。

6 おわりに

江戸の古跡の由来、土地にまつわる歴史について、古記録や絵地図、金石文、伝承をとり集め、検証・集積してゆく行為は、寛政期を境にさかんに行われるようになる以前、一七七〇年代の安永期あたりから、こうしてはじまっていた。貞雄の師系は明らかでないが、大久保酉山は、さきにふれたように幕臣にして中世以来の伊勢家の故実研究を発展させた伊勢貞丈（一七一七〜一七八四）に学んだ人物で、武家の故実考証の手法にその源をみいだしてよかろうか。

最後に、本章で触れた忠寄編の写本や南畝『武江披砂』所収「緑毛遺文」にも収められる、貞雄の代表的な考証である、道灌山の名称の由来についての論にも触れておこう。いわく『江戸砂子』などが太田道灌城跡とするのは俗伝で、江戸の地理の重要文献であった大道寺友山（だいどうじゆうざん）『落穂集（おちぼしゅう）』（享保十三年〈一七二八〉成）の関道灌坊宅地とする説につき、文献から感応寺開基道灌坊の存在を、聞き書きでその関姓をつきとめ、その符合をもって有力な説として確定する。さきの絵馬の考証と同じく、ここにも、のちにつながる、文献を付きあわせ、伝承など得られる情報を駆使して推測を深めて説を立てる方法が確認できよう。この人びとは、関心の所在のみならず、手法の点でも後人たちの範となっていた。南畝や京伝らは、その背中から、ともに知識を寄せあつめ歴史をたどることの愉しみもまた学んだのではなかったか。

参考文献

・揖斐高「細推物理の精神」（『大田南畝全集』八巻解説、岩波書店、一九八六年）
・井上啓治『京伝考証学と読本の研究』（新典社、一九九七年）序章「山東京伝、人生の転機から考証学・本格小説へ」、二章「南畝・保己一・京伝と折衷学・考証学・和学」
・小林ふみ子「狂歌の先達　大根太木が示唆するもの」（新宿歴史博物館『「蜀山人」大田南畝と江戸のまち』展図録、二〇一一年）
・佐藤悟「考証随筆の意味するもの—柳亭種彦と曲亭馬琴」（『国語と国文学』七十巻十一号、一九九三年）
・佐藤哲彦『西山蔵書目録（函別編）』解題（ゆまに書房、二〇〇四年）

・佐藤深雪「山東京伝―転換期の考証家―」（『国文学　解釈と鑑賞』五十七巻三号、一九九二年）
・斎藤直茂『江戸切絵図集成』解題（中央公論社、一九八一年）
・中野三敏『大田南畝全集』十七巻解説（岩波書店、一九八八年）
・中山久四郎「考証学概説」（『近世日本の儒学』岩波書店、一九三九年）
・光延真哉「歌舞伎役者の墳墓資料」（『江戸歌舞伎作者の研究』笠間書院、二〇一二年、初出二〇〇九年）
・宮崎修多「大田南畝における雅と俗」（『日本の近世12文学と美術の成熟』中央公論社、一九九三年）
・山本和明「山東京伝と〈考証〉―戯作者一側面―」（『仏教と人間』永田文昌堂、一九九四年）
・山本陽史「山東京伝の考証随筆と戯作」（『国語と国文学』六十三巻十号、一九八六年）
・濱田義一郎・中野三敏・日野龍夫・揖斐高編『大田南畝全集』全二十巻・別巻（岩波書店、一九八五～二〇〇〇年）

付記
瀬名貞雄の生年は、表向きは『寛政重修諸家譜』の通り享保元年ながら、実はその三年後であること、南畝がその死を伝え聞いた記録（『一話一言』巻二十六）による。大久保忠寄については、生年を『寛政譜』の記述から算出、没年は菩提寺の古記録の報告（森潤三郎「蔵書家大久保酉山」『今昔』四巻八号、一九三三年）によった。

Check! **そこにどんな〈江戸〉像があらわれたのか？**

江戸のまちには、隅々に至るまでその形成にかかわった一人ひとりの事跡が地名として刻印されている。そうした多くの個々人の遺業のうえに今の江戸があるということを、各地にまつわる考証を重ねることで浮かびあがらせたのが、瀬名貞雄らの仕事であった。とりわけ彼らの多く用いた資料の特性によって武家方の逸話が多く盛りこまれ、この都市が武家の人びとによってかたちづくられたことを強く印象づける書物群がここに生みだされた。

Chapter2

「長禄江戸図」と馬琴の地理考証——「神宮」をめぐる混乱

●神田正行

「長禄年中江戸之図」一枚（三二・四×四七・四㎝）。多くの伝本が、長禄二年（一四五八）における江戸の姿を伝えるものと主張する。長禄二年は、『南総里見八犬伝』の伏姫が命を落とした年でもある。この図の末尾には、「文化三丙寅年正月日　相田敏政蔵印」とあり、刊行された「長禄図」としては、もっとも早いものとされる。古地図研究家岩田豊樹氏（一九〇四〜九〇）の旧蔵で、国学者黒川真頼・真道の蔵書印がある。
（明治大学図書館岩田豊樹文庫蔵）

1　はじめに

文京区の公益財団法人東洋文庫に蔵される『曲亭蔵書目録』の「ち部」には、「長亨江戸図」「長禄江戸図」と題する二枚の写図が、並んで掲出されている。「長禄」は西暦一四五七年から一四六〇年、「長亨」は一四八七年から一四九〇年の元号である。これらの地図は、馬琴の随筆『燕石雑志』（文化七年〈一八一〇〉八月、文金堂ほか刊）や『玄同放言』第一集（文政元年〈一八一八〉十二月、仙鶴堂ほか刊）においても参照されるが、同図の影響は、すでに文化元年（一八〇四）執筆の読本『四天王剿盗異録』（文化三年〈一八〇六〉、仙鶴堂刊）からうかがうことができる。よって彼は件の二図を、文化初年ごろに入手したのであろう。

天保十年（一八三九）八月に至って、馬琴は伊勢松坂の知友小津桂窓に、「長禄」「長亨」の両図を含む六枚の江戸図について、その買い取りを打診している（同月十二日ごろ桂窓宛書翰）。この譲渡が成立したか否かは不明であり、馬琴の所持した「長禄・長亨の地図」も、今日に至るまでその所在が確認されていない。とはいえ、文化から天保に至るまでの四十年近い歳月、馬琴がこれらの地図を、地理考証のよりどころとして用いたことはたしかである。

「長亨江戸図」と題された地図は、目下のところ管見に及んでいないが、「長禄江戸図」と総称される地図の現存諸本や、この地図に関する馬琴の証言などを勘案すると、彼の所持した「長亨図」は、「長禄図」の一異本であったと思われる。よって本章では、特に必要のない限り、両図を合わせて「長禄江戸図」、もしくは「長禄図」と称することにした。

馬琴著作における「長禄江戸図」利用の諸様相に関しては、紙幅の都合で別稿「「長禄江戸図」と馬琴読本」（『読本研究新集』11、二〇二〇年）に譲ることとし、本章ではこの地図の概要を確認した上で、『南総里見八犬伝』（文化十一年〈一八一四〉～天保十三年〈一八四二〉、文溪堂ほか刊。以下、『八犬伝』）における利用の事例を取り上げ、馬琴の江戸地理考証が有する問題点について考察してみたい。

2 「長禄図」の素性と伝播

十七世紀初頭、徳川幕府による開発によって、江戸の地は大きくその姿を変えたが、家康入府以前の同所の地形は、今日では古文書や地質調査などにもとづいて、おおよその推定がなされている。それらの研究によれば、現在の都心部には日比谷入江が大きく食い込み、新橋周辺をその先端とする「江戸前島」が、半島状に海へ突き出していたという。これに対して、「長禄図」の諸本には、日比谷入江も江戸前島も描かれておらず、この点からも件の地図は、実景図ではなくして想像図、もしくは擬撰図と判断されている。

「長禄江戸図」の信憑性は、すでに江戸時代から疑問視されており、たとえば岩井守義（いわいもりよし）『豊島郡浅草地名考』（天保七年〈一八三六〉成立）の中には、以下のような記述が見える。

> 往古江戸の図といふもの、中古好事の者の偽り作れるもの也。一ツに長禄又享禄、或は天文、亦は永禄、小田原北条家の頃の絵図也といふ。此図と武蔵風土記は偽書にて不レ足レ取（とるにたらず）。予も田安の殿にて写給ふ処の校合図もあれど、引書にはしがたし。
>
> （未刊随筆百種6、二三七頁）

ここで編者は「往古江戸の図」について、長禄以外にも享禄（一五二八～三二）や天文（一五三二～五五）、永禄（一五五八～七〇）などの元号を冠したものが流布することを紹介している。実際に、飯田龍一氏ら編『江戸図総覧』（飯田ほか一九八八の別冊）には、「永禄中江戸之図」や「元亀天正年中江戸辺之図」などと題されたものも登録されており、各々の伝本が主張する成立年代には、百年以上の隔たりが存するわけである。とはいえ、天正期以前の江戸図は、その大半が題号に「長禄」を含んでおり、図上に配置された地名には、若干の精粗が見受けられるものの、描かれた範囲やその地形には、諸本のあいだで大差がない。よって、家康入府以前の「江戸往古図」は、一般に「長禄江戸図」と総称されているのである。

地理学者河田羆は、明治二十六年に発表した「東京地理沿革考」の中で、「長禄図」の成立を、以下のように推定している。

> 当時（筆者注—家康入府時）ノ地形ハ、世ニ長禄図ト称スル者アリ。江戸図説集覧等、之ヲ増補シテ伝フレドモ、固ヨリ偽撰ニシテ、其原本古板図ヲ観ルニ、長禄二年己未二月ト記ス。長禄二年ハ、戊寅ニシテ己未ニ非ズ。因テ考フルニ、図中地名、概ネ小田原役帳所載ニ同ジ。役帳ハ永禄二年己未二月、北条氏ノ臣松田筑前守等査定スル所ナレバ、蓋後人之ニ擬シテ偽撰シ、偶々永ヲ長ニ謬リ、後人之ヲ察セズ、又其謬ヲ襲ヒ、遂ニ長禄図ト称シ、己未ノ字ヲ刪ルニ至リシナリ。故ニ之ヲ采ル能ハズ。

ここで河田は、永禄二年（一五五九）に作成された『小田原役帳』（以下、『役帳』）をもとに、何人かが「偽撰」したものが「長禄図」であり、標題の「永禄」が、いつしか「長禄」に誤られた結果、この地図が「長禄江戸図」として広まったと想像する。『役帳』は、北条氏康の命令で作られた、家臣団の領地や役高を記した帳簿であり、一般に『小田原衆所領役帳』と称されている。永禄期における北条氏の版図には武蔵国も含まれていたので、『役帳』は江戸とその近郷の地名を数多く登載する。

「長禄江戸図」に見える地名が、どの程度まで『役帳』と一致するかについては、以下のような指摘がある。

この「役帳」と「長禄図」との地名の一致度をチェックしてみると、図中にある八〇の地名のうち、「役帳」に記載のないものは、多く考えても、大蔵郷、山中分、無戸分、広瀬村の四のみ。大蔵郷は人名とも思われるし、広瀬は広沢のあやまりかとされるので、それを除けばわずかに二。逆に、「役帳」にあって「長禄図」の範囲にあるはずのものがないと判定されるのは、平尾、今津、上野、中里、船方など約一〇にすぎないほどの一致度となる。（飯田など一九八八、一七頁）

右引用の中で、『役帳』には見いだしえないとされた四つの地名は、「長禄江戸図」においてはそれぞれ以下の地点に配置されている。

①大蔵郷……北西端。「志村（現在の板橋区志村）」の西。
②山中分……西部中央。「富塚村（現在の新宿区西早稲田）」の南。
③無戸分……北東部。「浅草」の北。
④広瀬村……北東部。「浅草」の西。

ただし、「長禄図」諸本の中には、文化三年（一八〇六）刊図【本章扉参照】や、文化十三年江見屋吉右衛門（えみやきちえもん）刊『長禄年中御江戸古絵図』のように、④の「広瀬村」を、右引用の指摘通り「広沢村」とするものもある。「広沢」であれば、『役帳』に「同（江戸）広沢内（代山・根岸）源七郎分」などとあり、これも同書由来の地名と見なしうる。また①の「大蔵郷」について、大橋方長（おおはしまさなが）『江戸往古（おうこ）図説』は、『役帳』に見える板橋内の「大谷口（もしくは郷）」

のこととし、吉田東伍「江戸の古代地理」もこれを支持している。

吉田の論考は、前掲の河田羆「東京地理沿革考」を受けて、「長禄江戸図」の「謬誤」を数多指摘しており、その中には③「無戸分」に対する言及も備わる。

> 無戸村。長禄図に、浅草千束の間に此一村を記す。是れは役帳に
> 　六貫二百文　千束内、三戸分
> とある三戸を無戸とかへて、偽作の跡を掩はん巧なりしならん。然れども千束浅草の辺に、三戸てふ村名のあらん道理なし。三戸は氏族にて、千束村の田土若干は、三戸氏の旧知行なりければ、役帳に三戸分といへるのみ。

ここで吉田は、「長禄図」の作者が「偽作の跡を掩はん」ため、「三戸分」を「無戸村」に改めたと推定しているが、文化三年刊図などには「無戸分」とあり、おそらくは「三戸分」→「無戸分」→「無戸村」という変遷をたどったものと思われる。「無戸分」や「山中分」の「分」の字は、吉田の記述にもあるごとく、『役帳』の中では特定の武士や武士団、あるいは寺院などに配分された土地を意味するものである。「長禄図」が転写される過程で、このような字義が不明となり、いつしか「分」が「村」に改められたのであろう。

また、『役帳』諸本の中でも、酒井忠昌が江戸地理考証『南向茶話』（寛延四年〈一七五一〉成立）において参照したものや、東京市役所の『集註小田原衆所領役帳』（昭和十一年刊）に用いられた一本（小室本）などは、「三戸分」を「長禄図」と同様に「無戸分」としている。よって、「長禄図」に見える「無戸分」を、同図作者の虚妄と断ずるのは早計かも知れない。

残る②「山中分」についても、『役帳』の中に「同（江戸）戸塚内　山中分」という記述を見いだしうる。してみれば、「長

禄江戸図」に登録されたおよそ八十の地名は、飯田氏らの指摘した四つも含めて、そのすべてが『役帳』に由来するものと見なして大過ないようである。

よって「長禄江戸図」は、『役帳』に見える地名や固有名詞を、不正確な地形図の上に配置して作成されたと想像しうるのであるが、このような作業をいつ、何人が行ったのかは明らかでない。とはいえ、巷間に流布する『役帳』の多くが、元禄五年（一六九二）に武州金輪寺の宥相が書写した旨の跋文（あとがき）を有することから、「長禄図」の成立も、この年をさかのぼらないと考えられている。

一方、「長禄図」の地名に逐一考証を加えた、大橋方長の『江戸往古図説』が、寛政十二年（一八〇〇）に著されている以上、「長禄江戸図」の出現も十九世紀にはくだり得ない。また複数の「長禄図」には、安永七年（一七七八）に奥絵師狩野閑川（一七四七〜九二）の蔵本を写した旨が書き添えられているので、この地図の成立も、安永期以前であった蓋然性が高いと思われる。

なお、東京国立博物館に蔵される着彩写図（所蔵番号、541）には、「安永七年戊戌十月記　此図ハ狩野閑川家蔵長禄年中絵図校合」という朱書きのほか、「伊勢貞丈蔵ニ　御入国以前之江戸絵図　此図者田安中納言宗武卿御穿鑿之由」の墨書も添えられている。[*1] もとよりこれは、博識をもって知られた宗武や貞丈の名を借りた、後人の偽作である可能性も否定できないが、仮に「長禄図」が田安宗武（一七一五〜七一）の手を経ていたならば、その成立は同人の没した明和八年（一七七一）よりも前ということになる。

狩野閑川と並んで、「長禄図」諸本の識語にたびたび登場するのが、西丸御書院番を勤めた幕臣大久保忠寄（号酉山。一七三二〜一八〇二）である。忠寄の『酉山蔵書目録』には、「長録年中江戸絵図　一枚」が登録されており、彼が「長禄図」を所持していたことが確認できる。さらに、弘化四年（一八四七）米田万右衛門蔵板の刊刻図においては、「大久保何某所持ノ絵図、瀬　貞雄本ノ写ヲ以校合」のごとく、朧化された忠寄とともに、旗本瀬名貞雄

（一七一八カ〜九六）の名前が現れる。同図には「貞雄云」として、「国分方」を「カヲカイ」と読むべき旨も注記されており、「長禄図」の伝播過程に瀬名が関与したことをうかがいうる。

　吉田東伍の前掲論考は、瀬名貞雄が増補した近藤義休父子原撰『新編江戸志』（本書Chapter1、小林ふみ子氏論考参照）の中に、「長禄江戸図」が参照されていないことを指摘する一方、瀬名の「信奉」や「挙揚」が、偽撰「長禄図」の信憑性に影響したことを難じてもいる。同図に対する瀬名の態度が、吉田の主張するごとき盲信的なものであったかは不明であるが、蔵書家大久保忠寄や考証家瀬名貞雄の名前は、「長禄図」を権威づけるものとして、後人に利用されたことであろう。

　文化期以降、「長禄江戸図」に説き及んだ著作としては、大田南畝『金曽木』（文化六・七年〈一八〇九・一〇〉）や池田定常（冠山）の『浅草寺志』（文政三年〈一八二〇〉）、松浦静山『甲子夜話』続編（巻九十三。天保四年〈一八三三〉ごろ）などがある。また山崎美成『御江戸図説集覧』（嘉永六年〈一八五三〉、栄久堂ほか刊）には、「永禄年間江戸図」と題して、鳥瞰図めかした「長禄図」が、見開き四面にわたって掲げられている。さらに、書肆青林堂を営んだ為永春水は、江見屋吉右衛門が刊刻した『長禄年中御江戸古絵図』の板木を買い取り、書肆名のみを自らが営む「通油町　越前屋長次郎」と改めて再印した。

　享和三年（一八〇三）は、江戸開幕からちょうど二百年という節目にあたり、このころには慶長以前の江戸の姿に、改めて思いをはせる者も少なくなかったに違いない。そのような風潮の中、必ずしも素性の明らかでない「長禄江戸図」が注目を集め、右に列挙した人物たちも、各々の興味関心にもとづいて、この地図に向き合ったのであろう。馬琴が「長禄図」や「長享図」を入手し、『八犬伝』をはじめとする複数の著作においてこれらを参照したのも、決して偶発的な事象ではなかったのである。

図１　『南総里見八犬伝』第 24 回挿絵（柳川重信画。国立国会図書館蔵）

3　『八犬伝』の「かには」

『八犬伝』第三輯（文政二年〈一八一九〉、山青堂ほか刊）の第二十四回において、犬塚信乃は伯父蟇六が仕組んだ計略にはまり、亡父番作から托された名刀村雨丸を、贋物とすり替えられてしまう【図１】。この悪事に荷担した浪人網乾左母二郎が、神宮河上の舟中で村雨丸を横領し、蟇六には自身の刀を渡して欺いたため、のちに蟇六とその妻亀篠は、陣代簸上宮六らに斬殺されることとなる。

刀剣すり替えの舞台となった神宮河について、馬琴は第二十四回の末尾で、以下のように自注する。

作者云、神宮村は、豊嶋郡、今の王子村より北のかた、十七八町にあり。こゝに河あり、神宮河といふ。蓋その地によりて名づけたるのみ。（中略）神宮の西のかた、豊嶋村の河ぞひに、豊嶋信盛の館の迹あり。今は鋤れて、纔に遺れり。嘗長禄・長享の地図を考るに、この河の南岸なる村々、尾久、豊嶋、梶原堀内、十条、〔一本千条に作る〕稲附、志村等の数村ありて、神宮村なし。按ずるに、かにはは、梶原を訛れる也。今神宮と書は古実にあらず。か丶れば神宮の旧名は、梶原堀内村なるべし。（以下略。第三輯巻二、二十七丁裏）

現在のJR王子駅から北へ二キロほど離れた隅田川ぞいに、北区神谷という町名があり、同地はかつて「かにわ」と呼ばれていた。よって、馬琴が想定した場所も、このあたりであったと考えてよかろう。「神谷（蟹和）村」近辺の様子について、十方庵敬順の江戸紀行『遊歴雑記』初編（文化十年〈一八一三〉成稿）巻上には、「漁猟を愛する人は、彼処に至り漁者を雇ひ、猟船に乗うけてたのしめり。か丶る荒川の長流の魚は格別とて、蟹和の鯉と賞し、風味抜群なりとなん」と記されており、蟇六が漁猟を口実に信乃を誘う場所としても、「神宮河原」は好適である。

前掲引用の後半で、馬琴は「かにわ」の旧名を「梶原堀内」と推定し、その根拠として、「長禄・長享の地図」をあげていた。既述のように、彼の所持した二枚の写図は現存が確認されていないので、『八犬伝』第三輯の三年前に印行された、江見屋板『長禄年中御江戸古絵図』（【図2】北が下）を参照すると、荒川（現在の隅田川）南岸の「尾久」と「豊嶋」のあいだに「梶原堀内」を見いだしうる。

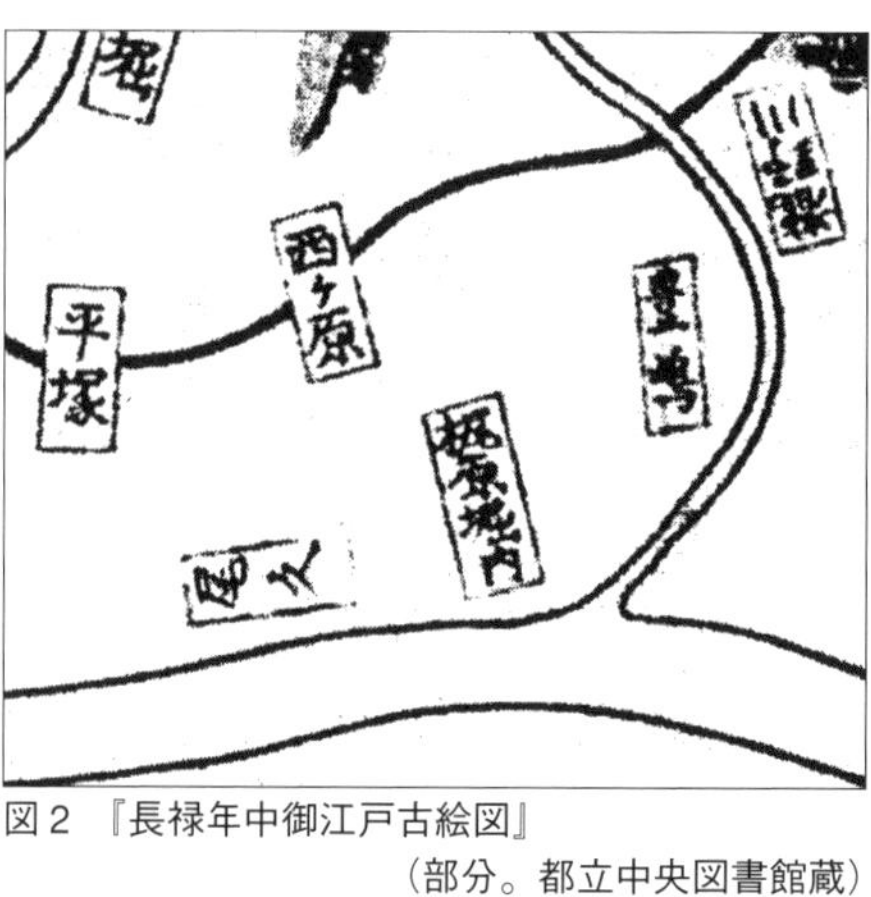

図2 『長禄年中御江戸古絵図』（部分。都立中央図書館蔵）

この「梶原堀内」について、馬琴も所持した菊岡沾涼『続江戸砂子温故名跡志』（享保二十年〈一七三五〉刊。以下、『続江戸砂子』）の巻三には、「王子村より十町あまりこなた、平塚明神より本木六阿弥陀へ行道、梶原堀内と号す」（十四丁表）と記されている。平塚明神（現在の平塚神社）はJR上中里駅のそば、「本木六阿弥陀」こと西福寺は隅田川と石神井川との合流点の北西に位置し、両所のあいだと説明される「梶原堀内」は、王子村の東ということになる。明治二十二年、「梶原堀内」は王子村の大字「堀ノ内」となり、昭和七年に近隣の「船方」と併せて「堀船」となった。現在の北区堀船と同区神谷は、いずれも隅田川の湾曲点に接するが、両所は直線でも一・八キロほど離れている。

つまり、「神宮」を「梶原堀内」と同定した馬琴の考証は誤りであり、これは『続江戸砂子』の記事からも容易に確認しうるものである。しかし彼は、「カヂハラ→カニハ」という思い込みが強かったため、手近に存した地誌類の確認さえ怠ったのであろう。

前掲自注の中で言及された「豊嶋信盛の館の迹」とは、「豊嶋村の河ぞひ」とあることから、頼朝に仕えた豊嶋清光（きよみつ）（清元とも）の居館跡と伝承される、北区豊島七丁目の清光寺（せいこうじ）周辺のことであろう。[*2] 同寺は北区神谷の東、すなわち馬琴の記述とは逆方向に位置するが、この矛盾は馬琴の抱く「神谷＝梶原堀内」という謬説によって説明すべきものと考えられる。「長禄江戸図」において、「豊嶋」は【図2】のごとく、「梶原堀内」の西に描かれており、この「梶原堀内」を「神宮」に置き換えれば、「神宮の西のかた、豊嶋村の河ぞひに、豊嶋信盛の館の迹あり」という一文と整合する。

その一方で、馬琴は件の自注において、豊嶋近辺の地名を、東から「尾久、豊嶋、梶原堀内」の順に並べていた。しかし、「長禄図」の管見諸本において、「尾久、梶原堀内、豊嶋」の順序は、ほぼ崩れることがない。むろん、馬琴による意図的な改変の可能性は捨てきれないものの、彼が清光寺の所在地である豊嶋を、「梶原堀内」の西と認識していた以上、「尾久、豊嶋、梶原堀内」という配列は、不注意ゆえの誤記と判断すべきではあるまいか。

『八犬伝』第三輯刊行の後も、馬琴は「神谷＝梶原堀内」という自説を、いくつかの書物の中に記しとどめている。以下では、それらの記事を年代順に取り上げて、右の誤解がいかに根深いものであったかを確認してみたい。

文政九年（一八二六）九月に、馬琴が「冠山老侯」こと因幡若桜（わかさ）藩の前藩主池田定常の求めで筆を執った「江戸地名小識」（『兎園小説外集』所収）には、「カニハ」と題する一項が収められている。

　　カニハ
　王子より半道ばかり、千住と川口の渡との間の河端を、かにはといへり。今は神谷と書てカニハと唱ふ。こは旧名梶原新田也。長享・長禄の江戸地図に見えたり。扨、かぢはら新田を略してかぢはらといひ、又略して、カヂハといひしを、やがて訛りてカニハといふなるべし。

「かには」の所在を千住と「川口の渡（現在の北区岩渕）」とのあいだとする馬琴の説明は、実情にも合致するものであるが、一方で彼は、ここでも「かには」を「かぢはら」に関連づけている。「梶原堀内」は、『役帳』にも「滝之川」と一連で「渋江分」とあり、近世期には「堀内」と略称されることもあったが、これを「梶原新田」と呼び変えた形跡は見いだしえない。「長禄図」諸本の中でも、「梶原新田」を登載するものは管見に及んでおらず、これは馬琴の一時的な思い違いと思われる。

同じ「江戸地名小識」のうち、「カニハ」の次に置かれた「続江戸砂子正訛」項において、馬琴は『続江戸砂子』巻四の「身代地蔵」項（二十三丁裏）に登場する「本江丸山真中氏息弥八」を、自身の親類でもある川口真中氏にゆかりの者と主張している。その当否はさておき、享和三年（一八〇三）刊行の『俳諧歳時記』（名古屋東壁堂ほか刊）においても利用した正続の『江戸砂子』を、馬琴は文政期に至るまで折々ひもといていたのであろう。しかし、「梶原堀内」に関する『続江戸砂子』の記事は、「江戸地名小識」を綴る際にも馬琴の目には止まらず、「長禄図」の「梶原堀内」を「カニハ」とする誤りは、このときにも是正されなかったのである。

天保三年（一八三二）の二月から六月にかけて、馬琴は瀬名貞雄が増補した『改正新編江戸志』十巻を、飯田町の小松屋三右衛門から借り寄せ、校訂を加えつつ精読している。この作業と並行して、馬琴は筆工の河合孫太郎に全冊の写本を作成させており、この本は国立国会図書館に現存する【Chapter1 扉参照】。同書巻四に紹介される「梶原塚」は、地名「梶原堀内」の由来とされるものであり、馬琴は同項に対して、以下のような朱筆の頭書を施している。

> 鮮（筆者注―馬琴の本名）云、梶原堀ノ内、今俗訛りてカニハと唱へ、神庭と書くもの也。かには、かぢはらの訛省にて、堀の内を略せるならん。（巻四、四十九丁裏）

ここでは新たに「神庭」という表記を紹介しているが、「かには」を「かぢはら」の「訛省」とする見解は、文政初年の『八犬伝』第三輯以来変化していない。

また、『改正新編江戸志』の同じ巻に収められた「○平塚城の跡　竈檀塚」項の頭書においても、馬琴はやはり「かには」に説き及んでいる。

> 鮮云、王子より半里許、川口のわたしのこなた、かにはといふ近辺に、豊嶋左衛門の館の跡とて、小阜き処あり。按ずるに、豊嶋氏平塚の城を攻落されしよりこゝに在けん歟、猶たづぬべし。（巻四、四十一丁裏）

「かには」近在の「豊嶋左衛門の館の跡」が、豊嶋清光寺の周辺地域と考えられることは、すでに述べた通りである。清光寺にゆかりのある鎌倉期の豊嶋清光は、江戸六阿弥陀の創立伝説にも登場して、「左衛門」もしくは「左衛門尉」と称されている。この「豊嶋左衛門」を、『八犬伝』第三輯の自注は「豊島信盛」としていたが、信盛は同作中で「豊

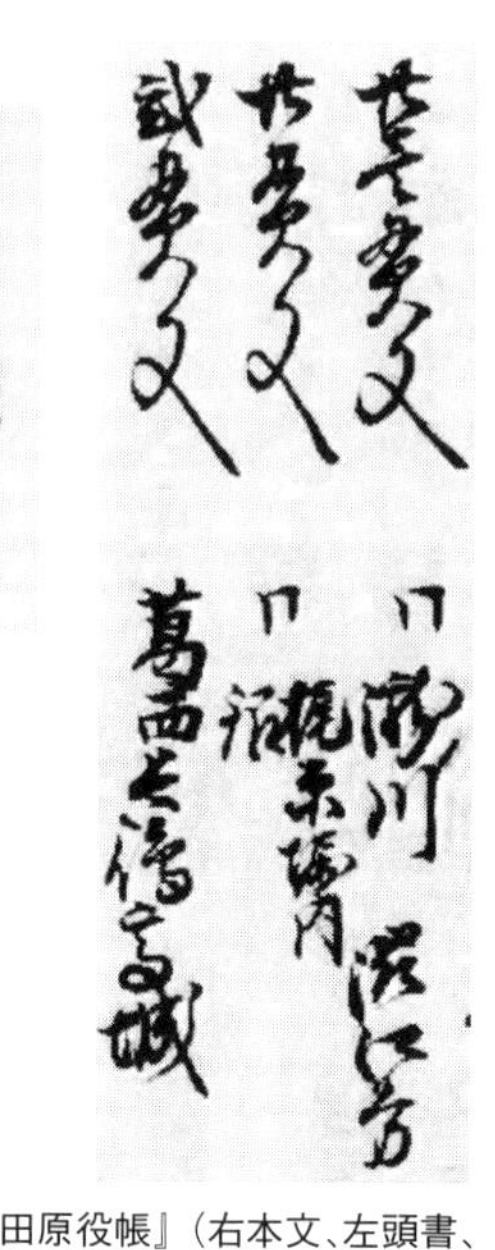

図3　馬琴旧蔵『小田原役帳』（右本文、左頭書、早稲田大学図書館蔵）

嶋勘解由左衛門尉平信盛」とも称されており、伝承における「豊嶋左衛門」の遺跡を、馬琴が自作に合わせて「豊島信盛」のものに改めたのであろう。

天保六年（一八三五）の春ごろには、これまで本章においてもたびたび参照した、北条家の『小田原衆所領役帳』が、馬琴の蔵書に加えられている。早稲田大学図書館曲亭叢書に現存する写本（外題「北条分限帳」）は、先述した宥相の跋文がある通行の伝本であり、馬琴が最終丁に記した墨朱二つの覚え書きは、若干の時日を隔てて書き入れられたもののようである。この年の馬琴日記は現存しないため、写本作成の詳細は不明であるが、墨筆の識語によれば、その原本は本所猿江（さるえ）の旗本山名義蕃（やまなよしあきら）から貸与されたものであった。

同じ識語の中で、馬琴も「原本ハ傭書（ようしょ）（筆耕）ノタメニ謬（あやま）ラル。コノ故ニ得テ読ムベカラザルモノ多クアリ」（原漢文）と難じるように、山名家蔵本は必ずしも善写本ではない。三十四丁裏の本文中に登場する「梶原堀内」に関しても、本来は「滝ノ川」と併せて「渋江分」に含まれるべきところが、次行の「銀（現在の港区白金）」と一括されているように見える【図3右】。このような『役帳』が、馬琴得意の「神谷＝梶原堀内」説に反省を迫ることはなく、同じ丁の朱筆頭書には、「梶原堀内（カニハノ）」と傍訓が施されている【図3左】。

この「梶原堀内」も含めて、馬琴旧蔵『役帳』の本文上部には、七十あまりの地名が朱筆で書き出されており、馬琴がこのような作業を行ったのは、巻末に朱筆の識語を認めた、天保六年五月二十八日ごろであったと思われる。

これに先立って、同月八日には馬琴の息子宗伯が没しており、『役帳』の「校閲」は馬琴にとって、「喪児之憂」を払うための「遺悶之料」だったのである。

4 おわりに

「梶原堀内」という誤解を支えた「長禄江戸図」について、馬琴は『玄同放言』第一集の中で、「世にふりたる江戸画図は、長禄・長亨にますものなし。しかれども彼二本は、こゝろ得がたき事なきにあらず」(巻一下、十三丁裏)と記している。同書は『八犬伝』第三輯とほぼ同時に刊行されたものであり、馬琴はすでに文政初年から、「長禄図」の信憑性が高くないことを認識していたのである。また、彼は同じ章段において、「顧ふに好レ事者、北条分限帳などより取よせて、後に作れるもの歟」(同上)という幕臣中神守節(一七六六〜一八二四)の所説をも紹介しており、この点に対する考究が深められていれば、「神谷=梶原堀内」説も動揺したに違いない。しかし結局、馬琴は「梶原堀内」という謬説を、天保期に至るまで抱き続けたのである。

文政十二年二月十七日の馬琴日記には、前日の大火に関する記載の中で、「かには」という地名が登場する。また、前年の二月十三日には、馬琴の妻女お百が息子宗伯とともに、王子稲荷や滝野川弁財天を日帰りで参拝している(同日日記)。江戸城下に暮らす者にとって、荒川南岸が気軽な観光地であったことを思えば、馬琴も「かには」の周辺地域について、多少なりとも土地勘を有していた蓋然性が高い。『八犬伝』における「神宮河原」も、決して空想の産物ではなく、馬琴にとってはある程度の実感をともなう場所であったと考えられる。とはいえ、彼が「神谷」と「梶原堀内」とを混同するに際しては、記憶の中の不正確な土地勘が、かえって悪しき先入観として働いたのかも知れない。

注

1　この墨書とほぼ同じ記述を持つ写図は、国立国会図書館（特1-3100）や岡山大学附属図書館池田家文庫（T3-156）にも蔵されるが、いずれも貞丈の名を記さない。

2　文化期における清光寺周辺の状況は、『遊歴雑記』第二編の巻中「二十二　豊嶋村清光寺左衛門が宅地帳塚」に記録されている。また『新編武蔵国風土記稿』巻十七にも、「豊島権守清光館趾　清光寺の傍にあり。広九十坪許の所を云」とある。

参考文献

・飯田龍一・俵元昭『江戸図の歴史』（築地書館、一九八八年）★別冊、『江戸図総覧』。
・池田定常（松平冠山）『浅草寺志』（上下。浅草寺出版部、一九三九・四二年）
・岩井守義『豊島郡浅草地名考』（『未刊随筆百種』六巻、中央公論社、一九七七年）
・大久保忠寄『酉山蔵書目録』（長澤孝三編集『板倉・朽木・大久保家蔵書目録』四・五巻、ゆまに書房、二〇〇四年）
・大田南畝『金曽木』（『大田南畝全集』十巻、岩波書店、一九八六年）
・大田南畝『南畝文庫蔵書目』（『大田南畝全集』十九巻、岩波書店、一九八九年）
・大橋方長『江戸往古図説』（『燕石十種』六巻、中央公論社、一九八〇年）
・河田羆「東京地理沿革考」（『史学雑誌』四十四編、一八九三年七月）
・菊岡沾凉纂緝、小池章太郎編『江戸砂子』（東京堂出版、一九七六年）
・曲亭馬琴『兎園小説外集』（『新燕石十種』六巻、中央公論社、一九八一年）
・酒井忠昌『南向茶話』（『燕石十種』二巻、中央公論社、一九七九年）
・佐脇栄智校注『小田原衆所領役帳』（戦国遺文後北条氏編別巻、一九九八年、東京堂出版）
・十方庵敬順『遊歴雑記』（自筆本影印。三弥井書店、一九九五年）
・鈴木理生『江戸はこうして造られた　幻の百年を復元する』（ちくま学芸文庫、筑摩書房、二〇〇〇年）
・東京市編纂『集註小田原衆所領役帳』（東京市史外篇、東京市、一九三六年）
・浜田啓介「『八犬伝』の地理」（新潮日本古典集成別巻『南総里見八犬伝』7解説。新潮社、二〇〇三年）

・松浦静山著、中村幸彦・中野三敏校訂『甲子夜話続篇』八巻（東洋文庫400、平凡社、一九八一年）
・吉田東伍「江戸の古代地理」（『日本歴史地理之研究』冨山房、一九二三年）

付記
本稿の校正に際して、編者の小林ふみ子氏から、大久保忠寄・瀬名貞雄両人の生年が、『寛政重修諸家譜』などに基づく通説とは異なることを教示された（その概要はChapter1の付記にも記されている）。ここに記して深謝申し上げます。

Check! そこにどんな〈江戸〉像があらわれたのか？

十八世紀中に「擬選」されたものと考えられる「長禄江戸図」は、道灌（どうかん）築城当時の江戸の姿を伝えるものとして、江戸開府から三百年を経た十九世紀初頭には、広範に流布していた。『南総里見八犬伝』の作者である曲亭馬琴もまた、この地図を考証のよりどころとして用いている。

『八犬伝』に登場する「神宮（蟹和・神谷）」の地について、馬琴は「漁猟が盛んな場所」という認識は持っていた。しかし一方で、彼は「神宮」を「長禄江戸図」に見える「梶原堀内」と同一視したため、その誤りが今日まで『八犬伝』の読者を混乱させている。「神谷」と「梶原堀内」とは、荒川南岸の地名として、文政期にも併存していたが、馬琴はこの点を認識していなかった。「梶原堀内（カニハ）」という誤解は、彼が「長禄図」を偏重したことに起因するようである。

江戸回顧の時代と文学者の地誌
――幸田露伴「水の東京」の試み

●出口智之

創作者としてだけでなく、学者としても秀でた業績を残した幸田露伴だが、歴史にも自然にも明るく、加えて旅が好きだったという条件がそろっているにもかかわらず、地誌的な性格を持つ作品は驚くほど少ない。その数少ない例外の一つが、東京の水路を細かに概観した「水の東京」（『文芸倶楽部』明治三十五年〈一九〇二〉一月定期増刊【図1】）である。「水の東京の景色も風情も実利も知らで過ごせるものに、聊か此の大都の水上の一般を示さん」と説き起こす露伴は、隅田川とその枝流の地理や風俗を簡明に概観してゆく。試みにその一節を見てみよう。

神田川中水道橋辺より／●御茶の水橋下流に至るまでの間は、扇頭の小景には過ぎざれども而もまた岸高く水甃りて樹木鬱蒼、幽邃閑雅の佳趣無きにあらず。往時聖堂文人によりて茗渓と呼ばれたるは即ち此地なり、女子師範学校及び高等師範学校の下、教育博物館の所在地は往時の大学のありしところにして、今猶大成殿其他の建築保存せられ、境内亦大概旧に依りて存せらるゝを以て、塩谷宕陰二十勝記のおもかげ残れるかたも少からず。

神田川沿いの地理と景観、湯島聖堂のような名勝の現況、そして塩谷宕陰「茗黌二十勝小記」のような土地にまつわる文芸に触れ、そうした歴史性を現今に重ねてゆくとは、まさしく地誌の筆である。ほかにも、両国橋での「川開き夜の賑ひは、寺門静軒が記せし往時も今も異り無し」と『江戸繁昌記』（天保三～七年〈一八三二～三六〉刊）を参照し、あるいは「振鷺が意妓の口に、大河の恋風は浮気な頬をなぐり、内河の旭は眼が覚めてから睡しと云ひたるも、おもふに古石場町富岡門前町などの間を行く此の一水を指したるなるべし」と振鷺亭の洒落本『意妓の口』（寛政・享和ころ〈一七八九～一八〇四〉成立か）を思い起こしてみせる彼は、たしかに変容する都市に文化的記憶を重ね合わせ、江戸―東京の連続性を看取しようとしている。それにしても、いかに釣に親しんでいたとはいえ、あえて水辺から都市を記そうとは、果たしていかなる着想によるものだろうか。

実は、本作の背景には『文芸倶楽部』の版元であった博文館の存在が色濃い。『日本名勝地誌』（明治二十六〜三十四年）刊行に象徴されるように、日本の風土を近代の眼から再発見しようとする時代の流れに乗った同社は、明治二十八年一月に発刊した総合誌『太陽』でも、地誌や紀行類を積極的に掲載していった。露伴もまた「うつしゑ日記」「遊行雑記」の前後篇（明治三十年十一月・十二月、同三十三年三月・四月・七月）と、「知々夫紀行」（明治三十二年二月）の二作の紀行を寄せているが、いずれもそれまでに書いた紀行より地誌的な記述が大幅に多いところに、メディアとの関係が仄見える。特に前者は、博文館の編集者だった大橋乙羽とともに東北を周遊した長篇紀行だが、初回の掲載号には乙羽が撮影した多数の写真と、「写真解説」「口絵説明」と副題した乙羽の紀行「東北遊記」が併せて掲げられていて、交通網の整備によって到来した観光ツーリズムの波に乗ろうとする戦略が明瞭である。

図１『文芸倶楽部』表紙
（明治 35 年 1 月定期増刊「東京」）

一方、博文館のもう一つの主力誌『文芸倶楽部』においても、読者からの投稿を募る形で明治三十二年五月にはじまった「避暑地案内」が、最終回の予定だった九月号から逆に「勝地案内」として拡大し、すでに定着していた「諸国風俗」とともに大きな存在感を発揮するようになる。「水の東京」が掲載された明治三十五年一月の定期増刊「東京」特集は、明らかにこの延長上になった企画で、以下この年は「京都と奈良」「大阪と神戸」「名古屋と伊勢」の四冊の定期増刊が刊行された。ただし、当代の状況紹介に重きが置かれたほか三冊に比べ、「東京」号には福地桜痴「江戸の新春」、岸上質軒「武士と町人」、雪中庵雀志「江戸の俳諧」、三木愛花「江戸幕府時代相撲沿革」、幸堂得知「江戸の芝居」などが並んでおり、いささか異質である。これは、多くの読者にとって近しかっただろう東京については、いまさら名所を紹介するより、江戸の終焉から三十五年を経てその文化的ルーツを探るほうが興味が深かったためと考えられ、実際に明治三十年代後半には、いくつかの他誌でも江戸への回顧がはじまっている。

　このように考えてみると、地誌の性格も兼ねながら東京に残る江戸の面影を探るのに、水路への着目はまことに適切であった。次第に失われつつあるとはいえ、急激に転変する「陸の東京」に比すれば水域は旧時代の残映をよく保ち、たとえば山谷堀にも「今も猶南岸の人家に往時の船宿のおもかげ少しは残れる」ようなところもある。そしてその結果、東京の都市機能と都市計画について縦横に論じた同時期の「一国の首都」（『新小説』明治三十二年十一月・十二月、同三十四年二月・三月）で、露伴の文明批評家としての実務的思考が示されたのに対し、本作は該博な知識と教養のうえに詩的抒情を紡ぐ、文人露伴の詩想のありかを物語ることになった。

　中洲の対岸、一水遠く東に入るものを／●小名木川とす。芭蕉の居を卜しゝは即ち此川の北岸にして、満潮の潮がしらに川角へさし来る水の勢に乗つて照り渡れる月に句を按じ、或は五本松あたり一川の上下に同じ観月の友を思へるなど、皆此処に居たるよりの風雅のすさびなりけんと想はる。

　露伴が想うのは、「名月や門にさしくる潮がしら」（『三日月日記』）、「川上とこの川下や月の友」（『続猿蓑』）の二句の向こうに見た、水派に立つ芭蕉の姿である。土地ゆかりの故人の文芸を取り入れながら、はせる思いを趣深く綴るとは、いかにも露伴らしい地誌の記しかたであった。

Chapter3

鷗外歴史文学の〈江戸〉像——時間・空間の語りかたに注目して

●大塚美保

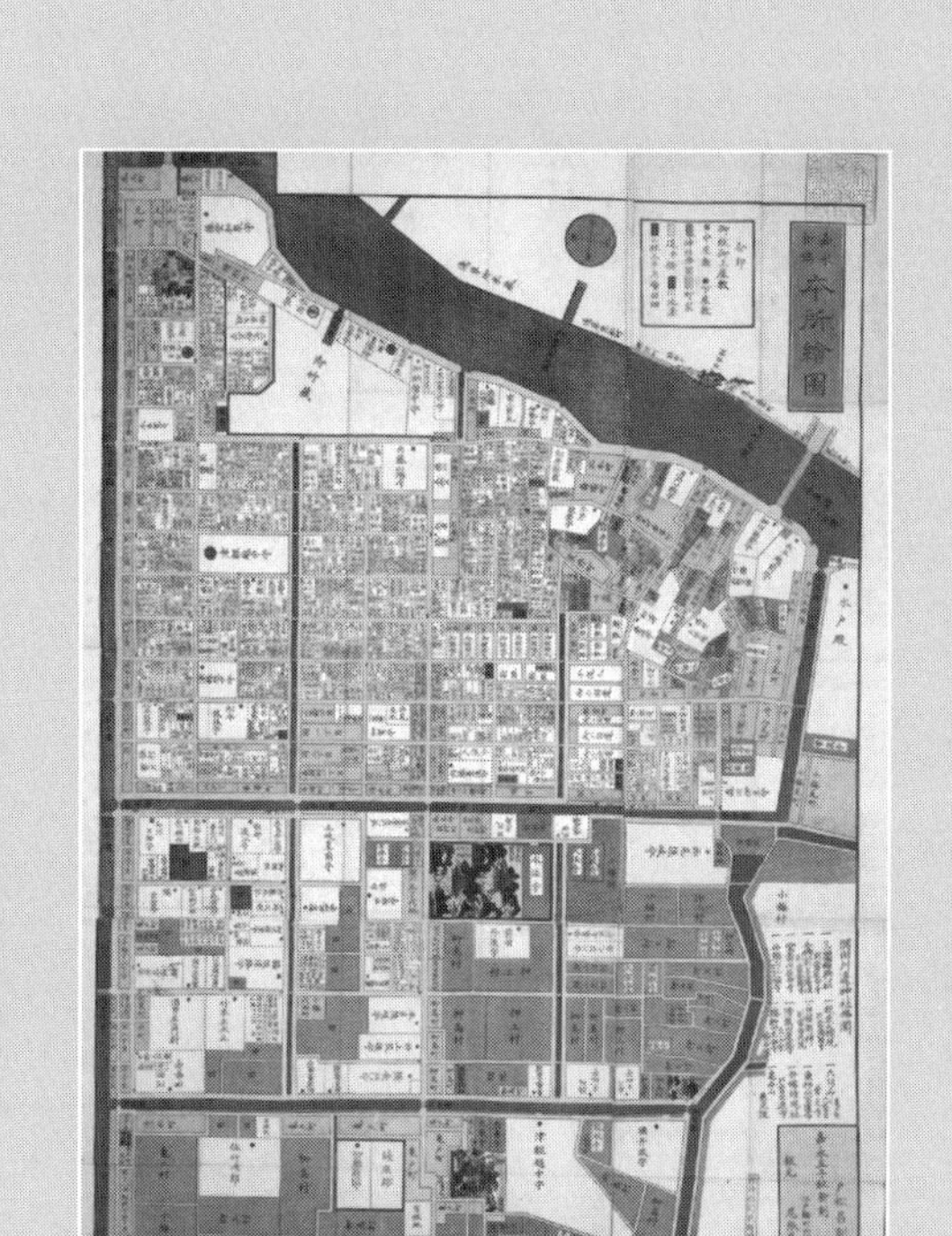

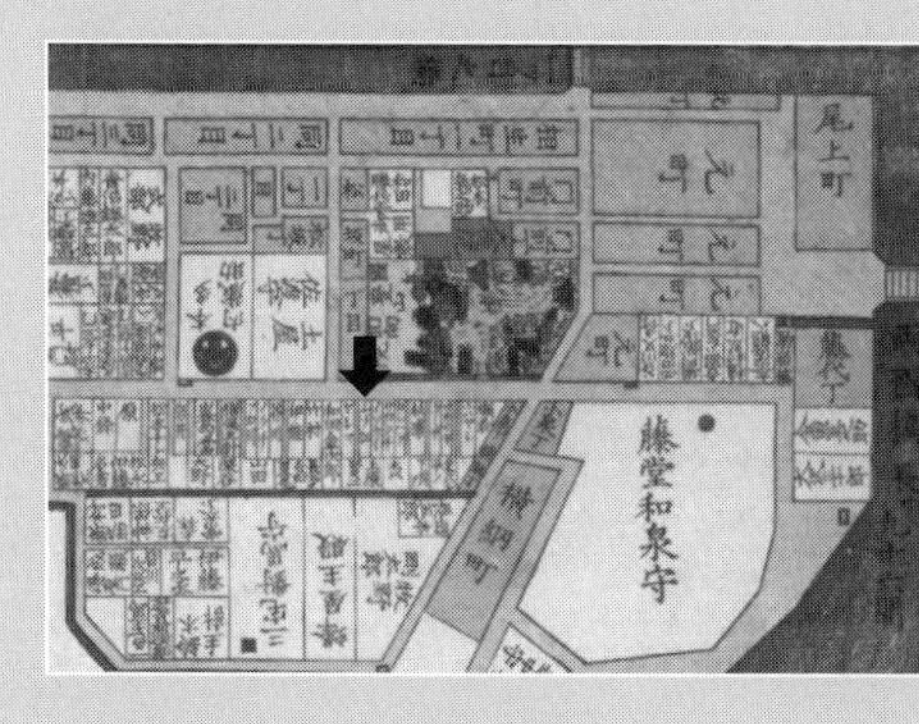

『嘉永新鐫本所絵図』。嘉永五年（一八五二）、尾張屋清七出版の江戸切絵図。切絵図は地域別の市街図のこと。森鷗外『渋江抽斎』は抽斎一家の嘉永四年の転居について述べ、本所小泉町の新居が「当時の切絵図に載せてある」（その四十二）とする。この本所切絵図の小泉町にたしかに「シブ江」の名が見える。矢印で示した。（国立国会図書館デジタルコレクション）

1 はじめに

大正期の森鷗外は数多くの歴史文学を発表し、その中で都市江戸とそこに生きる人びとを描いた。本章では江戸の町を主要な舞台とする鷗外歴史文学を通観し、それらに共通して見いだされる特徴的な時間・空間の語りかたを考察しながら、そこに現れた〈江戸〉像を明らかにしたい。

本題に入る前に、「歴史文学」という用語について述べておきたい。筆者は歴史を扱った森鷗外の著作群を一括して「歴史文学」と呼び、従来よくなされていたように、大正元年（一九一二）発表の『興津弥五右衛門の遺書』にはじまる一連のテクストを「歴史小説」、大正五年発表の『渋江抽斎』にはじまる一連のテクストを「史伝」と呼び分けるということをしない。近年この区分を疑い、見直す動きが進みつつあるためである。ちなみに、鷗外本人が「歴史小説」「史伝」という用語で自作をカテゴライズした事実はなく、後代の批評家や研究者が作り出した研究上の慣習に過ぎないことをつけ加えておく。

このような慣習的区分ができあがる以前、鷗外文学のすぐれた読み手であった作家の永井荷風は、歴史を扱った鷗外の著作群を評して「史学と芸術との合致を示したるもの」（『耳無草（七）』『女性』第四巻第三号、一九二三年九月、のち『隠居のこごと』と改題）という言葉を残した。この一言が言い尽くしている通り、歴史文学とは、文学の創造性、すなわち想像力によって虚構を作り出す働き（荷風の言葉では「芸術」）と、歴史学の科学性（「史学」）とを同時に含み込んだ文学であり、後者を内包する点で、虚構を本旨とする通常の小説・物語とは性質を異にする。

〈歴史学の科学性〉とは何か。それはこの場合、第一に、現実世界に外延的指示対象を持つこと（たとえばある小説に「マリー・アントワネット」が登場した場合、この登場人物は現実世界に対応物、すなわち外延的指示対象を持つ。これに対し、「シャーロック・ホームズ」という登場人物は現実世界に外延的指示対象を持たない）。第二に、事実の認定や解釈をめぐって第三者による検証可能性に開かれていること（たとえば慶応四年〈一八六八〉に起きた堺事件を小説家大岡昇平が検証し、事実の認定や解釈をめぐって鷗外『堺事件』を「切盛と捏造」と批判。その大岡が『堺港攘夷始末』で構築した堺事件像もまたその後検証を受ける、というように）をさす。

いわゆる鷗外歴史小説もいわゆる鷗外史伝も、〈文学の創造性〉と〈歴史学の科学性〉を同時に備えており、ただし両者の配合、つまり相対的な比重がテクストごとに異なるにすぎない。たとえば『伊沢蘭軒』『阿部一族』『山椒大夫』を比較すると、この並び順で〈歴史学の科学性〉の比重が減少し、〈文学の創造性〉の比重が増大している。両者の相対的比重はまた、同一テクストの内部で変動することもある。たとえば『安井夫人』の前半では〈文学の創造性〉の比重が、後半では〈歴史学の科学性〉の比重のほうが明らかに大きい。このように両者を連続的・流動的に含んだ「歴史文学」として鷗外著作をとらえていきたい。

紙幅の都合上、江戸を主要な舞台とする鷗外歴史文学のすべてを取り上げることは難しいため、それらを代表させるのにふさわしいサンプルとして、『護持院原の敵討』『安井夫人』『ぢいさんばあさん』『渋江抽斎』の四篇から主に引例する。本文の引用は『鷗外歴史文学集』（岩波書店、一九九九～二〇〇二年）により、収録巻とページを「第○巻○○頁」のように略記する。本文および資料の引用にあたり、旧漢字を新漢字に改め、傍点を省略し、読みやすさに配慮してルビを適宜省略または追加する。傍線と〔 〕内注はすべて引用者が付したものである。

2 時間・空間の特徴的な語りかた

サンプル四篇はいずれも江戸時代後期に実在した人物、実際にあった出来事を歴史文献にもとづいて描いている。本章が注目する時間・空間にかかわる叙述もまた、鷗外が執筆の際に入手し参照した歴史文献（以下、「依拠史料」

と呼ぶ）の中の情報、すなわち人物や出来事の〈いつ・どこで〉を示す情報を引用したものである。つまり前述した、外延的指示対象の存在と第三者による検証可能性を前提とする〈歴史学の科学性〉に属する叙述である。

依拠史料中の情報がこのように鷗外歴史文学のテクストに取りこまれ、語り手によって物語られるとき、人物や出来事の〈いつ・どこで〉を示す時間・空間の叙述に一定の興味深い傾向が生まれている。まず空間にかかわる叙述では、⓪逐一の詳細な地名、①人と住所の結合、②当時と今の場所の対応、という特徴的な語りかたを指摘できる。時間にかかわる叙述では、ⓐ年齢による時の表示、ⓑ父祖と子孫に連なる時間、という特有の傾向が認められる。以下、それぞれを詳しく見ていこう。

【⓪逐一の詳細な地名】

鷗外歴史文学の語り手（テクスト中に設定された、読者に物事を述べ伝える役割をになう者。歴史文学の場合、歴史叙述の主体としての役割もになう）は、出来事の発生や人物の移動などを叙述する際、関係する地名を逐一示し、そこが都市である場合には町名や橋の名までを詳細に述べるという特徴がある。

『護持院原の敵討』（『ホトトギス』第十七巻第一号、大正二年十月）はその好例である。姫路藩士山本三右衛門殺害の敵討ちのため、被害者の息子宇平、弟九郎右衛門、従者文吉が仇敵をさがして日本各地を旅する過程の叙述では、探索先の地名とそれぞれの滞在日数が依拠史料『山本復讎記』【図1】にもとづいて逐一示される。探索先が都市である場合、「松坂では殿町に目代岩橋某と云ふものがゐて、九郎右衛門等の言ふことを親切に聞き取つて、綿密な調べをしてくれた」（第二巻一一九頁）というように、詳しい町名までが示される。

中でも江戸の地名の詳しさは際立っている。次はそれをよく示す例である。江戸に戻った九郎右衛門と文吉が天保六年（一八三五）七月十三日、「両国」の花火の下で仇敵亀蔵（本名虎蔵）をついに発見し追跡する、その経路が

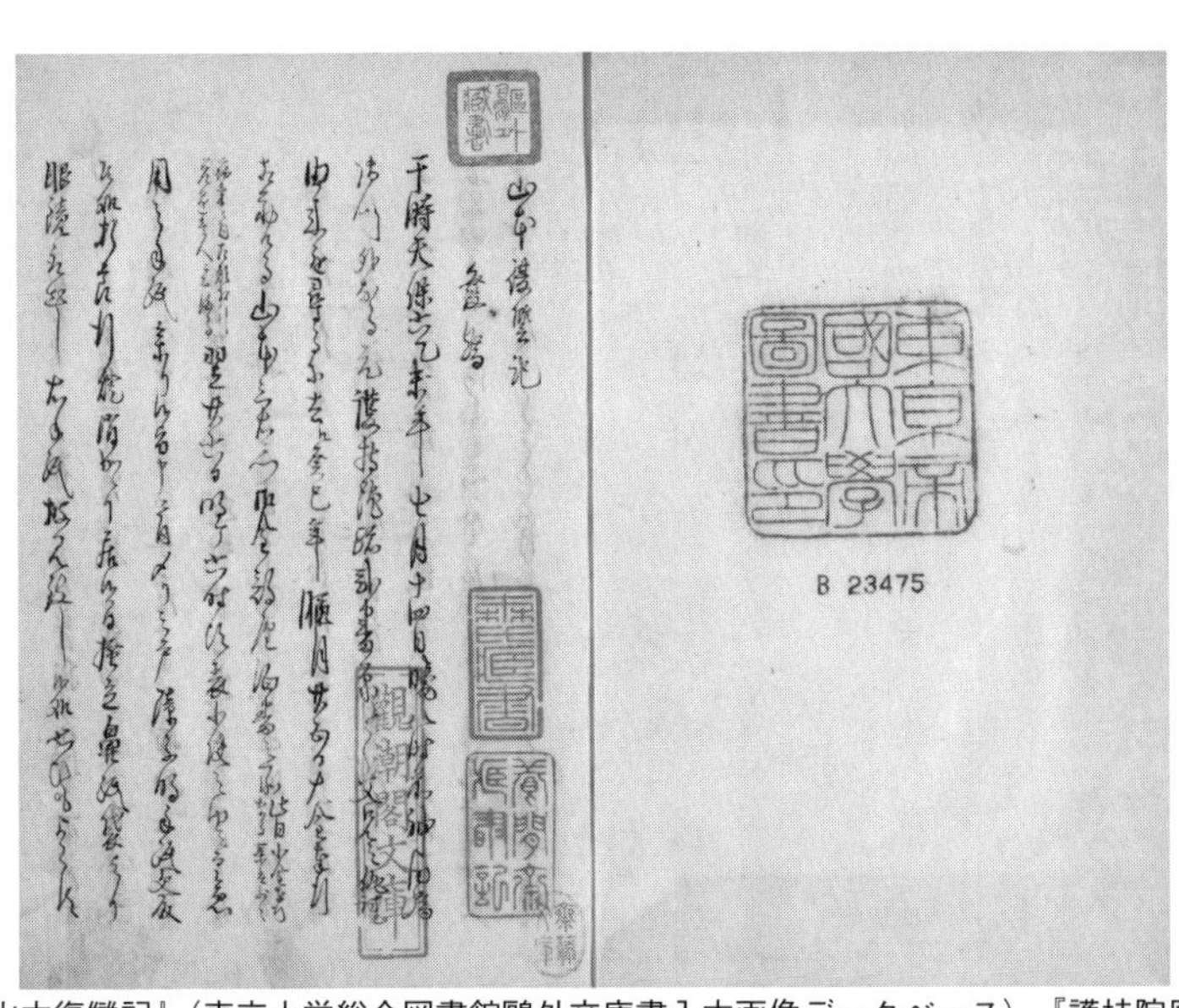

図１　『山本復讎記』（東京大学総合図書館鷗外文庫書入本画像データベース）。『護持院原の敵討』の主な依拠史料。尾形仂『森鷗外の歴史小説　史料と方法』（筑摩書房、1979 年）に全文翻刻されている。

次のように語られる。

> 二人は黙つて跡を附けた。月の明るい夜である。横山町を曲る。塩町から大伝馬町に出る。本町を横切つて、石町河岸から竜閑橋、鎌倉河岸に掛る。（中略）神田橋外元護持院二番原に来た時は丁度子の刻頃であつた。
>
> （『護持院原の敵討』第二巻一四二〜一四三頁）

この特徴の番号を⓪としたのは、次の特徴①②の前提となるという意味である。前述のように⓪は江戸以外の地についても見られるが、①②は江戸についての叙述に顕著な特徴である。

【①人と住所の結合】

江戸を主要な舞台とする鷗外歴史文学の語り手は、人物の身元や経歴を叙述する際、必ずその人物の住所を示し、転居すればそのつど新住所を示すという特徴がある。この特徴が極端な形で表れているのが、飫肥藩（現在の宮崎県日南市）出身の儒学者安井息軒（一七九九～一八七六）の妻、佐代の生涯を語る『安井夫人』（『太陽』第二十巻第四号、大正三年四月）の後半、すなわち第六節以降である。そこでは息軒（本文では「仲平」）の経歴が次のようなスタイルで述べられる。

> 江戸に出てゐても、質素な仲平は極端な簡易生活をしてゐた。帰新参で、昌平黌の塾に入る前には、千駄谷にある藩の下邸にゐて、其後外桜田の上邸にゐたり、増上寺境内の金地院にゐたりしたが、いつも自炊である。さていよ〳〵移住と決心して出てからも、一時は千駄谷にゐたが、下邸に火事があつてから、始て五番町の売居を〔天保丁銀〕二十九枚で買つた。／お佐代さんを呼び迎へたのは、五番町から上二番町の借家に引き越してゐた時である。（中略）お佐代さんが国から出た年、仲平は小川町に移り、翌年又牛込見附外の家を買つた。（中略）此年に三女登梅子が急病で死んで、四女歌子が生れた。／其次の年に藩主が奏者になられて、仲平に押合方と云ふ役を命ぜられたが、目が悪いと云つてことわつた。（中略）其又次の年に仲平は麻布長坂裏通に移つた。牛込から古家を持つて来て建てさせたのである。
>
> （『安井夫人』第三巻一八～二二頁）

傍線部のように息軒一家の転居と新住所が逐一言及され、このあとも「上邸〔外桜田〕の長屋」「番町袖振坂」「隼町」……と続く。これらの住所情報はすべて主要依拠史料である若山甲蔵『安井息軒先生』（蔵六書房、大正二年）の記事に即したものである。

一見無味乾燥なこうした年代記風の叙述は、「単に公職の異動と住居の移転の、味のないせわしいあとづけにすぎず、十分な形象になっていない」（稲垣達郎『森鷗外の歴史小説』岩波書店、一九八九年、一二〇頁）と評され、小説としての欠陥と見なされることが多かった。だが別の角度から見ると、こんなにも要約的な経歴記述の中で、公職や家族の生死と並ぶ重要情報として、依拠史料の中から省略されることなく選ばれ、引用されたのが、頻繁な転居とそのつどの住所だったといえる。住所がもつ意義の大きさについては本章3で改めて考察するが、さしあたって今は、それが息軒と妻佐代が生きた生活の現場を特定する情報である、と指摘しておこう。

【②当時と今の場所の対応】

鷗外歴史文学の語り手はまた、江戸の地名をあげる際にしばしば、それが「今」すなわち大正前期の東京のどこにあたるかを説明する。

> 文化六年の春が暮れて行く頃であつた。麻布竜土町の、今歩兵第三聯隊の兵営になつてゐる地所の南隣で、三河国奥殿の領主松平左七郎乗羨と云ふ大名の邸の中に、大工が這入つて小さい明家を修復してゐる。
> （『ぢいさんばあさん』第三巻二〇七頁）

という冒頭をもつ『ぢいさんばあさん』（『新小説』第二十年第九巻、大正四年九月）に、右の傍線部をはじめとして多くの例が見られる。「わたくし」と名のる語り手が、江戸後期の考証学者渋江抽斎（一八〇五～五八）の事跡を調査し、伝を執筆していく『渋江抽斎』（『東京日日新聞』大正五年一月十三日～五月二十日、『大阪毎日新聞』～五月十七日）にも、たとえば嘉永四年（一八五一）の抽斎一家の転居について、

> 是年渋江氏は本所台所町に移つて、神田の家を別邸とした。（中略）本所で渋江氏のゐた台所町は今の小泉町で、屋敷は当時の切絵図に載せてある。
> （『渋江抽斎』第五巻一三五～一三六頁）

と、「今」との対応を説明した例などがある。（本章扉の資料参照。なお、右の引用では本所の「台所町」がのちに「小泉町」と改称したかのように読めるが、正確には江戸期の町名も「小泉町」であり、「台所町」ないし「御台所町」は俗称だった。町の東隣りが幕府の御台所御家人衆屋敷であったためという。『日本歴史地名大系第十三巻　東京都の地名』〈平凡社、二〇〇二年、六五五頁〉による。）

このように当時と「今」との地理的な対応関係を特定し、その結果を読者と共有しようとする語りかたは、右の引用に「当時の切絵図」への言及がある通り、過去の地図と現在の地図とを重ね合わせる作業を前提にしている。作業の依拠史料は、大正期の鷗外が収集に力を入れていた江戸地図だったと見てまちがいない。東京大学総合図書館の鷗外文庫には今日、百二十点あまりの鷗外旧蔵「江戸図」が残されており、特に江戸時代後期の地図が多い。

さて、以上は空間にかかわる叙述の特徴だが、続いて時間にかかわる叙述の特徴を取り上げる。

【ⓐ年齢による時の表示】

まず、時を示すのに人物の年齢を用い、〈誰々〇〇歳の時〉のように述べるという特徴がある。年号や干支も一部で用いられるが、依拠度は低い。典型的な例を『安井夫人』からあげる。

> 飫肥藩では仲平を相談中と云ふ役にした。仲平は海防策を献じた。これは四十九の時である。五十四の時藤田東湖と交つて、水戸景山公に知られた。五十五の時ペルリが浦賀に来たために、攘夷封港論をした。此年藩政が気に入らぬので辞職した。（中略）五十七の時蝦夷開拓論をした。六十三の時藩主に願つて隠居した。井伊閣老が桜田見附で遭難せられ、景山公が亡くなられた年である。（中略）お佐代さんは四十五の時に稍重い

病気をして直つたが、五十の歳暮から又床に就いて、五十一になつた年の正月四日に亡くなつた。夫仲平が六十四になつた年である。（『安井夫人』第三巻二四頁）

『渋江抽斎』でも、「天保十二年の暮」つまり一八四一年歳末当時の抽斎の身の上を、

三度目の妻岡西氏徳と長男恒善、長女純、二男優善とが家族で、五人暮しである。主人が三十七、妻が三十二、長男が十六、長女が十一、二男が七つである。（『渋江抽斎』第五巻三頁）

と、家族構成と各人の年齢によって述べている。抽斎の両親については、「父允成が致仕して、（抽斎が）家督相続をしてから十九年、母岩田氏縫を喪つてから十二年、父を失つてから四年になつてゐる」（第五巻三頁）と、親の隠居や死去以来の経過年数を示して振り返っている。経過年数の提示は年齢提示の応用型と見ることができる。以上はいずれも当年三十七歳の主人公抽斎の立場からとらえられた、自身と家族の現在である。

以上を総合して考えると、〈誰々○○歳の時〉と人物の年齢によって時を示しつつ物語る語り手は、物語中の人物の立場に寄り添って時間をとらえているといえるだろう。当事者が生きる人生・生活の現場、その内側に視座を据えて叙述しようとする姿勢がそこに見てとれる。

【ⓑ父祖と子孫に連なる時間】

次に、叙述の対象とする時間の範囲が主人公の生涯を超え、主人公に先立つ父祖、後に続く子孫にまで及ぶという特徴がある。大正二年の改稿版『興津弥五右衛門の遺書』（籾山書店刊『意地』収録。初稿は『中央公論』第二十七年

第十号、大正元年十月）にはじまる特徴であり、サンプル四篇の中では『安井夫人』『渋江抽斎』にはっきり現れている。『渋江抽斎』を例にとると、その後半部分（「その六十五」から結末までの全五十五章）のすべてが、主人公抽斎が死去したのちの「子孫、親戚、師友等のなりゆき」（第五巻二〇四頁）の叙述である。

本人の伝に加えて父祖や子孫について記述することは、近世の代表的な人物伝である伴蒿蹊『近世畸人伝』、原念斎『先哲叢談』などにも先例がある。鷗外歴史文学は近世以来のこうした人物伝叙述の型を踏襲しつつ拡充した。その際、父祖や子孫とのつながりを叙述する理由を、語り手が次のように自己言及している。

> 前人の伝記若くは墓誌は子を説き孫を説くを例としてゐる。しかしそれは名字存没等を附記するに過ぎない。わたくしはこれに反して前代の父祖の事蹟に、早く既に其子孫の事蹟の織り交ぜられてゐるのを見、其糸を断つことをなさずして、組織の全体を保存せむと欲し、叙事を継続して同世の状態に及ぶのである。
>
> （『伊沢蘭軒』第九巻二八二頁）

加えて、「抽斎の祖父清蔵も恐らくは相貌の立派な人で、それが父允成を経由して抽斎に遺伝したものであらう。此身的遺伝と並行して、心的遺伝が存じてゐなくてはならない」（『渋江抽斎』第五巻三九頁）という「遺伝」への言及も見られる。これらから読みとれるのは、父祖の身体・精神・事業の中のある要素が子孫の中に受け継がれ、いわば子孫を通して父祖の生が今日まで続いている、とする歴史観である。

3　存在証明としての時間・空間

以上のような時間・空間の特徴的な語りかたを、さらに掘り下げて考えてみよう。鷗外歴史文学の語り手が提示する、絞り込まれた末のミニマルな人物情報の中に、〈ⓐ年齢によって示された時〉と〈①住所〉が含まれており、この二つが歴史上の人物をめぐる最重要情報と位置づけられていることがわかる。両者を合成すると〈〇〇歳の時、どこそこにいた〉という時間・空間叙述となる。たとえば、

> 家は〔息軒が〕五十一の時隼町に移り、翌年火災に遭つて、焼残の土蔵や建具を売り払つて番町に移り、五十九の時麹町善国寺谷に移つた。
> （『安井夫人』第三巻二四頁）
>
> 是年渋江氏は本所台所町に移つて、神田の家〔神田弁慶橋の旧居〕を別邸とした。抽斎が四十七歳、〔四度目の妻〕五百が三十六歳の時である。
> （『渋江抽斎』第五巻一三五頁）

などがその典型例である。

ここで一つの問いを立ててみたい。そもそも人は物事を物語る際、なぜ〈いつ・どこで〉に言及するのだろうか。当たり前といえばそれまでだが、これは人間が物事を語り、人に伝えようとする物語行為の根源に触れる問題ではないだろうか。さらに問うなら、時間・空間を示す際、「昔々あるところに」と漠然と述べるのではなく、「いついつの時、どこそこの場所で」と具体的に特定して述べることで何が可能になるのだろうか。

考えるに、〈いつ・どこで〉の特定は、その物語行為が学問的な歴史叙述であるか虚構物語であるかにかかわりなく、読者または聞き手に対して、物語られた人物や出来事の〈実在性〉〈真実性〉を請け合う機能を持つ。（ここで〈実在性〉〈真実性〉とカッコをつけたのは、それが絶対的な概念ではない、いいかえると、物語の生産者と享受者のあいだで了解され、信用される限りにおいて成り立つ実在性・真実性、という意味である。）歴史学の科学性を内包する歴史文学は、学問的歴史

叙述と同様に、まさにこの〈特定された時間・空間情報〉がもつ請け合う機能によって、自らの叙述内容の〈実在性・真実性〉を証明する。作り話の本当らしさを装う虚構物語も、この機能を利用して自らの〈実在性・真実性〉を演出する。(虚構物語の中の〈特定された時間・空間情報〉はそれ自体が虚構、つまり架空の時と場所であっても差し支えなく、それで演出の目的が達せられる。)

このように特定された時間・空間情報の提示は、物語られている人物や出来事が〈本当にいた／あった〉ことの証しとして働く。○○歳のときどこそこにいた。○○歳のときは別のどこそこにいた。……こうしてその人物の存在が跡づけられていく。鷗外歴史文学が特徴的な固執を見せる〈ⓐ年齢によって示された時〉と〈①住所〉は、その人物がかつてたしかに存在し、生活していたことを証拠立てる情報、すなわち存在証明として提示されているととらえることができる。

このことの傍証として『渋江抽斎』をあげたい。未知の古人渋江抽斎に関心を抱いた「わたくし」は、情報収集のため抽斎の遺族を捜しはじめる。

> 此に至つてわたくしは抽斎の子が二人と、孫が一人と現存してゐることを知つた。子の一人は女子で、本所にゐる勝久さんである。今一人は住所の知れぬ保さんである。孫は下渋谷にゐる終吉さんである。
>
> (『渋江抽斎』第五巻二二頁)

「勝久さん」とは抽斎の四女陸、芸名杵屋勝久。「保さん」は抽斎の七男で家督相続者。「終吉さん」は五男の息子である。終吉からの書状により、保の現住所が「牛込船河原町」であることを知った「わたくし」は、「保、終吉の両渋江と外崎〔調査協力者の歴史家外崎覚〕との三家へ、度々書状を」送り、「三家からはそれ〴〵返信があつて、

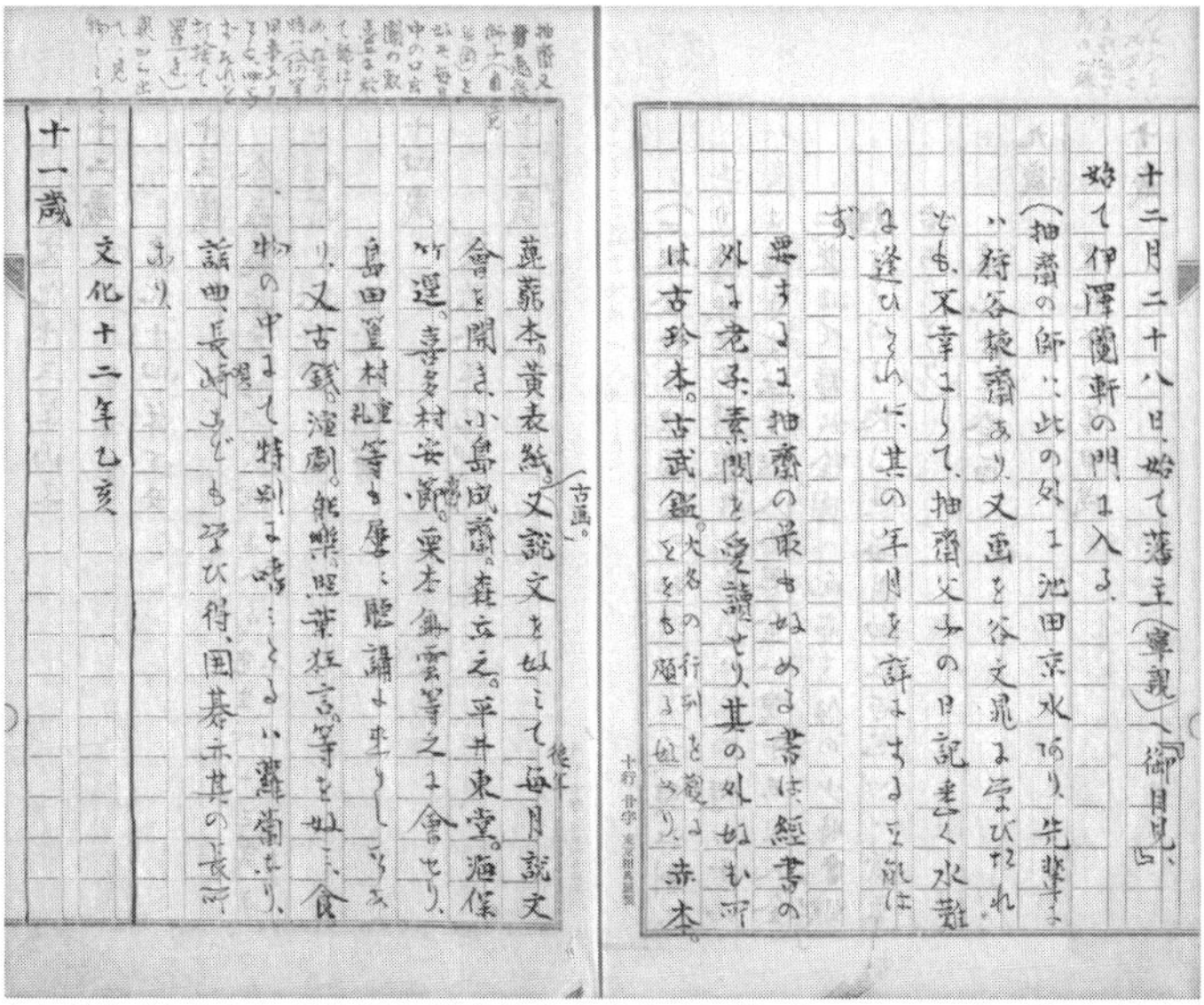
十二月二十八日、始て藩主(筆親)へ『御目見』

始て伊澤蘭軒の門に入る。

十一歳

文化十二年乙亥

図２　『抽斎年譜』（東京大学総合図書館鷗外文庫書入本画像データベース）。『渋江抽斎』の主要な依拠史料の一つ。渋江保が執筆した。このページには抽斎の伊沢蘭軒入門が記されている。

中にも保さんの書状には、抽斎を知るために闕(か)くべからざる資料があつた」（第五巻二七頁）。このように「本所」「下渋谷」さらに「牛込船河原町」と住所が判明することにより、遺族の存在が確認されていく。住所情報が遺族の存在証明となっている。「わたくし」は住所情報によって抽斎の子孫と通信し、やがて保本人との直接対面がかなう。

子孫は抽斎に関する証言や資料【図２参照】の提供者となったばかりでない。前述の特徴ⓑの通り、遺族それ自体が人間の形をした時間の連鎖でもある。今に続く子孫が、抽斎という人物が過去にたしかに存在したことの証明となる。

4　時が積み重なる場所——結びにかえて

柳田國男は『民間伝承論』（共立社書店、一九三四年）の中で〈具体性ある特定〉がもつ存在証明機能に関して次のような示唆的な文章を残している。

日本の伝説の中で岩石に関する伝説は非常に多く、（中略）それが皆実在の岩石と結びついて居る。しかし樹木伝説の場合、老木が枯れて無くなつて了ふ（しま）と、伝説は地名などに残り、口碑としても必ず人間の手に触れ目に見えるものにくつ附かずには置かぬ。（中略）昔の人々は我々と違つた心理を持つて居て、形のあるものを伴なふ場合は直ちにそれを信ずる傾向を有して居た。岩や石が存在し名が残つて居れば、由来や原因がそこにあると信じたのである。要するに物が存するといふことが、記憶に具体的な足場のあることが、絶大な証拠になつたのである。

（『柳田國男全集　第八巻』筑摩書房、一九九八年、一五七〜一五八頁）

このように柳田は、形のある具体物が「記憶」の「具体的な足場」となって、物語られた過去の〈実在性・真実性〉を証拠立てる作用を指摘した。そして、そのような具体物として岩石など特定の「物」や、それがある（あった）場所の「地名」をあげた。本書の共通テーマである、江戸の過去にまつわる諸事象を探求し、記録として残そうとした人びとが、どのような〈江戸〉像を見ていたか、という観点から鷗外歴史文学をとらえるとき、柳田のいう〈記憶の具体的な足場〉としての地名、すなわち、テクストの中で「○○町」「○○橋」などと具体的に指定された江戸の地名が注目される。

特徴②として先にあげた〈当時の○○は今のどこそこ〉という場所の語りかたは、前述のように過去と現在を重ね合わせ、連結する発想の上に成り立っている。つまり、この場合の場所は単なる場所ではなく、時間を含み込んだ場所として語られている。このような形で時間と空間の掛け合わせが起こっているのである。

わたしたちはこれを次のようにイメージしてみることができる。――「○○町」という地名によって指定された場所に、過去から現在までの時間が、つまり、歴史文学の登場人物たちが生きた江戸後期から、テクストの語り手や作者森鷗外が生きる大正前期までの時間が、地層のように積み重なっている。「今」の人びと（語り手、作者、さらには読者）が地名の場所を訪れるとき、その場所に堆積している時間の層の上に立つことになる。いいかえると、登場人物である過去の人間がかつて立っていたのと同一の場所に立つことになるのである。「今」の人びととの想像力が時間の地層を透明化するとき、あるいは、地層の厚みを限りなく薄く圧縮するとき、時代を異にする我と彼との出会いが起こる。

> 抽斎は医者であつた。そして官吏であつた。そして経書や諸子のやうな哲学方面の書をも読み、歴史をも読み、詩文集のやうな文芸方面の書をも読んだ。其迹が頗るわたくしと相似てゐる。只その相殊なる所は、古今時を異にして、生の相及ばざるのみである。（中略）抽斎は曽てわたくしと同じ道を歩いた人である。（中略）若し抽斎がわたくしのコンタンポラン〔contemporain（仏）同時代人〕であつたなら、二人の袖は横町の溝板の上で摩れ合つた筈である。
>
> （『渋江抽斎』第五巻一九～二〇頁）

横町の溝板の上で袖すり合う抽斎と「わたくし」。『渋江抽斎』中の印象的なこの一節は、いうまでもなく二人の経歴と好尚がよく似ていることの比喩である。だが、ここでは元来の文脈を離れてこれを意図的に流用し、〈時間が堆積する場所での古人との邂逅〉を表現するイメージとして再提示したい。

〈時が積み重なる場所〉という時間と空間の掛け合わせが成り立つには、比較的限られた範囲の地域が明確な名指しをもって分節化されていること、かつ、当時と現在の地理的位置が同定可能であること、という条件が両方満たされねばならない。継承され、存続していく江戸の地名はその両方を満たす。舞台となった江戸時代後期の江戸と、テクスト成立当時の大正前期の東京とでは、もちろん少なからぬ変化はあったものの、なお多くの町名が継承され、橋、坂、街路などの名称も同様だった。〇〇町、〇〇橋、〇〇坂……〈時が積み重なる場所〉が隣り合いながら連なり拡がる都市、それが江戸・東京だった。

鷗外歴史文学が描き出した〈江戸〉、そしてそれに連なる〈東京〉は、場所々々に時が積み重なる町、ある場所に立てば現代人が過去の人間と出会える町である。

それは鷗外が生きた関東大震災以前の東京に限らないのではないか。二十一世紀のわたしたちが江戸図と今の地図を重ねながら東京を歩くとき、旧称の名残りをとどめる地名に、道のうねりや坂の勾配に、昔日の姿をありありと見いだすことがある。東京は今も時が堆積する場所に満ち、人びとは時間の地層の上に立っている。

Check! **そこにどんな〈江戸〉像があらわれたのか?**

江戸を主要な舞台とする森鷗外の歴史文学は、江戸の町に生きた人物たちの像を歴史資料にもとづいて描くが、時間・空間の語りかた、すなわち人物や出来事をめぐる〈いつ・どこで〉の示しかたに独自の特徴をもつ。特徴の考察を通じて明らかになる〈江戸〉像、およびそれに連なる〈東京〉像とは、「〇〇町」などの地名によって特定された場所々々に、時間が地層のように積み重なる町、その場所に立てば現代人が過去の人間と出会える町である。

Ⅱ 風俗や慣習の由来を探る

Chapter4

新興都市江戸の事物起源辞典——菊岡沾凉『本朝世事談綺』考

●真島 望

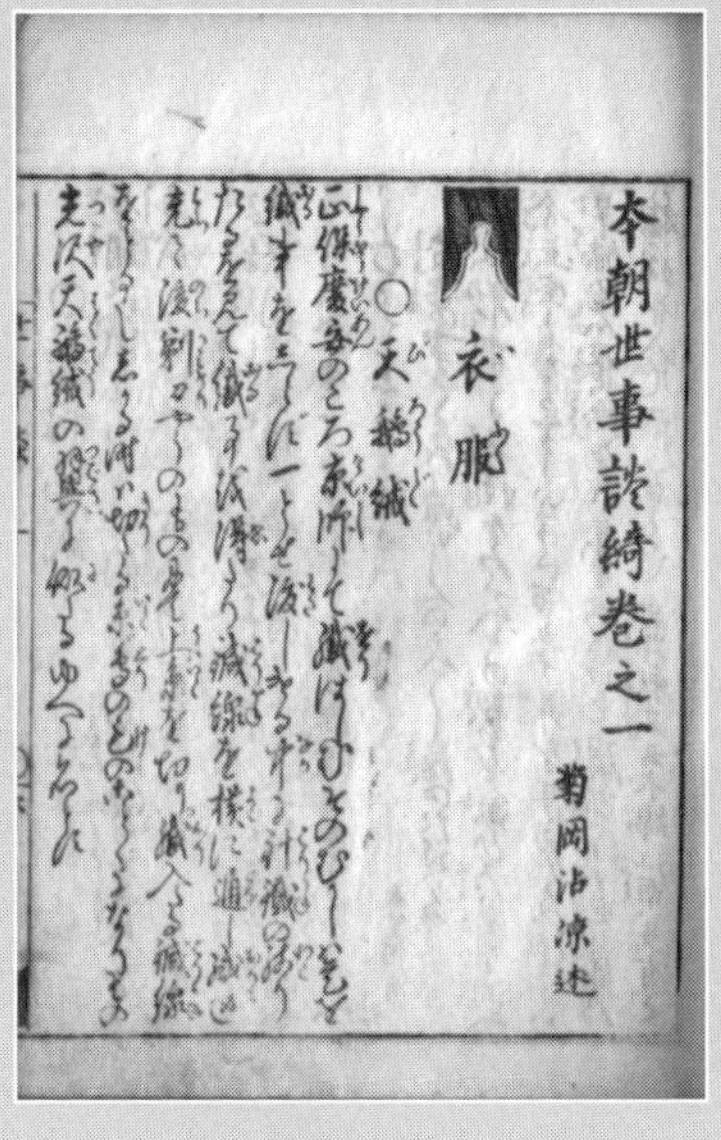
本朝世事談綺巻之一

菊岡沾凉述

衣服

○天鵝絨

『本朝世事談綺』五巻。享保十九年（一七三四）刊。俳諧師菊岡沾凉が編纂した、日常身辺の事物について、その起源を探った百科事典とでも言うべき性格の書。元禄ごろの通俗的百科事典や本草書を利用しつつ、あえて新来の物品・風俗・年間行事を対象とし、先行書には扱われなかった、新興都市「江戸」の事物をも含む点に特色がある。山東京伝・大田南畝らの江戸風俗考証の資料となるなど、大きな影響力をもった。（架蔵）

1　はじめに

享保期（十八世紀前半）江戸にあって俳諧師として活動する一方、江戸地誌や諸国説話集を編纂するなど、江戸や各地の風俗に強い関心を示した菊岡沾凉（一六八〇～一七四七）の著作の一つ『本朝世事談綺』（享保十九年〈一七三四〉刊、以下、『世事談綺』）は、日常身辺の事物について、その起源を探った百科事典とでも言うべき性格の書である。

本作は、必ずしも地域としての「江戸」ばかりを対象としたものではないが、山東京伝や大田南畝ら、近世後期に活躍し、「江戸文化」を考究した文人たちの興味の対象となり、現在でもなお有用な風俗考証資料、喜多村信節編『嬉遊笑覧』（天保元年〈一八三〇〉成）や喜田川守貞編『守貞謾稿』（嘉永六年〈一八五三〉成）に多く材を提供した点において、間接的ながら、「江戸東京の好古」という本書のテーマに少なからずかかわるものと思われる。

本章では、彼らの追憶に際する資料の一つとなった『世事談綺』自体が、何をその情報源としたのか、すなわちその典拠について考察し、また、編者沾凉がどのようなモノを対象としたのかを検討して、享保期に行われた風俗考証の実態の一端を明らかにしたい。

2　『本朝世事談綺』について

まずは基本的な情報を示しておこう。本書は半紙本（当時通俗的な書物に用いられたB５サイズほどの版型）五巻五冊、享保十八年（一七三三）松永據徳序、自跋、同十九年江戸西村源六・万屋清兵衛板。別書名を「近代世事談」（外題）という（「本朝世事談綺」は内題）。『日本随筆大成』第二期（吉川弘文館、一九七四年）に翻刻が備わるほか、『勉誠社文庫』104・105（勉誠社、一九八二年）には影印もなされている。後者には小林祥次郎による解説が付され、意を尽くしているので、詳細はそちらを参照されたい。

　初板刊行後に刷り出された後印本には、初板には付されなかった見返し（曲水の宴の意匠【図1】）が加えられたものがあり（架蔵本、袋も同意匠【図2】）、これは随筆大成本に見られるものと同一である。刊記の種別から三種ほど確認できる後刷り本の存在や伝存本の多さからするに、江戸中期から後期にかけて長く人気を保ったものと推察される。

図1　後印本見返し（架蔵）

図2　後印本袋（架蔵）

　内容は【表1】のように分類され、凡例には、古代にまでさかのぼりうる物品を扱う、先行の和漢の事物起源の書とは異なり、「今斯書は天正・慶長以来を幹とし、暫遠きは永享・文明の頃を條と」すると言う。すなわち、戦国から江戸時代を中心に古くとも室町時代あたりの相対的に新しい事物に着目しているのが特徴なのである。それは、同じく凡例に、「近代起所の品物、なんぞこれに限るべけんや」（架蔵本による、傍点筆者、以下同）とか「凡其国・其所におゐてあらたに起る所の品物際限なし。追考、追加ふべし」と述べることからも察しうる。また、対象を本邦の物品に限り、「異邦の原始は不レ尋」としたのも一特色と言えよう。

　このような新しい事物へ傾斜した編纂姿勢の特異さは、同種の先行作と比較すればより明らかとなる。たとえば、本草学にも通じた儒学者として知られる貝原益軒の養子好古による『和事始』（六巻付録一巻三冊、元禄十年〈一六九六〉刊）は、直接的に『世事談綺』に先行する

表1　『本朝世事談綺』部門と項目数

巻	部門	項目数
巻一	衣服門	35
	飲食門	34
巻二	生植門	28
	器用門	56
巻三	態芸門	31
巻四	歳時門	26
	文房門	13
巻五	人事門	24
	雑事門	30
	計	277

（小項目は合算せず）

作品として注目される（具体的な影響関係については後述）が、その凡例に『先代旧事本紀』『古事記』や六国史などの、古代史の諸文献に依拠したことが宣言されるのである。

ここで本書に関する先行研究を見ておきたい。飯倉洋一は、江戸の書肆西村源六が享保期に続刊した教訓読物の一書として『世事談綺』をあげ、同時期の俳人常盤潭北の著作とともに、享保末年の江戸出来書物の典型と位置付けている。また、同氏は宝暦期の出版目録（『新増書籍目録』宝暦四年〈一七五四〉刊）の「奇談」という分類項目に着目し、その性格を検討する過程で『世事談綺』を含む沾涼の著作に触れて、「やはり四作入っている俳人菊岡沾涼の著作は、いずれも啓蒙的な書で、諸国の民俗的事象や和漢の故事についての知識を開陳したもの」と述べ、とりわけその著者自身による跋文（あとがき）を採り上げて、

> たとえば、享保十九年刊の『本朝世事談綺』（近代世事談）では、その後序に「近き世の事を談て綺を其まゝに題号とす而已」とあり、「談綺」の表記ながら、内容より語り口に重点の置かれた使用例が認められるが、「奇談」の性格をよくあらわしている事例だと思われる。
>
> すなわち「奇談」には、現在のわれわれがそう思い浮べるように、〈不思議な話〉〈珍しい話〉という意味は当然含まれるが、むしろ談話の場を前提とした〈綺ある談〉というニュアンスが色濃く影を落としており、『宝暦目録』（筆者注―『新増書籍目録』を指す）所収書目では多く後者の方が当てはまりそうだということである。

と、書名の「談綺」の意を根拠に、語りの面白さに重きを置いた、前期読本にも連続する「奇談」書の好例として位置付けられたのである（飯倉一九九三、傍線筆者）。現在の尺度では「文学」書とは見なされないであろう本書の、文学史上の価値を考える上で、極めて重要な指摘と言うことができよう。

また、土井利夫は、冒頭に触れた幕末編纂の生活風俗記録とも言うべき『守貞謾稿』に『世事談綺』がいかに利用されるかを調査し、利用が容易な事物起源事典として、現前の風俗と対照するために使用されていることを指摘している（土井二〇〇五）。

いずれの論考とも貴重な示唆をもたらすものの、『世事談綺』自体の依拠資料については述べるところがない。

3　典拠と利用態度

それでは、具体的な典拠を検討しつつ、それをいかに利用していたかなどについて考察したい。

凡例には、「凡引用る書百有余軸、その條毎に顕之」と述べられるものの、実際には出典を明示する項目と、書名を出さずに引用を行う項目との両方が存在する。

明示されるのは和漢の書およそ八十種で、利用が明らかな項目は八十七、全体の31％に及んでいる。記紀をはじめとする史書、軍記・軍学書（『太平記』『北条五代記』『甲陽軍鑑』）から、地誌（『堺鑑』『雍州府志』）や博物書（『本草綱目』『和漢三才図会』）、文学作品（『枕草子』『源氏物語』）、仏書に至るまで多岐にわたる。いずれもおおむね一度きりの利用で、複数回使用されるのは、『本草綱目』（7）・『和漢三才図会』（4）・『雍州府志』（2）など（括弧内の数字は明記回数）。ただし、これらはいずれも明示せず引用される場合もある。

引用箇所の具体例を見てみよう。和泉国堺（現大阪府）の名物、紅葉豆腐の名称由来について『世事談綺』巻一には、

表2 『本朝世事談綺』典拠と使用頻度

	A 和漢三才図会	B 雍州府志	C 和事始	D 大和本草	E 日本歳時記	F 堺鑑	
巻一	8	16	4	1	0	1	32%
巻二	30	12	2	14	0	4	63%
巻三	4	4	0	0	0	1	14%
巻四	15	3	3	0	6	0	26%
巻五	5	4	0	0	0	1	17%
総計	62（4）	39（2）	9（1）	15	6	7（3）	

堺鑑に云、紅葉を付るは、人の多く買様にと祝して、紅葉を付たり。買様と紅葉と音便相近きゆへ也と云。愚なる祝事のとりやう也。

と、地誌『堺鑑』（衣笠一閑編、貞享元年〈一六八四〉刊）を引用して解説し、典拠たることも明記する。ただし、末尾の一文「愚なる祝事のとりやう也」という評言は原拠になく、編者沾涼によるものと考えられる（かかる例は稀）。

このような比較的穏当な典拠利用に対し、先行資料を利用しながらそれを明記しない頻度のほうが圧倒的に高い。それは全巻にわたって行われており、現在の価値観では剽窃とせざるをえない態度で用いられるこちらこそ、『世事談綺』の実質的な典拠と言うべきである。判明しているその主な作品は【表2】の通り。数値は各資料が使用される項目の数、表右端のパーセンテージは『世事談綺』各巻ごとの典拠A～Fの使用割合を示している。また、総計の括弧内の数字は書名明記の回数である。

この表からは、全体に博物辞典『和漢三才図会』（寺島良安著、正徳五年〈一七一五〉跋刊）にもっとも依存すること（全巻全部門で利用される）、次いで京の地誌である『雍州府志』（黒川道祐著、貞享元年〈一六八四〉刊）の利用率が高いことがわかる。[*1] 前者は書物としての性格上、各分野で用いられるのは頷けるところながら、後者についてはやや意外な印象も受ける。これはやはり文化的先進地である京都に起源をもつ事物が多い事実を示していよう。

巻別に見ると巻二での依存度が際立っている（63%）が、これは「生植門」「器用門」という部門ゆえである。近来の植物や製品を集め、ほかの巻と比較して博物辞書的性格が強いため、先述の『和漢三才図会』だけでなく『大和本草』（貝原益軒著、宝永六年〈一七〇九〉刊）のごとき本草書も活用されたのだと思われる。また、巻四「歳時門」に『日本歳時記』（貝原好古編・益軒刪補、貞享五年〈一六八八〉刊）からの利用が認められることも含め、実に的確に貝原益軒とその周辺の著作を使用していることも指摘しておきたい。

それでは、その利用の実態を掲げる【表3】。該当部は鉄砲の伝来に関する記事で、書名を明記せずに、前半の多くを『雍州府志』によりつつ（傍線a）、『堺鑑』を援用して具体的な人名を加えるなどしている（傍線b）ことがわかる。

記事後半（傍線c・d）に見える書名「羅山文集」・「懲毖録」は、それぞれ前者が、『羅山先生文集』（寛文二年〈一六六二〉刊）巻四に収録される儒官林家の初代林羅山の文章「鉄炮書序井上外記正継求レ之」（正保二年〈一六四五〉成）の一節、後者は文禄・慶長の役の、朝鮮側の記録として知られる史書『懲毖録』（朝鮮本ながら貝原益軒が序を付し、元禄八年〈一六九五〉日本でも刊行）を指す。日本から朝鮮への伝来を記す傍線d部分も、年次や、日本側が朝鮮に鉄砲とともに贈ったという孔雀に言及する箇所は、原本『懲毖録』に一致する（『和事始』には見えない）のだが、同じく『懲毖録』にもとづいたと思われる『和事始』の「しかれば則朝鮮には日本より始て渡せし也」という一文が、『世事談綺』の「朝鮮へは日本よりわたしけると也」に合致するため、こちらもまた利用したと見てよいと思われる。

そうだとすれば、この項目は、依拠が明示される傍線c・dに加えて三種の資料がパッチワーク的に用いられて成立していることになる。日本への鉄砲伝来については、現在一般的に「鉄炮記」（慶長十一年〈一六〇六〉撰、『南浦文集』所収）などの既述にしたがって天文十二年（一五四三）とされ（同十一年説もあり）、『和事始』も『南浦文集』

表3

『世事談綺』巻二	依拠資料
○鉄炮 a弘治元年、南蛮人氏宇志倶智といふ者、琉球国へわたり、鳥嘴銃を造る事を教ゆ。琉球より薩州多禰嶋にわたる。同年三月京師に入て、義輝公へ献じ、その術を伝ふ。而後佐々木義秀に命して、江州国友村に居住させらる。義秀則彼者に百貫の地をあたふ。古への百貫は、凡今の百石の領地なり。日本の工人彼か製に倣ふ。b泉州堺芝辻清右衛門入道妙西と云もの巧手たり。c羅山文集に云、井上氏正継、此術に長し、巧を運て奇を呈す。製様機あり。尋常の及所にあらす。又、d朝鮮へは日本よりわたしけると也。朝鮮の柳相国が懲毖録ニ云、日本天正十八年庚寅三月、対馬大守より、孔雀と鳥銃を送る。吾国鳥銃あるは、此時より始ると記したり。	a『雍州府志』巻七「鉄炮」 曽て弘治元年、南蛮人氏宇志倶智といふ者、海を超へ琉球国に行き、鉄炮を造ることを教ゆ。琉球より薩摩国多祢か島に来り、又之を教え其の術を伝ふ。同年三月京師に入り、将軍家義輝公に見ゆ。遂に是をして本朝の人に伝へしめ、而る後佐々木家義秀に命じて、江州国友村に居らしむ。義秀則ち百貫の地を与ふ。古の百貫は、粗今の百石の領地と粗同じ。茲れより本朝の工人、彼が製に傚ひ、今処々に之を作る。（原漢文） b『堺鑑』下 此氏（筆者注—芝辻氏）ノ先祖ヨリ鍛冶ノ家ニシテ北荘桜町ニ住ス。中比清右衛門入道妙西ハ鉄砲張事其妙ヲ得タリ。 c『羅山先生文集』巻四十九 頃年、井上氏正継、此の術に長じ、巧を運し奇を呈す。製様機有り、尋常の能く及ぶ所に非ず。（原漢文） d『和事始』巻三「鉄炮」 朝鮮人の作れる懲毖録に、「万暦丙戌（日本の天正十四年也）、秀吉、平義智（宗対馬守なり）をして来らしむ。義智鳥銃を朝鮮王に捧ぐ。我国の鳥銃ある事こゝに始る」とあり。しかれば則朝鮮には日本より始て渡せし也。

［引用の出典］★いずれも抜粋。a架蔵版本による。b船越政一郎編『浪速叢書』第十三（其刊行会、一九二八年）、先の引用もこれによる。c京都史蹟会編『林羅山全集』（弘文社、一九三〇年）d架蔵版本による。

を依拠資料として記述しているにもかかわらず、『世事談綺』は弘治元年（一五五五）伝来とする『雍州府志』を主体としてしまったことによって、正確性を失してしまっているわけである。この点、注意を要する。

続いて、もっとも多くの無断引用が見られる巻二「生植門」における利用例を見ておこう。先述したように、比較的新しく日本に伝来した植物を集めた部門ゆえ『和漢三才図会』『大和本草』の利用が目立つ。後者の利用については、すでに『日本博物誌年表』（磯野直秀編、平凡社、二〇〇二年）が「種本の一つは『大和本草』」と指摘する。

まずあげたのは『和漢三才図会』利用の例【表4】。依拠資料の傍線a〜cが叙述順序を変えて『世事談綺』に流用されている。内容のみならず挿図やその位置、すなわち版面自体も倣っているように思われる【図3】。ここで着目すべきは、出典では「近年」とだけある伝来時期を、『世事談綺』は「延宝年中」（一六七三〜一六八一年）と限定していることである。「生植門」のそのほかの項目、『大和本草』を利用した「臘梅」・「千日紅」でも、それぞれ原拠にはない「正保年中」・「天和年中」（いずれも江戸前期）という文言を加えている。これは『世事談綺』全体に共通する傾向で、編者沾凉は、先行する同種の書物よりも年次などの情報を具体的に記述しようとしていると見られるが、これはまた後年の同人の諸国説話集にも見いだしうる特徴（真島二〇〇九）であり、彼の著作物に共通する姿勢と指摘できよう。

それでは最後に「西瓜」（巻二）を例示する【表5】。『世事談綺』の傍線a（三カ所）・bが、それぞれ『大和本草』『和漢三才図会』

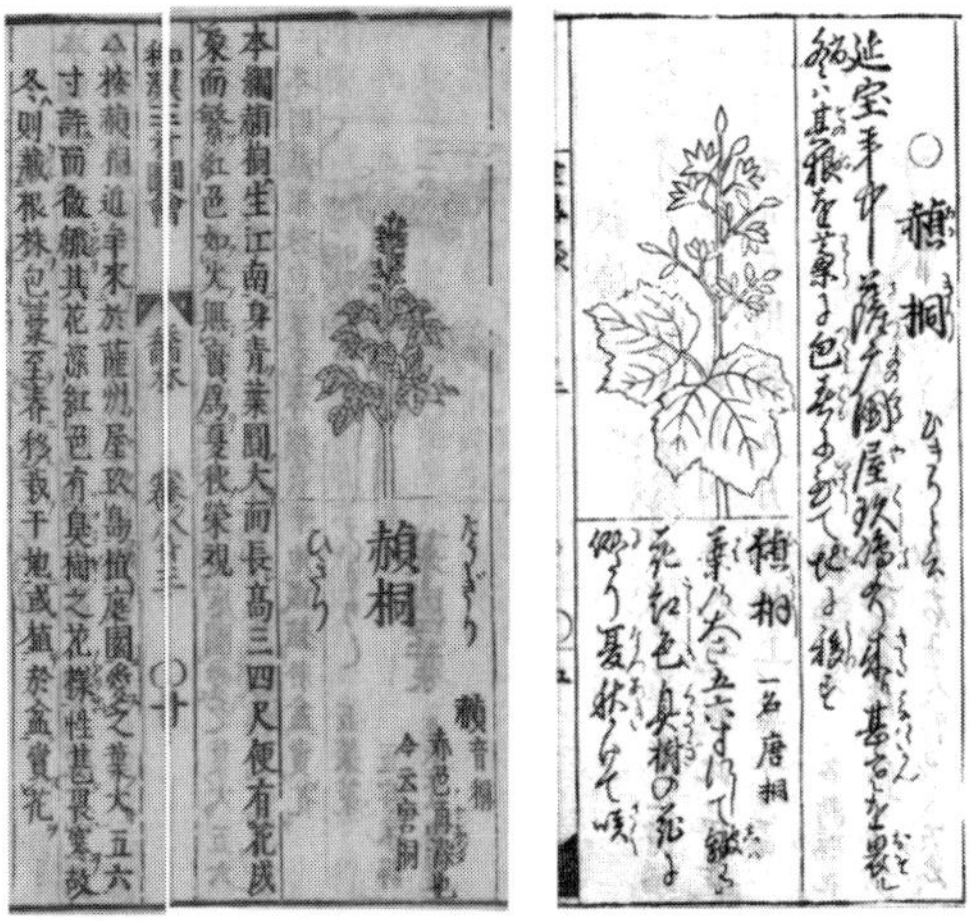

図3　版面の比較。右『世事談綺』巻二（架蔵）、左『和漢三才図会』巻八十三（国立国会図書館蔵）

表4

『世事談綺』巻二

○頳桐（あかぎり） ひきりと云

a 延宝年中、薩摩国屋玖島より来ル。c 甚寒を畏ル。冬は其根を藁に包、春に至て地に移す。

（挿図）

頳桐 一名唐桐

b 葉の大さ五六寸にして、皺有。花紅色、臭樹の花に似たり。夏秋かけて咲。

依拠資料

『和漢三才図会』巻八十三「頳桐」（抜粋）

△按ずるに、頳桐は a 近年薩州の屋玖の島より来り。庭園に植て之を愛す。b 葉の大さ五六寸ばかりにして、微皺あり。其の花、深紅色、臭樹の花の様有り。c 性、甚だ寒を畏る。故、冬は則ち根株を蔵し藁に包みて、春に至りて地に移し栽う。或は盆に植えて花を賞す。（原漢文）

［引用の出典］『和漢三才図会』は国立国会図書館蔵本による（デジタルコレクション）。後の図版も同じ。

表5

『世事談綺』巻二

○西瓜

a 寛永年中琉球より薩摩へわたる。b 慶安の頃、漸長崎にあり。a 僧義堂の空花集に、「和二西瓜ヲ一詩」あり。

西瓜今見生二スルヿヲ東-海一 剖破ノ含二ム玉-露ノ濃一ナルヲ

義堂は寛永のころの人なり。

承応年中、藤堂家の呉服所菱屋某、長崎にて此種を求め、勢州津に至て太守にさゝぐ。則、其者の第宅に種さしむ。はなはた出来たり。此種粗近国にありといへとも、いまた狭し。人又あやしみて食せず。a 寛文・延宝の間、長崎より大坂へつたへ、京・江戸に広まりて今さかんなり。

依拠資料

a『大和本草』巻八

西瓜 日本ノ僧義堂、空花集第一、「和二西瓜ヲ一詩」アリ。其詩云、「西瓜今見ル生二スルヿヲ東海一、剖-破ノ含二玉露ノ濃一ナルヲ」。今按、此種寛永年中、初テ自二異邦一来ル。義堂ハ後小松院時人。此時西瓜未レ可レ有。不レ知、以二何物一称レ之乎。（中略）京都には寛文・延宝ノ間ニ初テ西瓜ノ種ヲウフ。今ハ多シ。人賞レ之（以下略）。

b『和漢三才図会』巻九十「西瓜」（抜粋）

△按ずるに、西瓜は慶安中に黄檗の隠元入朝の時、西瓜・扁豆等の種を携へ来り、始て長崎に種ふ（以下略）。

（原漢文）

［引用の出典］a『大和本草』は架蔵版本による。

を参照した箇所と見られる。「寛永年中、初テ自二異邦一来ル」（『大和本草』）を「寛永年中琉球より薩摩へわたる」と地名を具体化するなど、これまでの例と比較すると一致する要素は少ないのだが、五山僧義堂周信の詩文集『空華集』（南北朝時代成、元禄九年〈一六九六〉刊）を引用するあたり、『大和本草』の利用を裏付ける。『和漢三才図会』や著名な食物本草書『本朝食鑑』（人見必大著、元禄十年〈一六九七〉刊）にも同書は引かれていないのである。

もちろん、『空華集』は当時版本として流布していたので、直接そちらによった可能性もある。しかし、その原本における引用部の七言絶句のうち承句は「剖‐破ノ**猶**含ム二玉露ノ濃ナルヲ一」（太字筆者、新潟大学附属図書館佐野文庫蔵本による）と、三字目（「猶」）が正しく表記されているのに対し、『大和本草』『世事談綺』はともにその字を欠いており、『世事談綺』が『大和本草』によって『空華集』を孫引きしたのは明らかと言えるだろう（同様の例は散見される）。ただ、義堂を「寛永のころの人なり」としたのは明らかな誤認である。典拠の「義堂ハ後小松院時人」（後小松天皇は南北朝末期～室町初期在位）を後水尾天皇（慶長十六～寛永六年〈一六一一～一六二九〉在位）と見誤ったのだろうか。いずれにしても、引用の不備とともに杜撰の誹りを免れまい。

このように、『本朝世事談綺』は、貞享～正徳期すなわち享保前夜に刊行された諸書を大いに利用して成立していたのである。それは凡例に自ら述べるよりもずっと広範かつ大規模に行われており、その実態を子細に検討した結果、典拠の内容を大きく改変することはないものの、対象となる事物の起源となる時と場所について、年号や国名・地域・地名を明示するなど、より具体的に記述しようという意識が認められた。前に掲げた凡例にも「凡其国・其所におゐてあらたに起る所の品物際限なし。追考、追加ふへし」（傍線筆者）と産地の重視がうかがえる通りである。これはそのまま本書の特徴の一つと言うことができる。

4 「江戸」へのまなざしとその影響

すでに見たように、本書は日本各地に由来をもつ物品を対象としており、地域としての「江戸」起源の項目はさして多いとは言えない（小見出し含めおよそ三十九項目、全項目の11％）のだが、そのいずれにも『和漢三才図会』などの、比較的利用率の高かった典拠を見いだすことができない。江戸という都市が、京都や大坂と比較して歴史の浅い、新興の都市である事実を考慮すれば、享保以前の書物にその地発祥の事物についての記述を見いだしにくいのは、むしろ当然のことだろう。そして、このような先行文献に採り上げられなかった「江戸」にかかわる品々を一定量集めていること自体が、『世事談綺』の新しいモノに対する積極的姿勢を反映するとともに、本書の独自性となっているとも言えるのである。

それでは、どのようなものが集められているかと言えば、「幾世餅」「花饅頭」「米饅頭」「飛団餅」「蕎麦切」「慳貪」などの菓子・食品、「大八車」「猪牙舟」など江戸の生活を象徴するような運搬・輸送手段、歌舞伎の三座（中村・市村・森田）や「浮世絵」「一蝶流」「紅絵」といった、これまた江戸文化を代表・体現する演劇、美術関連の起源譚が含まれている。その具体例から、本書がこれらを採録した意義を考えたい。

・「おりう絵」と山崎龍女

まず、女流絵師山崎龍女が手がけた作品の意である「おりう絵」（巻四「文房門」）について見てみよう。『浮世絵大事典』（国際浮世絵学会編、東京堂出版、二〇〇八年）によれば、龍女は「数少ない浮世絵の閨秀画家の一人」で、その画風は「あきらかに菱川師宣の影響を受けている」という（内田欽三執筆）。その事績を『世事談綺』は、おりう絵　a女画竜は、六・七歳のころより天性うき世絵に耽て習はずして得たり。b手跡また亜レ之。能筆也。
始は東叡山の梺にあり。今増上寺門前に住す。現在也。頃年、女画工の名手なり。

と書きとめている。近世・近代の龍女伝を博捜した杉松治美は、この『世事談綺』の記事を「現在知られる女龍文献の上限として最も重要」と位置付け、さらに、「現段階では、この文献の後龍女について触れたものは、約七十年を下った山東京伝、京山による「業平涅槃図」箱書までは見当たらない」ことを指摘している（杉松一九八七）。また、同氏が掲げるさらに後発の文献資料にしても、直接・間接に『世事談綺』の影響を受けており、数の乏しい龍女伝の中で、『世事談綺』の記事は極めて貴重な存在ということが理解される。

『世事談綺』に次いで登場するという、戯作者山東京伝・京山兄弟による箱書とは、現在国文学研究資料館鉄心斎文庫に蔵される「業平涅槃図」（龍女筆、享保初年成か）に付属するものを指す。そのうち京伝がものしたほうは以下の通り。

山崎氏の女、龍は江戸の人なり。時世の人形を画を以て、宝永・享保の間其名きこゆ。a彼、稚にして画を好む。師をもとめて学ず。菱川吉兵衛・古山新九郎か筆意に倣て、自然其妙に至レり。時人、おりう絵と称し、きそひてこれをもとむ。b家は東叡山の麓にあり。後うつりて増上寺の門前にをれり。更又書を善せり。近代世事談といふ書に記して詳なり。

享和紀元年辛酉秋八月　　山東窟記　山東庵

享和元年（一八〇一）に認められたこの文章は、この江戸の女流画家が宝永（一七〇四～一一）～享保当時獲得していた名声を語るが、波線部に自ら明らかにするように、先ほどあげた『世事談綺』所載の伝記に依拠している。傍線部a・bがそれぞれ対応していることがわかるだろう。

京伝は、都市江戸の風俗に密着した文芸である洒落本や黄表紙を多く手がけ、江戸戯作界の牽引者として活躍するとともに、本書Ⅲ部で見るように、江戸固有の文化そのものに対して強い興味をもって飽くなき考証を行った人物として知られる。その京伝にとって「おりう絵」と龍女は、菱川師宣（?〜一六九四）や英一蝶（一六五二〜一七二四）ら、近世前期に活躍した「江戸」の絵師に比肩する魅力を備えた存在だったに違いない。

その傾倒ぶりは、自身の読本作品の登場人物として造形したことに端的に示されている。文化三年（一八〇六）刊行の『昔話稲妻表紙』（歌川豊国画）巻五に、

妹於竜は曾て兄に学びて自然と画道の妙をきはめたれば、世におりう絵と称じてその名高くきこえぬ。

（水野稔校注『米饅頭始ほか』〈新日本古典文学大系85〉岩波書店、一九九〇年）*2

と見えるのがそれである。『近世奇跡考』（文化元年〈一八〇四〉刊）・『骨董集』（文化十一年〈一八一四〉・同十二年刊）などの風俗考証の書を著し、元禄時代を中心とした近世前期文化の綿密な研究に精魂をそそいだ京伝の目には、『世事談綺』はその先駆と映ったことだろう。

・米饅頭

京伝はまた、著名な江戸名物で、待乳山聖天の門前町を根源とする米饅頭の考証にあたっても、『世事談綺』をその材の一つとして使用している。まず、『世事談綺』の記事から確認しておこう。

○米饅頭

根元は浅草金龍山聖天宮の梺、鶴屋也。慶安のころ、此家の女におよねと云あり。すぐれて才智也。此女はじめてこれを製すゆへ、およねがまんぢうといへり。

根本はふもとの鶴屋うみつらん米まんぢうは玉子なりけり

是遺佚がよみし狂歌也。遺佚は延宝の頃の歌よみ也。今に此所の米まんぢうを名産とす。

後半の狂歌以下は、先行する戸田茂睡の江戸地誌『紫のひともと』（写本、天和三年〈一六八三〉成）によっているけれども、発案者が鶴屋のおよねという女性であったことが名称の由来とする説（傍線部）は、本書独自の説である。『江戸鹿子』（藤田理兵衛編、貞享四年〈一六八七〉刊）・『古郷帰乃江戸咄』（編者不詳、同年刊）などの江戸地誌にもこの説は見えず、やはり沾涼の著作たる地誌『江戸砂子』（正編、享保十七年〈一七三二〉刊・続編、同二十年刊）が唱えるのみということに注意しておきたい。

京伝はこの江戸名物にも関心を示していて、『骨董集』上巻で俎上に載せている（国立国会図書館蔵本〈デジタルコレクション〉による）。

○金龍山米饅頭 十八

或説に、江戸の名物米饅頭の根元は、浅草聖天金龍山の麓鶴屋なり。慶安の比、此家の娘におよねといへるあり。此女始てこれを製す。およねがまんぢうといへり。」此説うたがはし。左に模し出す図（筆者注—菱川師宣『吉原恋の道引』〈延宝六年〈一六七八〉刊〉）のごとく、延宝の比までは辻売なり。米をよねといふ。米まんぢうと云も、米のまんぢうと云義にて、女の名によりてよびたるにはあらざるべし。常のまんぢうは麪にてつくれば也。紫の一本（天和二年）に、聖天町にてよねまんぢうを商ふ根本は、鶴屋といふ菓子屋也。
根本はふもとの鶴やうみぬらんよねまんぢうはたまごなりけり　　遺佚
か、ればはやく、天和の比は居店にて売たるならん。（以下略）

「或説」の内容である傍線部分が『世事談綺』からの引用箇所なのは明白だが、京伝は「およね説」をしりぞけ、「米（よね）」を主原料とするための命名と推測している。

しかし、実はこの考証から三十年ほど前に、先ほどの「おりう絵」と同じように、自作の趣向として用いる際には「およね」を登場させているのである。米饅頭の起源自体を素材とした黄表紙『米饅頭始』（安永九年〈一七八〇〉刊）がそれで、「およねが思ひ付にて一種の饅頭を製しはじめければ」（先引『米饅頭始ほか』による）と、主人公の一人およねが例の米饅頭を考案したその人として描かれ、構えた店も鶴屋と名づけられるなど、先ほど示した『世事談綺』の由来譚の話型を採用していることが理解される。由来譚としての〝正確さ〟はさておき、『紫のひともと』やほかの文献には稀薄であった、ハナシとしての面白さが稀代の戯作者を惹きつけたのだとすれば、『世事談綺』の説話性もまた見過ごしがたい特色であり、飯倉洋一が指摘したように（前出「奇談から読本へ」）、本書の「奇談」に分類されるゆえんと言えるかもしれない。

・そのほか

以上のほかにも同様の例は見られる。

「泡斎念仏」（巻五「雑事門」）は、葛西から出たという当時流行の踊念仏の一種「葛西念仏」の異名について、近世初期に江戸を徘徊したという狂人「泡斎」を由来と述べ、その姿を詳述するが、例のごとく京伝の興味の対象となり、彼の読本作品『双蝶記』（歌川豊国画、文化十年〈一八一三〉刊）巻四に利用されることが指摘されている（徳田二〇一二）。また、松平定信の依頼によって製作されたとも言われる鍬形蕙斎画『近世職人尽絵詞』の上巻（文化元年〈一八〇四〉跋）には、四方赤良（幕臣、大田南畝）が詞書を付しており、そのうちの一部（「仏師」）に、「〇仏工」（巻五「人事門」）における記述が流用されているとの報告が存する（その内容は『雍州府志』にもとづく）[*3]。

このように、『世事談綺』に載録された地域としての「江戸」由来の事物に関する情報は、決して多いとは言えないけれども、後年の好古癖ある江戸の知識人たちからの信頼を得、彼らを刺激するたしかな力を有していたのであった。彼らに注目され祖述された事実は、本書が江戸の風俗をいかに適切にとらえていたかを物語っている。そして、これら新しいモノの積極的な収集こそが、それまでの事物起源を扱った文献に欠けていた要素で、『世事談綺』の魅力なのである。

5　おわりに

享保当時、将軍徳川吉宗の学芸振興・庶民教化を重視する姿勢を受け、儒学界には荻生徂徠が登場して、既存の朱子学や伊藤仁斎による古学を超克せんと奮闘し、文芸の世界にもはじめての江戸独自の文学ジャンルたる談義本が誕生するなど、江戸文化は開花のときを迎えていた。

享保～宝暦期（一七五一～六四）のいわゆる「奇談」書の一つに数えられる『本朝世事談綺』は、当時の人びとの学問一般に対する関心の高まりに即応した、極めて時宜を得た象徴的な出版物であった。先行する事物起源事典や本草書が多く上方で編纂・出版されていた中で、それらの諸要素を併せ持つ本書の江戸での刊行は、大いに歓迎されたことであろう。それは文運東漸の時代を反映するとともに、編者沾涼のすぐれた嗅覚を示していると言うことができる。

もっとも、その内容は、林家とその周辺（黒川道祐）や貝原益軒などの、日本における実証的博物学をリードしてきた先学による知識・情報に依存していて、事物起源という発想自体も含め、独自性には乏しいと言わざるを得ないだろう（換言すれば、それらを和らげた通俗版と見ることもできる）。しかし、典拠には明示されないそれぞれの事物の始源の年号や地名を付加することをはじめ、事実性を重視・強化しようという傾向が見られた。また、同種の作品に「身に害あるものをこのみ賞する事は甚ひが事成べし」（『和事始』巻四「烟草」）というような教訓的な言辞が見られ、江戸初期からの風俗の変遷を述べた『八十翁疇昔話』（享保十七年〈一七三二〉成、本資料については佐藤悟氏から御教示賜った）などにも、しばしば過去と比較した現状に対する批判的な言葉が見受けられるのに対し、『世事談綺』には評言と言えるものはほとんどなく、あくまで客観的情報の提示にとどめようとする姿勢がうかがえる。このあたりにも、本書が後人に重宝された要因がありそうである。

先述の徂徠の標榜する古文辞学はまた、言語の歴史性や始源への興味を根本とする思想であり、その提唱者たる徂徠自身にも『南留別志』（宝暦十二年〈一七六二〉刊）ほか、事物起源に関連する手記がある。さらに、対象の客観的把握を尊ぶ徂徠の学問は、モノそのものに対する博物学的関心を内包していた。直接的な影響ではないにせよ、かかる思想が形成・流行する気運を背景として、それまで学術的関心の対象外であった日常卑近の事物についても、その歴史的変遷への興味が高まっていたのではないか。

また、吉宗の施策の問題も見逃せない。福井保によれば、吉宗は産業振興や国産奨励政策を進める中で、物産研究に注力し、その成果は幕府による編纂物として結実していた。本草・医学書『普救類方』（林良適・丹羽正伯撰、狩野種信画、享保十四年〈一七二九〉刊）・動植物や鉱物を含む博物学的類書『庶物類纂』（丹羽正伯ら撰、延享四年〈一七四七〉

成）などがその代表的なもので（福井一九八三）、『世事談綺』は、そのような動きが民間に顕現したものとも位置付けられよう。その流れは俳壇にまで波及し、薬草を題とした発句集で、本草書を模して効能・挿図も備えた『薬種知便草』（如銑編、宝暦三年〈一七五三〉序刊）や、海産物を描いた絵とそれに関する発句を集めた彩色摺り絵俳書『海の幸』（秀国編、勝間竜水画、宝暦十二年〈一七六二〉刊）、その姉妹編『山の幸』（明和二年〈一七六五〉刊）といった博物学的色彩の濃い俳書が行われた。俳諧師であった沾涼もかかる潮流に無縁でなかったはずである。

対象とする事物を「近代」のものに限定したのはもちろん、著者が活動する江戸の名物を採り上げた点にも、本書のもつ当世性という特色が見受けられた。江戸俳壇において都市「江戸」を、それを象徴するモノとともに詠むこと自体は、芭蕉の高弟其角の営為が著名だが、すでに延宝（一六七三～八一）ごろからしばしば行われていたのであった。それが享保期になると、沾涼と同じ内藤露沾門の俳人露月による『名物鹿子』（享保十八年〈一七三三〉刊）のように、江戸の名物を網羅してそれを題とした発句ばかりを集めた上に、さらに各句ごとに即応した当世画を配した絵俳書が刊行されるまでになっていたのである（「幾世餅」など七項目が『世事談綺』と共通する）。沾涼自身この時期に江戸地誌の大著（『江戸砂子』）を完成させていたことも含め、当代の俳人たちの「江戸」に対する関心の深まりを示していると言えようが、同時期には徂徠門人である服部南郭らの漢詩人たちもまた、江戸を活写した作品を残している。

この享保江戸文芸界の「いま」に対する強い興味と積極的な描写が、次代の江戸戯作、すなわち克明な現実描写を前提とする、江戸根生いの都市文学の時代を準備し、さらにはその作者たちが江戸の「過去」を追憶するためのよすがともなったのではないか。現実に直結する近来の品物を対象とし、博物学的興味を江戸の事物にまで展開させた『本朝世事談綺』は、「江戸」を相対化・対象化し、その独自性を自覚する精神の萌芽を示すものであり、文学史上無視すべからざる作品と位置付けられるだろう。

注

1　『世事談綺』に『雍州府志』の利用が見られることは、すでに大高洋司氏によって指摘がなされる（大高洋司ほか編『鍬形蕙斎画近世職人尽絵詞』勉誠出版、二〇一七年）。

2　水野氏の脚注に「（前略）京伝は享和初年ごろ、この女絵師の「業平涅槃図」に箱書し、「浮世又兵衛美人図」とともに、同三年五月知友竹垣柳塘（たけがきりゅうとう）に贈ったこともあった。また「浮世絵類考」追考にもこの女絵師のことを記して、深い関心を示している」とある。

3　同注1。

参考文献

・飯倉洋一「奇談から読本へ」中野三敏編『日本の近世』第十二巻（中央公論社、一九九三年）
・杉松治美「山崎龍女考」『浮世絵芸術』九十号（日本浮世絵協会、一九八七年八月）
・土井利夫「『守貞謾稿』における『本朝世事談綺』の引用について」『立正大学國語國文』四十三号（二〇〇五年三月）
・徳田武『馬琴京伝中編読本解題』（勉誠出版、二〇一二年）
・福井保『江戸幕府編纂物』（雄松堂出版、一九八三年）
・真島望「近世説話の生成一斑―菊岡沾凉『諸国里人談』・『本朝俗諺志』と地誌―」『成城国文学』二十五号（二〇〇九年三月）

付記

本章は、法政大学江戸東京研究センターシンポジウム「追憶のなかの〈江戸〉」における研究発表「菊岡沾凉著『本朝世事談綺』考―享保期江戸の風俗考証―」の内容をもとに再構成したものである。席上、貴重な御教示・御指摘をいただいた諸先生方に深謝申し上げます。また、山東京伝・京山箱書の存在を御教示いただいた大高洋司先生に御礼を申し上げます。

Check! そこにどんな〈江戸〉像があらわれたのか?

『本朝世事談綺』は、『和漢三才図会』など先行する博物書や本草書にその多くを負った事物起源事典であった。その内容は、編者独自の精密な調査・研究の成果とは認めがたいが、当時の「近代」の事物にフォーカスし、それまでの類書では分析や考察の対象となることのなかった、歴史浅い新興都市「江戸」の品物(ひんぶつ)にまで目を向けた点には意義がある。本書には、そこに生きる人びとが自らの文化・風俗に自覚的になるまでに、都市として成熟した江戸の姿を見ることができる。

Chapter5

七兵衛という飴売り

——柳亭種彦の考証随筆『還魂紙料』

●佐藤 悟

『還魂紙料』二巻。人気草双紙作者であった柳亭種彦が文政九年（一八二六）に西村屋与八と鶴屋喜右衛門から刊行した、山東京伝『骨董集』の後継作ともいうべき考証随筆。葛飾北斎が挿絵を担当し、種彦と西村屋、北斎の関係が注目されている。その内容は、同時代の考証随筆である喜多村信節『嬉遊笑覧』や後年に書かれた喜田川守貞『守貞謾稿』などに大きな影響を与え、今日でも高く評価されている。（実践女子大学蔵）

1 柳亭種彦

本章は文政九年（一八二六）に刊行された柳亭種彦の考証随筆『還魂紙料』に収録された「千年飴」を分析することにより、種彦の考証の手法を検証し、その考証の同時代における先進性とその限界について論じようとするものである。最初に種彦をとりまく状況について概述する。

種彦は天明三年（一七八三）に生まれ、天保十三年（一八四二）に没した戯作者である。本名を高屋彦四郎知久といい、稟米二百俵の旗本という社会的身分を有していた。代表作としては『正本製』や『偐紫田舎源氏』『邯鄲諸国物語』といった合巻（挿絵を中心とした小説）作品があり、『霜夜星』のような読本などさまざまなジャンルの作品を残している。

考証随筆における種彦の重要な業績として、『還魂紙料』、天保十二年刊『用捨箱』、没後の嘉永二年（一八四九）に刊行された『高尾年代記』といった考証随筆があり、当時も広く読まれ、明治に至っても版を重ねていた。そのほかにも『足薪翁記』『柳亭記』『柳亭筆記』などの名で知られる未刊の考証随筆を残している。

種彦が考証の規範としたのは山東京伝が文化元年（一八〇四）に刊行した『近世奇跡考』や文化十一年と十二年に刊行した『骨董集』であった。『骨董集』は刊行以前から大田南畝をはじめとする多くの文化人の関心を集め、種彦も京伝のために資料収集を行っていた。曲亭馬琴は京伝の死について『近世物之本江戸作者部類』の中で「思慮の命を破ること酒色より甚だしと謝肇淛の警めたるを知るも知らぬも推なへて京伝は骨董集と討死をしたるといふものありしを」と評している。京伝にとって、考証随筆は戯作よりも重みのあるジャンルであった。考証という営為は、和学に連なるものであり、当事者にとっては「文化」を身にまとうという意味合いもあったと思われる。その「文化」のあり方は武家故実、江戸の地誌、異談・異説、民間習俗など、個々人によって異なっていた。種彦の特徴の一つに異談や異説への関心の薄さが挙げられるが、これは別に論じることとする。種彦は考証に関心の深かった馬琴や式亭三馬とは直接の接点を持たなかったが、『還魂紙料』執筆にあたっては、複数の古物に関心を持っていたグループに属する大田南畝、小林歌城、山崎美成、西原梭江らから資料の提供を受け、また元吉原の考証で中心的な役割を果たした中村仏庵、『嬉遊笑覧』の著者である喜多村筠庭、村田了阿らとの交渉もよく知られている。これらの人びとはそれぞれ「文化」に関心を持ち、互いに尊重し合っていたのである。

その背景には「江戸」に対する強い意識があったと思われる。江戸は中世において水運の結節点であり、経済の中心でもあって、城下町が形成されていたことは知られている。しかし江戸の発展は天正十八年（一五九〇）に徳川氏が入ってからであり、それ以降、都市としての景観が整いだしたといえる。江戸人の認識としては中世から続く都市というより、徳川氏によって建設され、急激に発展した大都市という認識であり、江戸っ子という言葉に象徴されるように、江戸の住人であること自体にその矜持があった。種彦が生きた十九世紀は江戸が開府されてほぼ二百年経ったことになる。百万人を超えたと推計される人口の急激な膨張は社会・経済・文化に激しい変化をもたらし、「江戸」に対する強い歴史意識も生まれることとなった。京都は江戸初期においては人口が四十万人ほどと推定され、日本一の規模を誇った都市であった。種彦の時代においても、人口は変わらず、京都は成熟した都市であったといえる。千年の都である京都の人の目からすれば、百年から二百年程度昔の事物は関心の外であったろう。上方の人による考証随筆としては天保八年（一八三七）以降に執筆された喜田川守貞『守貞謾稿』が名高いが、執筆されたのは江戸においてであった。

江戸人の「文化」の一つが、高尾、薄雲、玉菊といった吉原の名妓に対する関心である。上方では名妓の代々考のような著述はない。

種彦の日記の文化六年五月二十九日の条には「道哲庵高尾墓の縁起」に関する以下のような記事がある。

道哲庵高尾墓の縁起を彫し今日出来　留吉にもたせ遣ス　縁起は別記　のちにみよ　物語りにくわしくあり
尤われら施主なり　遊名にては他見も宜しかるまじと　まぢめなる源知久と書遣ス

この摺物の所在は不明であるが、種彦は本名の源知久として署名している。戯作者柳亭種彦としての営為ではない。この背景には文化六年が初代高尾の百五十回忌にあたり、高尾に対する関心が世間で高まっていたことがあった。西方寺（土手の道哲）では高尾塚が建設され、高尾百五十回忌の供養が営まれている。またさまざまな人びとによって高尾の考証が行われた。

種彦の考証の特色として、すぐれた語彙考証が挙げられる。種彦は語彙考証のために俳諧、仮名草子、浮世草子、古浄瑠璃、土佐浄瑠璃、近松の浄瑠璃本、吉原関係の資料など膨大な蔵書を収集している。国立国会図書館、天理図書館、ボストン美術館、東京大学、早稲田大学、ケンブリッジ大学などに散在するこれらの蔵書には特殊な語彙に朱点が打たれ、識語が加えられている。そしてその蔵書を基に『柳亭俳書文庫』『好色本目録』『吉原書籍目録』『柳亭種彦蔵書目録』「古浄瑠璃本目録」などの蔵書目録が遺されている。中でも『好色本目録』『吉原書籍目録』、阿誰軒編『誹諧書籍目録』書き入れなどは、今日の書誌研究の嚆矢ともいえるべきものであった。年代の確定できる書物は語彙研究の重要な情報源であり、俳書は刊記がなくとも出版年代を俳人から推測できるという性質があるので、必然的に書誌研究、俳人研究、作者研究へとつながっていった。このことが、種彦の考証随筆を同時代のネットワークの中でも際立たせることとなった。

種彦はその蔵書や成果を他者にも提供している。中でも漢学者として、また音韻の研究でも知られる太田全斎が文政期（一八一八～二九）に編纂した『俚諺集覧』の引用書目には種彦の蔵書が多く挙げられ、本文にも「柳亭高屋氏曰」と種彦説が処々に引かれている。

2 千年飴と千歳飴

千年飴(せんねん)については、種彦の『還魂紙料』「千年飴」の記述が今でも大きな影響を与えている。日本語辞書として最大の収録語数を誇る『日本国語大辞典』〈千歳飴(ちとせ)〉の項は筠庭『筠庭雑考(いんていざつこう)』の「今も細長き飴袋に千歳飴とかけるも是也」を用例としてあげるが、これは種彦の「千年飴」からの引用である。『日本国語大辞典』では〈千年飴〉〈寿命飴〉〈寿命糖〉〈千歳飴〉〈長袋〉が見出し語として立項されているが、一番古い用例として、すべて種彦の「千年飴」を引用している。

種彦の「千年飴」の考証は、以下の文章からはじまる。

元禄宝永の比　江戸浅草に七兵衛といふ飴売あり　その飴の名を千年飴　又寿命糖ともいふ　今俗に長袋といふ飴に千歳飴と書こと　彼七兵衛に起れり

『還魂紙料』の考証は、千年飴を売り歩いた七兵衛について記したもので、千年飴そのものについての考証ではない。江戸時代の金平糖(こんぺいとう)や有平糖(あるへいとう)は砂糖を多く用いた高級菓子であるが、子ども相手の行商人が売ったのは晒(さら)し飴のようなものであろう。米のデンプンを大麦の麦芽に含まれるアミラーゼなどの酵素によって糖化して水飴を作り、それに空気を混ぜて白く固めたものである。現在のように香料や着色料を加えることも少なかったと思われる。江戸時代にはさまざまな飴の行商人が登場するが、売られた飴は飴問屋から仕入れたものであろうし、飴そのものは考証の対象にならなかったに違いない。しかも「今俗に長袋といふ飴に千歳飴と書こと　彼七兵衛に起れり」という部分については、種彦もまったく考証を加えずに断定している。

種彦が千年飴に関心を持ったのは、その飴売りに対する興味からであった。「ちかく江戸にて流行し　土平おこま飴等が鼻祖ともいふべし」と記したように、土平飴、おこま飴のような口上やパフォーマンスをともなう飴の行商人に興味があり、千年飴をその最初のものとして位置付けたのであろう。

種彦は飴の店舗にも関心を持ち、三官飴については『足薪翁記』「三官飴」に考証している。大坂と浅草に店があった天満小糸については『柳亭記』「天満節」で言及している。種彦は触れていないが、三官飴には行商もあり、享保二年（一七一七）五月市村座「国性爺合戦」では、大谷広次が三官飴売りに扮し、その浮世絵（鳥居清信画、小松屋板）が残り、享保二年正月に上演された「傾城富士高根」にちなんで刊行された「まつの内のんこれ双六」（山本九左衛門板）にもその姿が描かれている。千年飴と同時期に異なる飴の行商人がいたことが知られる。十八世紀中期に成立した国立国会図書館所蔵「飴売つらね」の冒頭は以下のようにはじまる。

千年〱三せんねんとうり弘めたる三官あめ。

千年飴と三官飴は後代になっても強烈な印象を残していたのであろう。

3　浮世草子に見る千年飴

種彦は千年飴を売り歩いた七兵衛について『今様二十四孝（今様廿四孝）』と『世間用心記』から引用する。種

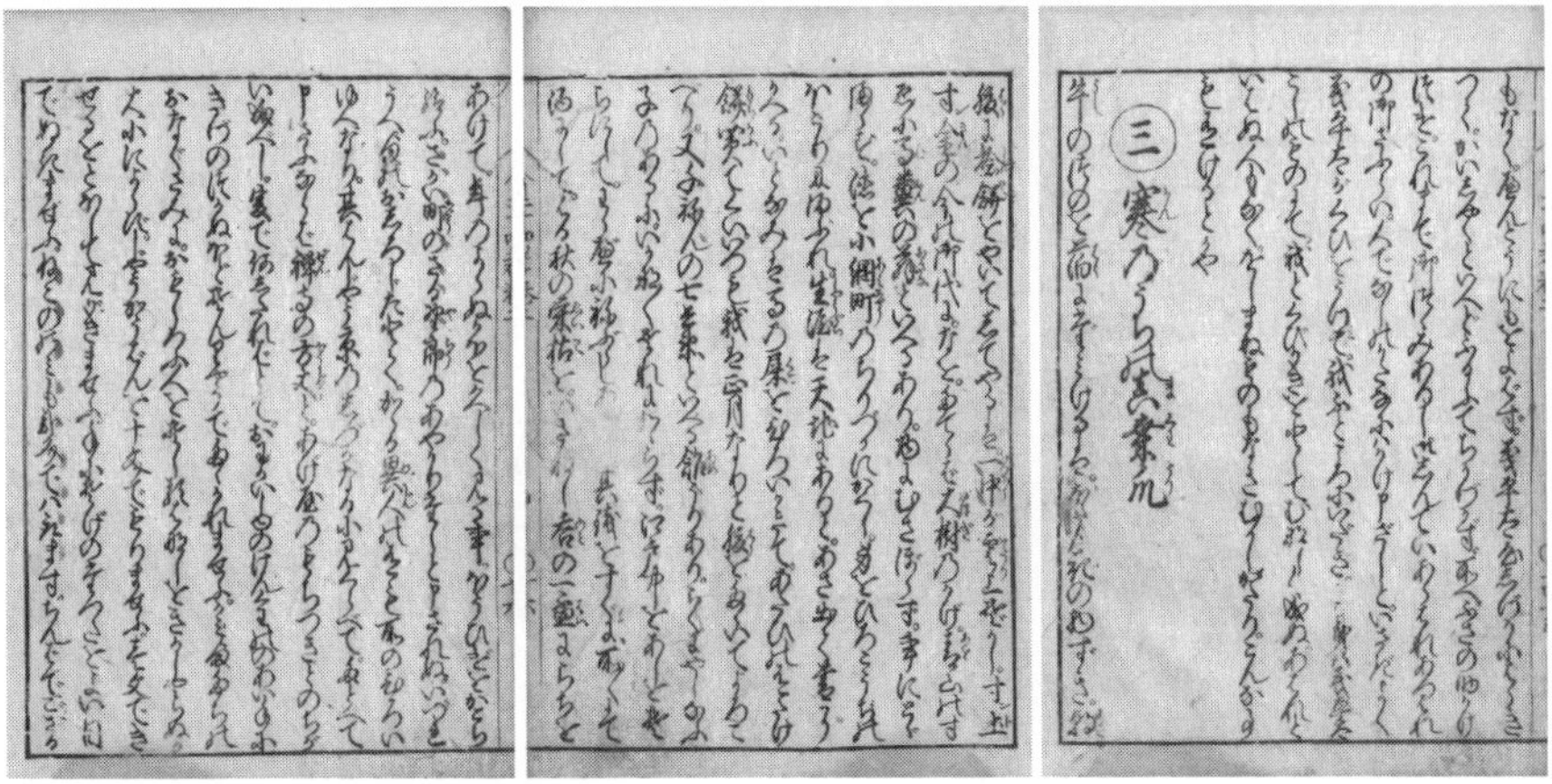

図１　『今様二十四孝』（国立国会図書館蔵）

彦旧蔵本は二本とも国立国会図書館に所蔵され、種彦の考証態度を知ることができる。

『還魂紙料』は『今様廿四孝』から以下のように引用する。

千年の七兵衛といふ飴売あり　楽に養ふ子のあるに　いかな〳〵それにかゝらず　江戸中を足を空にして童にねぶらし　価の其銭をすぐに処々にて酒にして　春秋(しゆんしう)の栄枯を息なし呑の一盃にらちをあけて　年のよらぬ顔をひさしく見ること　頬髭をかこち給ふ堺町のさる野良のあやかりたしとまうされぬ云々

『今様二十四孝』は宝永六年（一七〇九）に刊行された月尋堂(げつじんどう)による浮世草子で、種彦が引用した箇所は巻二・三「寒のうちの真桑瓜」にある。種彦旧蔵本により該当箇所【図1】を示す。

又千ねんの七兵衛といへる飴うりあり。らくにやしなふ子のあるに。いかな〳〵それにかゝらず。江戸中をあしをそらにして。わらべにねぶらしあ□□□其銭をすぐに、所〳〵にて酒にして。はる秋の栄枯を。いきなし呑の一盃にらちをあけて。年のよらぬかほを久しく見る事。ほうひげをかこち給ふ。さかい町のさる野郎あやかりたしと申されぬ。いづれうへさまおしろじたとて。か丶る異人の有も所のひろひゆへなり。

異同をみると、平仮名に漢字を充てたり、活用の違いなどが見られ、□□□の部分は摺が悪く、種彦も原本の文字が判読できなかった。他本には「るき。」とあり、種彦はここを「たひの」と想像で補っていたことが知られる。「歩き」でも「値の」でも、とりあえず文意さえ通ればよかったのであろう。これはこの個所に限らず、種彦の考証随筆全般に見られる態度である。

種彦は関心のある部分に朱点を打っているので、種彦の関心の所在が理解される。「千年飴」に関する部分については、「千ねん」「飴うり」「さかい町のさる野郎」に朱点が打たれている。

また巻二には種彦の以下のような書き抜きをした紙片がたまたま残っている。ほかの巻のものは失われたのであろう。なお、下の数字とオ・ウの表示は袋とじの本文の何枚目の、折り目を左にして表か裏かを示している。

櫛のこと　二ウ
みじか羽織　三オ
仲人屋　三ウ
かはきり　箒にするゐる（かわきりははうきにすへ　四ウ）
うずら立　（十ウ）
三浦のきてう　十七ウ
足袋はいて寝る　親の死に目にあはぬ
弥左衛門　流言　廿ウ

一中　馬糞翁　　　十六オ
猫の蚤とり　　　　十六ウ

　これらの事項は考証対象の予備軍ともいうべきものであろう。これからも種彦の関心が諺（金二〇一七）や特殊な語彙、人名などに偏っていることが知られる。そしてこの紙片にはそれらが出現した丁数が記され、索引としての役割を兼ねさせている。この書き入れに千年飴が入っていないのは、千年飴については別に書き抜きを作成していたものと推測される。考証の備忘のために語彙を抜き出し、索引を兼ねた冊子（都立中央図書館蔵『柳亭雑集』）も残存し、種彦の語彙への強い関心をうかがうことができる。

　『還魂紙料』の「云々」に該当するのが「いづれうへさまおしろじたとて。かゝる異人の有も所のひろひゆへなり。」という部分である。この部分が掲載されなかったのは、江戸を上様の御城下と表現したのを憚（はばか）ったのであろう。『還魂紙料』下巻一「七夕踊　小町をどり　かけ踊」にはやはり将軍家を憚った伏字が見られる。十九世紀以降強化された出版法規を憚って自粛した箇所が『還魂紙料』には散見する。

　『還魂紙料』が出版年を不明とする『世間用心記』は、宝永六年（一七〇九）に刊行された月尋堂の浮世草子『儻偶用心記（てれんようじんき）』の改題本で、安永二年（一七七三）に再刊された。未考としたのは種彦旧蔵本が最終巻を欠いていたため、刊記部分を確認できなかったことによる。種彦には『今様二十四孝』と同じ月尋堂の作だという認識すらなかったのに違いない。

　『還魂紙料』には以下のように引用されている。

浅草の千年飴　此おやぢは天竺にて釈迦と手習傍輩といへり　童部に奇縁あつて　此寿命糖をねぶらして大

きうなしける　大道に肩をぬぎて　天に指ざしし　広いお江戸にかくれなし　京にもよい若者まけぬを踊て。じたいそれがしは大坂の生れぢやちつとしそこなうてこんなになりになりました　よいきみの〳〵と子供にはやされて云々

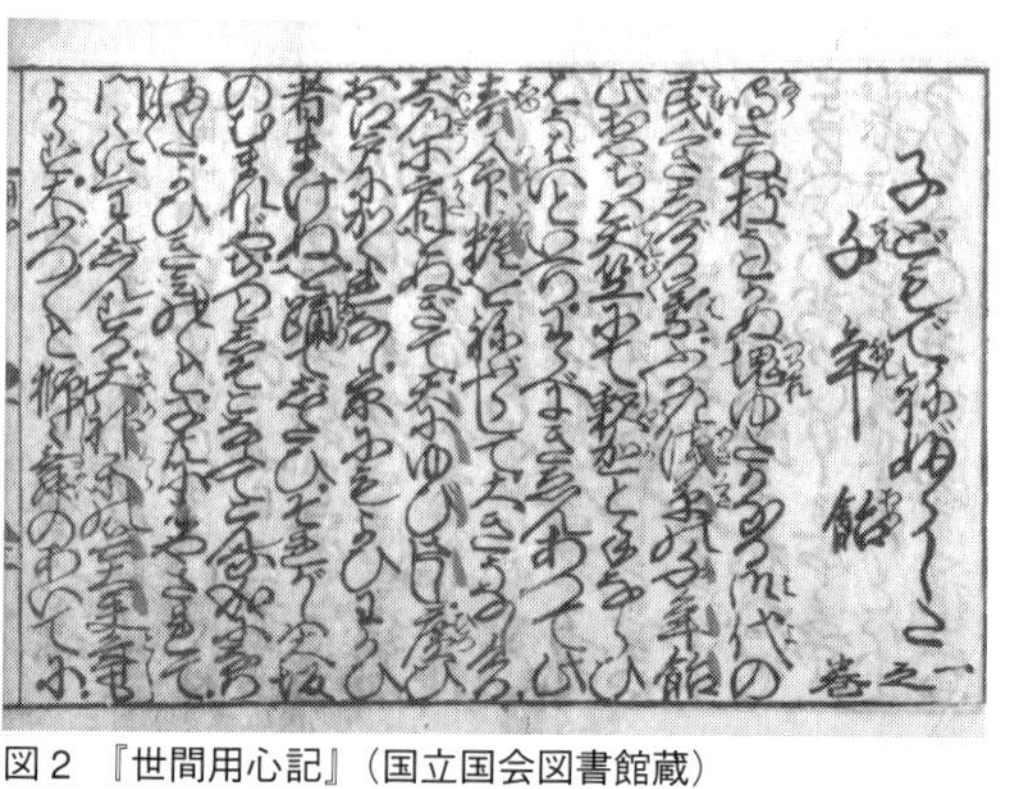
図２『世間用心記』（国立国会図書館蔵）

『世間用心記』一・一「子どもでねぶらした千年飴」【図２】には以下のようにある。

浅草の千年飴　此おやぢは天竺にて釈迦と手ならひはうばいといへり．わらべにきゐんあつて　此寿命糖をねぶらして．大きうなしける．大道に肩をぬぎて．天にゆびさしし．広ひお江戸にかくれなし．京にもよい若者まけぬを踊て　じたひ．それがしは大坂のむまれじや．ちつとしそこなふてこんな成になりました．よいきみの〳〵と子共にはやされて．

ここには七兵衛が大道で片肌を脱いで天を指さして、釈迦が誕生したときに、右手で天を指し、左手で地を指して「天上天下唯我独尊」と叫んだという伝説に由来する誕生仏のような格好をして、千年飴を売っていたことが記されている。そして釈迦とは寺子屋仲間と自らの長寿をおどけ、「京にもよい若者まけぬ」を歌いながら踊り、飴を買いに来た子どもとの掛け合いのパフォーマンスをしたことを記す。「浅草の千年飴」「寿命糖」「天にゆびさし」には朱による傍点が打たれている。また表紙には「千年飴　三オ」という朱筆による書き入れがある。

種彦は七兵衛の活動時期を「元禄宝永の比」とするが、月尋堂が宝永六年に上方で刊行した浮世草子二点に七兵衛を取り上げたのは、宝永五年ごろには江戸だけではなく、上方でも評判が聞こえていたのであろう。

4 俳諧に見る千年飴

種彦はさらに俳書にも眼を転じ、其角（きかく）の遺稿集である『類柑子（るいこうじ）』（再印本）の、

前句　駒形へあがるは旅人お侍　蓮之
附句　笠で見知るは清十郎千年　只尺

という付合（つけあい）に注目し、七兵衛が浅草周辺を徘徊して商売をしていたことから駒形を付けたものとする。この付合は沾徳（せんとく）・秋色（しゅうしき）・沾洲（せんしゅう）・晋如（しんにょ）・壺月（こげつ）・青峨（せいが）・月下（げつか）・貞佐（ていさ）・蓮之（れんし）・只尺（しせき）による歌仙に含まれる。

浅草辺を常に徘徊するにより　駒形といふ句に附。異やうなる笠をかぶりしゆゑに　笠で見知るといひしなるべし。

種彦は『世間用心記』と『類柑子』を根拠に「江戸浅草に七兵衛といふ飴売あり」といったのである。『類柑子』の初印本は宝永四年（一七〇七）の跋文を有するが、種彦は「此句其角十三回忌追善にて享保四年の吟なり」と、この付合が初版本ではなく、享保四年（一七一九）十二月に万屋清兵衛から増補して刊行された再印本にあること

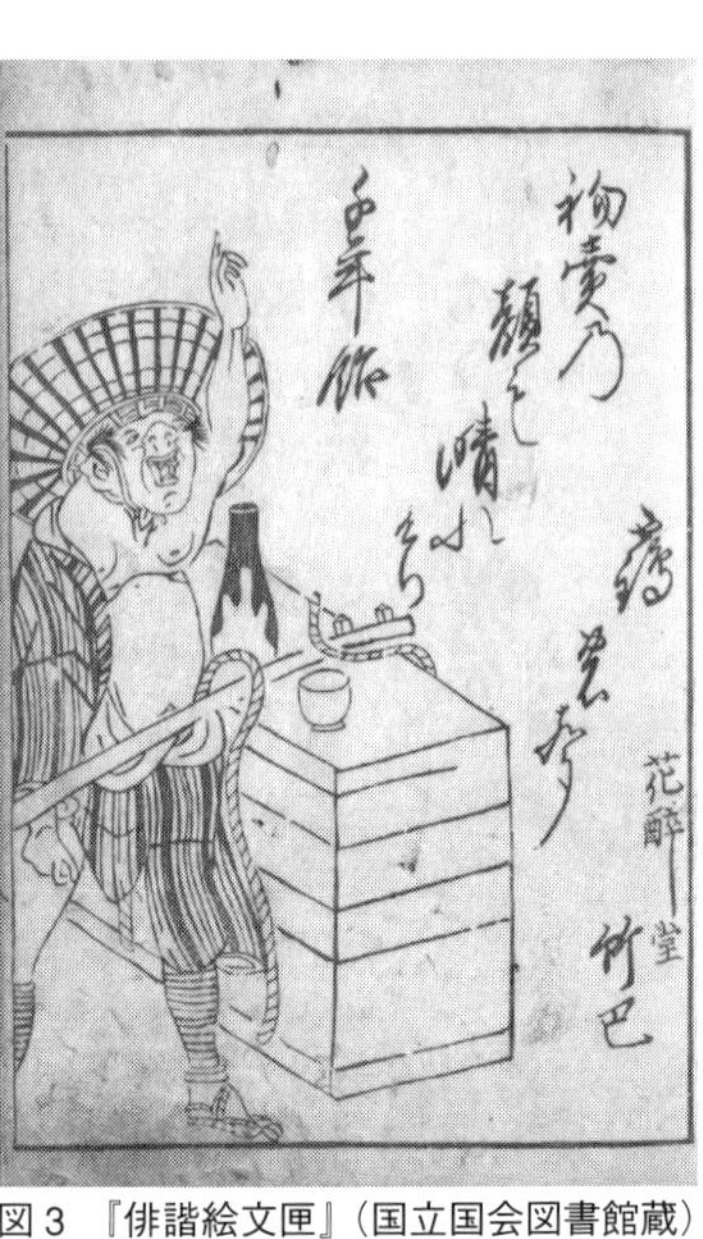

図３　『俳諧絵文匣』（国立国会図書館蔵）

を注記している。これから千年飴売りが享保年間に活動し、異様な笠を被って目印にしていたことが知られる。

また享保七年刊『俳諧絵文匣』に「千年飴」という画題で「初売の顔も晴けり鶴の声　竹巴」という発句のあることを紹介している。笠を被った男が左手で天を指さしている図【図3】で、通常の釈迦の誕生仏とは異なる。後述する挿絵にも左手で天を指すものがあり、画工の誤りというよりは、実際の千年飴売りのパフォーマンスの型はどうでもよかったと考えるべきであろう。この絵について種彦は「ことに拙画なればこ、に載ず」と、拙い絵であることを指摘するのみであるが、七兵衛の活動時期の下限を知る上で重要な資料である。

これらの俳諧資料から知られることは、七兵衛が享保前期に活動していたということである。

5　歌舞伎に見る千年飴

種彦は「中村吉兵衛千年飴七兵衛に打扮肖像」と題する葛飾北斎が写した役者絵を掲載する【図4・本章扉参照】。『俳諧絵文匣』の挿絵とは逆に右手で天を指さしている。

ぶしゆとしまのこおりゐどこびき町せんねんじゆめうとういとびんせんねんなりけり　中村吉兵衛

種彦は「享保年間の一枚絵なり」とし、演目は未考とする。中村吉兵衛がこびき町（森田座）に出勤していたのは、正徳三年（一七一三）の十一月から享保元年（一七一六）十月までなので、この役者絵が描かれたのは正徳四年、または五年の可能性が高い。

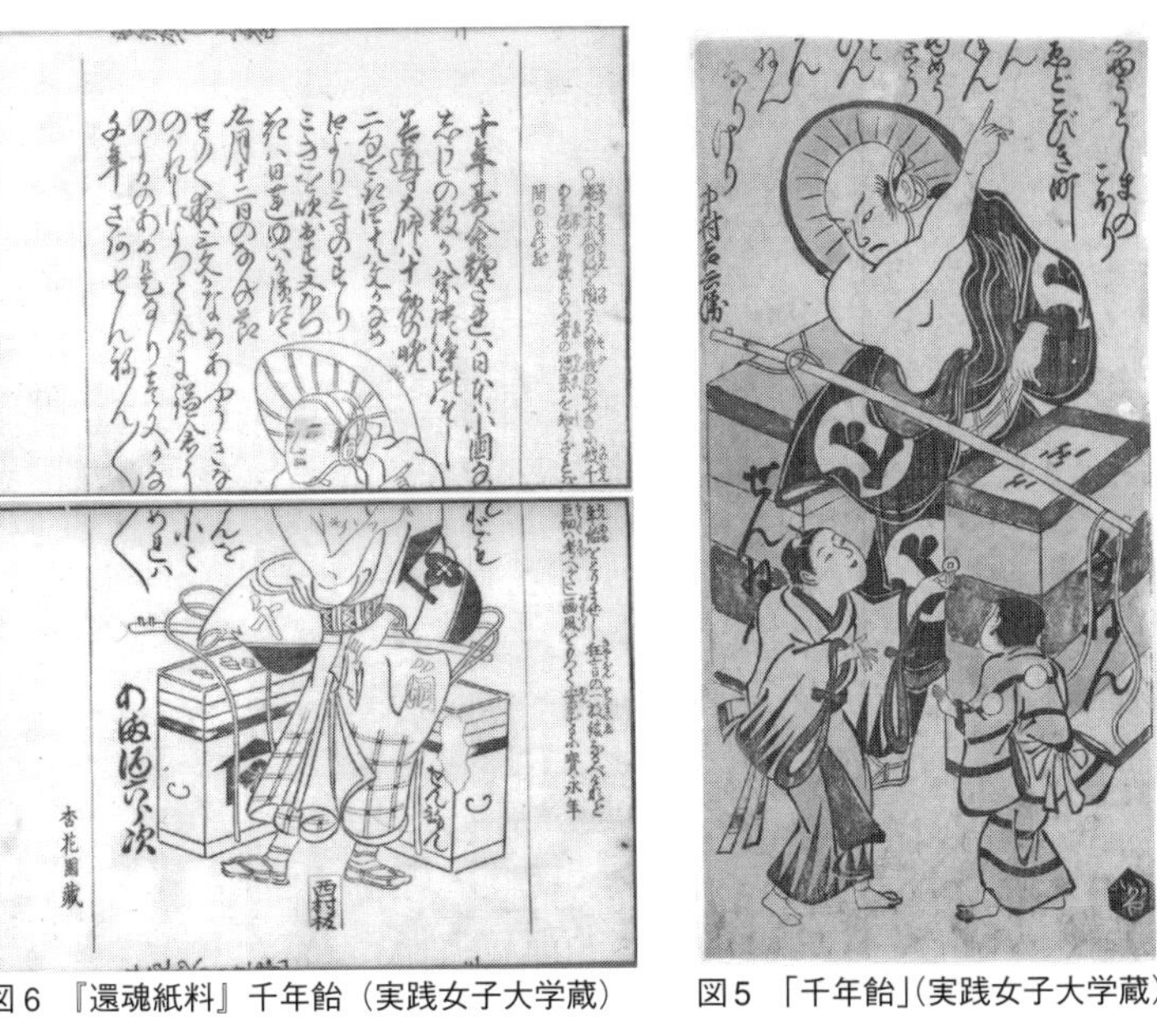

図6 『還魂紙料』千年飴（実践女子大学蔵）

図5 「千年飴」（実践女子大学蔵）

この絵の原図は実践女子大学に所蔵されている【図5】。北斎の描いた『還魂紙料』の図像と比較すると、原図では銭を差し出している子どもの手を、北斎は描きれていない。これは種彦が原図を一見したときに写したものを、さらに北斎が写したことによって起きた現象であろう。

さらに杏花園（きょうかえん）（大田南畝）蔵の「あま酒六郎次」【図6】を種彦は掲出する。これも右手で天を指さしている。

千年寿命糖　されは日本は小国なれとも　しうしの数か八宗　中に浄土のそし　善導大師は十夜の晩二句を取　四十八文かなめ口より　三寸のすりこきを吹出す　又ほつ花は日蓮ゆいか浜にて　九月十二日のなんの節　せう〳〵夜三文かなめ　あやうきなんをのかれしによつて　今に鎌倉に小々のよるのあ

め是なり　壱文かなめれは千年　さあせんねん〳〵　あま酒六郎次

この絵の原図の所在は不明であるが、大田南畝の蔵書目録には記載されている。種彦は、

○庵に木瓜の紋を附たるは　曾我のかぶきに彼千年飴をとりまぜし狂言の一枚絵なるべけれど、あま酒六郎次といふ者の伝系を知らざれば　巨細は考へがたし　画風をもつて案ずるに　宝永年間のもの歟

と、考証する。しかし「あま酒六郎次」という役者は記録が見つからず、役名とすべきであろう。役名とすれば夏は甘酒を売り、ほかの季節は千年飴を売っていたという設定だったのであろう。笠を被っているため糸鬢であるかどうかは確認できないが、本図が中村吉兵衛を描いた可能性を考慮すべきであろう。

この絵には「西村板」とあり、板元は西村屋伝兵衛であろう。西村屋伝兵衛は最初、駒込浅嘉町で営業していたが、享保期に湯島天神下へ移転する。初代西村屋与八の親方筋にあたり、浮世絵と実用書、地図類の刊行で知られていた。中村吉兵衛を描いたものとすれば、正徳四年（一七一四）か五年ごろの刊行となり、「宝永年間のもの歟」とする種彦の推定とはあまり違いがない。

いずれにせよ、【図4・本章扉参照】【図6】の二図とも享保前後に流行した歌舞伎の舞台の長ぜりふの場面であろう。市井の千年飴売りのパフォーマンスが舞台の上に移されたのである。

ここに描かれている千年飴は、長袋に入った千歳飴とは異なり、断裁されて並んでいる。千年飴売りは子ども相手の行商であるから、一銭、二銭の商いであったはずである。長い飴を子どもが購入するのは難しい。だとすれば千年飴を今日の千歳飴と結びつける『日本国語大辞典』の記述には疑問を抱かざるを得なくなる。

ここまでの種彦の記述で判明することは、宝永末から享保にかけて浅草にいた七兵衛という飴売りが、釈迦の誕生仏のパフォーマンスをして、飴を売っていたということである。

6 浄瑠璃に見る千年飴

種彦はさらに「土佐節の浄瑠璃本」として、ハイライト部分を抜粋した抜本「千年うり」を紹介する。「土佐少掾橘正勝直伝章指　ワキ内匠源太夫」とある木下甚右衛門板の図版を掲載し、以下のように記す。

土佐掾は堺町薩摩三郎兵衛座の浄瑠璃太夫なり　此千年売は彼太夫の曲節にて　今抜本といふものゝ類なり

さらに頭書には以下のように記す。

○按ずるに正徳年間の印本なり　表紙このごとし　かたはらに木下甚右衛門の名あり　又一本　板元　芝神明横町　えみやとしるす

種彦は芝神明前のゑみや板の「千年うり」についても紹介する。種彦旧蔵のゑみや板の「千年うり」はケンブリッジ大学に現存する。表紙には「月次もん日　千年うり（せんねんうり）」と書名が記され、左脇には「土佐少掾橘正勝章さし」と記し、右下には「芝神明よこ丁　はんもと　ゑみや」とある。「千ねんうり」と「月なみもんひよせ」からなり、本文はわずか二丁である。内容は「源氏六条通」の第三に含まれる。木下板も同様である。

種彦は「正徳年間の印本」とするが、宝永年間（一七〇四～一一）、あるいはそれ以前の刊行とするのが妥当と思われる。なぜなら「源氏六条通」は宝永五年の年記のある木下板の丸本があり、宝永五年は木下甚右衛門が「宝永五戊子初秋上旬」の年記を有する同じ扉を多くの丸本に付けて刊行した年である（鳥居一九七二）。この問題について種彦も『還魂紙料』「来迎売」の中で触れ、土佐浄瑠璃「博多露左衛門色伝授」を「元禄年間江戸にて編し浄瑠璃なり」とし、「此さうしに宝永五年とあるは再刻の年号なり」と注記している。「源氏六条通」についても実際の上演はそれ以前であったと考えられるので、抜本が製作されたのも宝永五年以前と考えるべきであろう。

抜本に木下板とゑみ屋板の二板があることを種彦はどのように考えていたのであろうか。『柳亭古浄瑠璃本目録』の『曲輪太平記（くるわたいへいき）』の条には、元禄期の浄瑠璃本には出版にかかわる諸権利がなかったことを次のように記している。

> はや元禄の頃は彼株板といふ事ありて絵草紙に彫りがたき物は六段づつに切り浄瑠璃と名づくれは株板ある者より故障をいはざりしにやあらん

『還魂紙料』で木下板とゑみ屋板の二板あることを述べたのは、浄瑠璃抜本には株板がないことを認識していたためと思われる。これは種彦の考証が出版史の問題まで視野に入れたものであったことを示している。

ところが『還魂紙料』では「源氏六条通」については一切言及していない。しかし種彦が記した「土佐少掾正勝浄瑠璃大字細字目録」には「源氏六条通」について所蔵している旨の印が付けられている。「土佐少掾正勝浄瑠璃大字細字目録」は土佐浄瑠璃をほぼ網羅しているが、種彦がこの目録を執筆したのは、『還魂紙料』が刊行された文政九年以降であると想定される。天保元年（一八三〇）に刊行された『偐紫田舎源氏』第三編冒頭の「全部引書目録」には「源氏六条通」の書名が見えるので、種彦は『還魂紙料』の刊行後に「源氏六条通」を入手したのであろうか。

それとも丸本「源氏六条通」を所持しながら抜本「千年うり」と結びつけることができなかったのであろうか。

抜本には登場人物の人名はまったく出ていないので、種彦は抜本から「源氏六条通」の内容を知ることができなかったと思われる。「源氏六条通」第三の内容は以下のようなものである。光源氏（源高明（みなもとのたかあきら））は遊君明石に誘われ、貞光と末たけを供に六条の色里に通い、茶屋のあずまやで酒宴をする。そこに太夫の須磨浦が現れ一座を願い、光源氏は二人を身請けすることとする。そのとき、茶屋の前に、「千ねんうり」を唄う千年飴売りが登場する。

千ねん〳〵三千年、是はめでたきじゆみやうとう、松に花さくはるはいつ、きたる事ぞと七つ子が。里のおきなにとうぼうさく。又うら島が長めいも、此あぢはひの徳とかや、いざやめせ〳〵じゆみやうとう、

これは抜本とほぼ同じ詞章である。そして禿（かむろ）の千鳥が千年飴の荷箱をひっくり返したことから、諍いがはじまる。仲裁に立った茶屋の亭主は大尽（光源氏）の前で商いをすることを提案する。

商人悦び大じんと、きけは床しやそこもとを。よきにたのみ候ぞ。いざまいらんと打つれて。かしこに立こへかの商人あづまやの。みせさきにはこをおろして内よりも。いとうつくしきにんぎやうを取出しつゝそれよりも。既にようゐをなしにけり。

千年飴売りが箱から美しい女形人形を取り出し、人形を回しながら唄ったのが、抜本にも収められた「月なみもんひよせ」である。須磨浦は千年飴売りが自分に下心があるのがいやで、背を向けて座っていた。男は左手の小指を切り落として須磨浦に投げつけ、光源氏を表へと引き出し、すでに危うく見えたときに貞光と末たけが駆け付け、

光源氏を救う。平将門の遺児、平良門(よしかど)が千年飴売りに身をやつし、光源氏をねらったが、須磨浦の色香に迷い、失敗したのであった。

宝永五年の木下板の土佐浄瑠璃丸本の大量出版に関連して、版元の木下は西村重長(にしむらしげなが)が土佐浄瑠璃の名場面を描いた浮世絵の揃物を出版している(鈴木一九七九)。その一つである「千ねんうり」はボストン美術館と山口県立萩美術館浦上記念館蔵に所蔵されている。タイトルは上部に描かれた抜本の中に記され、これも抜本の刊行がこの浮世絵が出版された宝永五年以前とする根拠といえる。茶屋の前で人形を遣うこの場面がこの浄瑠璃のハイライトであったからである。種彦はこの絵の存在には気づかなかったようである。浅草の七兵衛が釈迦の誕生仏を気取ったのに対し、それ以前に人形を回して人を集め、千年飴を売る行商人がいたのである。

7 若千年は七兵衛か

『還魂紙料』の「千年飴」の最後には「おで、こ双六」に掲載された「若千年」図【図7】を引用し、以下のように述べる。

正徳享保のころ上木せし絵双六に此図あり　後年にふりいだしと上りとを彫あらためて　おで、こ双六と名づけたるが　今つたはりて原板を見ざれば　何といひたる双六か原の名をしらず
若千年といふは　前の七兵衛没してのち　彼が名をつぎしものなるべし
総て此双六は　当時流行しかぶき者　商人の類を集しものにて、来迎売の図等あり　其事は此巻の末に見えたり

図７　『還魂紙料』千年飴（実践女子大学蔵）

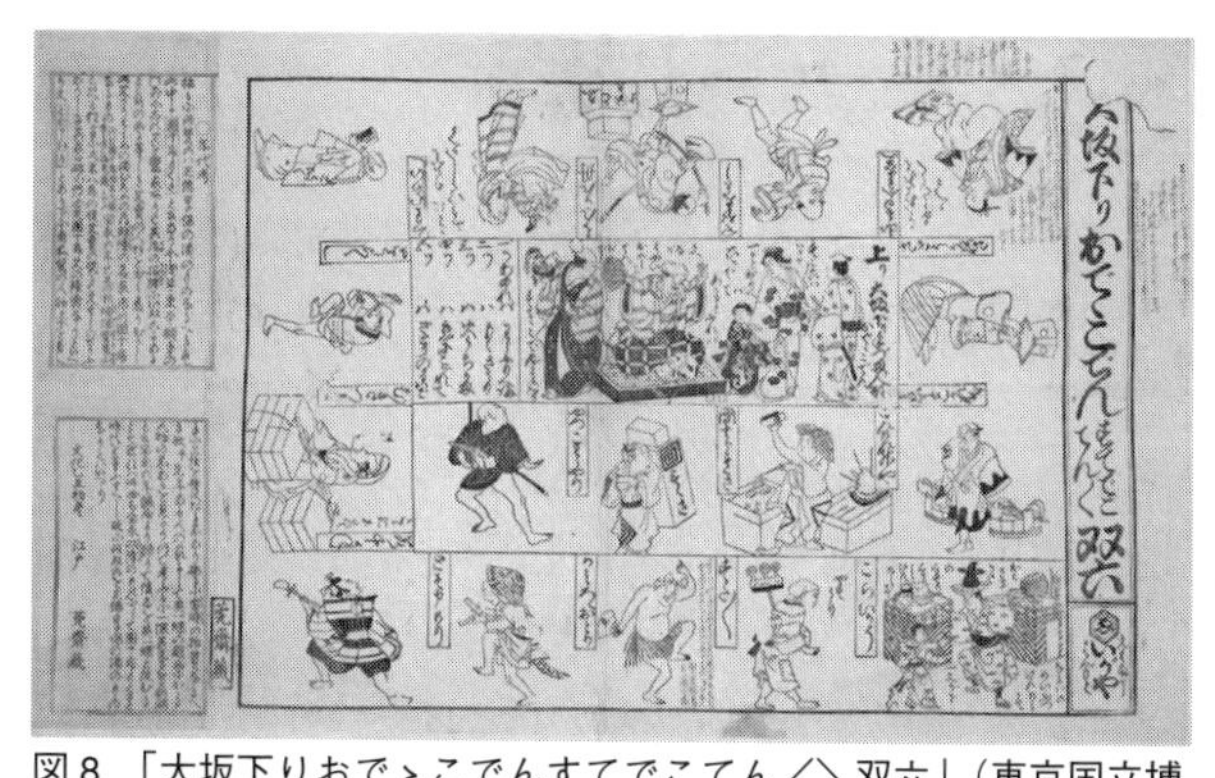

図８　「大坂下りおでゝこでんすてでこてん／＼双六」（東京国立博物館蔵）

この図の若千年も笠を被り、右肩を肌脱ぎにし、右手で天を指している。種彦は七兵衛の後継者としてこの若千年を想定している。

種彦のこの推定が正しければ、『今様二十四孝』『類柑子』『俳諧絵文匣』「中村吉兵衛千年飴七兵衛に打扮肖像」「あま酒六郎次」に見える七兵衛の「千年飴」は若千年と同時代ということになる。

種彦が見た「おで、こ双六」は「大坂下りおで、こでんすてでこてん〳〵双六」といい、文化二年十月に『江戸名所図会』の編纂にかかわった斎藤莞斎（幸孝）が「年代考」を付した袋に入れて復刻している（東京国立博物館蔵【図8】）。原板の版元は元はま丁のいがやであった。「年代考」には「団十郎もぐさ」を根拠に「按るに此双六は宝永享保の頃のものなるべき歟」としている。

この双六で注目されるべきは「山鳥金太夫」で、朝倉無声『見世物研究』は『享保世説』巻之三の「手がなくても用立物　山鳥金太夫とびんぼう樽のみそ桶」とあることから、享保十年に見世物小屋に出たとする。とすれば、この双六の刊年は享保十年前後とするのが妥当であろう。七兵衛とは違う千年飴売りがいた可能性を示す「源氏六条通」の記述を考えれば、この若千年は七兵衛その人である可能性が高い。人形を回した千年飴に対し、釈迦の誕生仏のパフォーマンスをした七兵衛が若千年と呼ばれたと考えるほうが、合理的であろう。

先述の喜多村筠庭『筠庭雑考』にもこの双六について言及があることから、種彦以外にも多くの好事家がこの双六を知っていたと思われる。

花咲一男は赤本『めいたい（浮世めいたい記）』（都立中央図書館蔵）に見える千年飴売りを紹介している（花咲二〇〇四）。池之端にあった錦袋円を売る勧学屋大介の店の前で、笠を被り、片肌を脱ぎ、左手で天を指す男が担ぐ二つの荷には「あさ草　寿命とう」「せん年」と記され、子ども二人と子守女が千年飴を追いかけている。「せんね〱ん　一文がなめると十二文がては　二千年」「てんじやうてんかゆいか一人のせんねん」という詞書が記されている。七兵衛の千年飴である。『めいたい』は三丁分しか現存せず、そこには千年飴売りのほか、魚の棒手振り、来迎売、火打金売りなどの行商姿が描かれている。刊年は未詳であるが、花咲は宝永六年刊月尋堂『子孫大黒柱』巻三に見える売薬屋薬王丸の記事があるので、宝永六年ごろの刊行と推定している。若干年の活動期を考えれば、もう少し後のものかもしれない。

やはり行商人を扱ったのが、享保十二年に刊行された近藤清春画『めつけゑ』である（佐藤二〇一六）。ここには十六種類の物売りの姿が描かれているが、千年飴の姿は見いだせない。このときにはすでに千年飴売りは江戸から消えていたと考えることもできよう。

十九世紀における種彦や同時代の知識人たちの十七世紀、十八世紀の江戸の事物への関心、それは「江戸」という都市の成熟による歴史への関心がもたらしたものであった。種彦の「千年飴」の考証は浮世草子、俳書、歌舞伎、浄瑠璃といった同時代の資料から片々たる事実を積み上げて再構成しようとするものであった。この点が種彦と同時代の考証随筆の作者とは大きく異なるところであったが、種彦以降、その方法はほかの作者にも受け継がれていく。「千年飴」は種彦の考証がなければ、忘れ去られていたことだろう。この考証について検証を加えてきたが、種彦の考証が、知の大系化の片鱗を示しながらも、単なる事実の羅列に終わってしまったことが惜しまれる。そこに近代以降の学問と考証随筆の間の溝を見ようとするのは僻目であろうか。種彦の帰納的に結論を出そうとするその姿勢は、今日でも高く評価されているが、種彦の結論に対して、さらなる検討を行うことが今後の課題であろう。

参考文献
・金美眞『柳亭種彦の合巻の世界』（若草書房、二〇一七年）
・佐藤悟「子ども絵・子ども絵本：破邪と予祝」（『美術フォーラム 21』三十四号、二〇一六年）
・鈴木重三「浮世絵初期版画への対処」（『國華』第一〇二一号、一九七九年）
・鳥居フミ子『土佐浄瑠璃正本集 第二』解題（角川書店、一九七二年）
・花咲一男『絵本江戸の飴売り 付明治時代』（太平書屋、二〇〇四年）

Check! そこにどんな〈江戸〉像があらわれたのか？

柳亭種彦は『還魂紙料』の考証の中で、千年飴を売り歩いた七兵衛という市井の人物を、多くの資料を駆使して浮かびあがらせて見せた。種彦が関心を持ったのは、種彦の時代には失われた、行商人としてのパフォーマンスであった。正史には決して取り上げられることはない人々は、単なるノスタルジーの対象ではなく、まっとうな学問対象であった。今から二百年前に生きた種彦も新たな〈江戸〉像を模索していたのであった。

Chapter6

失われた端午の節句「印地打」
——日本人と朝鮮人のまなざしから考証する

●金　美眞

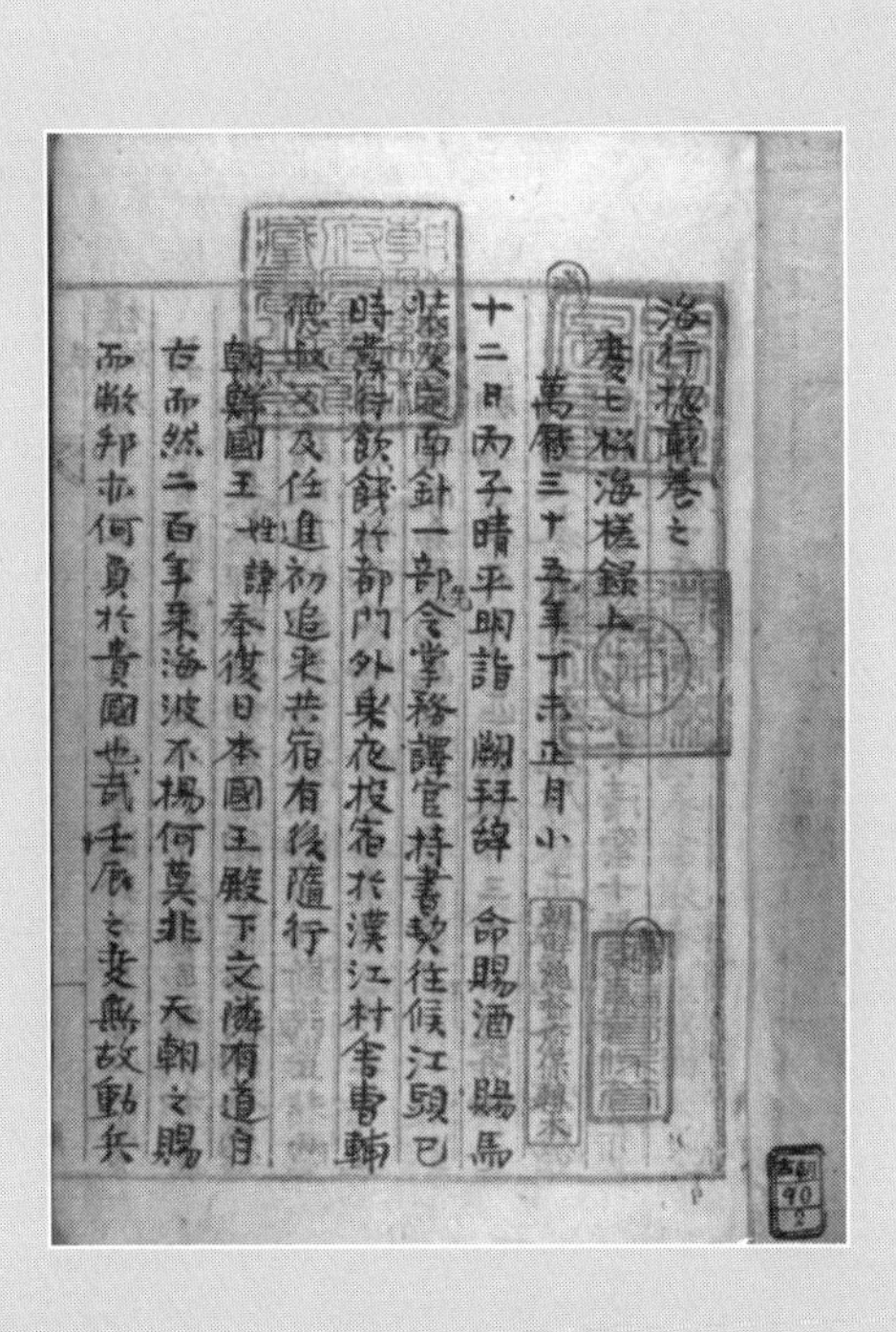
海行摠載巻之
慶七松海槎録上
萬暦三十五年丁未正月小
十二日丙子晴平明詣闕拜辭　命賜酒賜馬

一六〇七年の第一回の朝鮮通信使の副使である慶暹（キョンソム）の使行録『海槎録（ヘサロク）』。慶長十二年（一六〇七）二月二十九日に釜山（プサン）を出発し、大坂・京都を経由し、江戸へ向かう。江戸には、慶長十二年五月二十九日から六月十四日まで滞在。その後、帰路につき、同年七月三日に釜山に帰国。彼は江戸滞在中に日本橋馬喰町（ばくろちょう）にあった本誓寺で端午の節句を迎える。異国人の目に写った〈江戸〉の端午の節句とは。

〈韓国国立中央図書館古文献室蔵〈請求記号：한貴古朝 90-2)〉

1　はじめに

江戸時代の日本の文人や戯作者は、自国の当時の文化・事物だけでなく、すでに廃れた百数十年前の風俗にも関心を寄せ、それらについて調査した結果を考証随筆に記している。考証随筆には、江戸前期の文化や風俗の様相と変遷、さらには江戸後期の文化へと発展してきた過程などが詳細に記載されている。考証随筆に描かれている江戸の文化関連記事を分析し、江戸で生きていた文人のまなざしで見た江戸像を考察することが可能である。

また、江戸時代には、計十二回にわたって朝鮮通信使が来日した。朝鮮通信使の正使（通信使行列の責任者）、副使（正使の補佐）、製述官（記録係）などは、使行旅程を記録した使行録を書き残している。使行録の江戸の文化や風俗に関する記録を通して、朝鮮人のまなざしで見た江戸像を考察することができる。

本章では、日本人と朝鮮人という二通りの異なるまなざしで見た端午の節句にまつわる記事を比較・考察する。これを通して、江戸後期になると行われなくなる、失われた端午の節句の遊戯「印地打（いんじうち）」の全貌を明らかにすることを目標とする。

2　朝鮮通信使と日本の年中行事

漢陽（ソウル）を出発した朝鮮通信使一行は、釜山（プサン）から大坂までは海路、その後は陸路を利用して江戸に向かった。具体的な行路は通信使節団によって異なるが、主な経由地を取り上げると、釜山―対馬（つしま）―壱岐（いき）―藍島（あいのしま）―赤間関（あかまがせき）―山崎―上関（かみのせき）―蒲刈（かまがり）―田島―鞆浦（とものうら）―日比（ひび）―下津（しもつ）―牛窓―室津（むろつ）―兵庫―大坂―京都―彦根―大垣―鳴海（なるみ）―浜松―掛川―箱根―藤沢―神奈川―品川である。江戸に到着した朝鮮通信使は、二～四週間ほど滞在し、その後帰路につく。朝鮮通信使の全旅程および江戸滞在期間、日本滞在中に経験した年中行事をまとめると、次の表の通りである。

回数	全旅程（釜山から江戸までの往路）	江戸滞在期間	年中行事
第一回	慶長十二年（一六〇七）二月二十九日～同年七月三日	一六〇七年五月二十四日～同年六月十四日	端午の節句@江戸
第二回	元和三年（一六一七）七月四日～同年十月十八日	伏見聘礼	盆@対馬
第三回	寛永元年（一六二四）十月二日～翌年三月五日	一六二四年十二月十二日～同年十二月二十四日	正月@大井川
第四回	寛永十三年（一六三六）十月六日～翌年二月二十五日	一六三六年十二月七日～同年十二月三十日	正月@神奈川
第五回	寛永二十年（一六四三）四月二十七日～同年十月二十九日	一六四三年七月八日～同年八月六日	端午の節句@対馬 盆@江戸
第六回	明暦元年（一六五五）六月九日～翌年二月十日	一六五五年十月二日～同年十一月一日	正月@赤間関 盆@上関
第七回	天和二年（一六八二）五月八日～同年十一月一日	一六八二年八月二十一日～同年九月十二日	―
第八回	正徳元年（一七一一）七月十五日～翌年二月二十五日	一七一一年十月十八日～同年十一月十九日	―
第九回	享保四年（一七一九）六月二十日～翌年一月六日	一七一九年九月二十七日～同年十月十五日	盆@対馬
第十回	延享五年（一七四八）二月十六日～同年八月九日	一七四八年五月二十一日～同年六月十三日	端午の節句@滋賀
第十一回	宝暦十四年（一七六四）十月六日～翌年六月二十二日	一七六五年二月十六日～同年三月十一日	正月@赤間関 端午の節句@大坂
第十二回	文化八年（一八一一）閏三月十二日～同年七月二日	対馬聘礼	端午の節句@対馬

前頁の表は、参考文献に載せた『海行摠載』所収の使行録と『通航一覧』を参考に作成したものである。具体的な旅程は、次のような使行録を参照した。第一回は慶暹『海槎録』、第二回は李景稷『扶桑録』、第三回は姜弘重『東槎録』、第四回は金世濂『海槎録』、第五回は未詳『癸未東槎日記』、第六回は南龍翼『扶桑録』、第七回は洪禹載『東槎録』、第八回は任守幹『東槎日記』、第九回は申維翰『海遊録』、第十回は曹命采『奉使日本時聞見録』、第十一回は趙曮『海槎日記』、第十二回は柳相弼『東槎録』による。

全十二回の朝鮮通信使のうち、第二回と第十二回を除いた計十回の通信使一行は釜山を出発し、江戸に向かった。第二回の通信使一行は、徳川秀忠・大御所の徳川家康が伏見在城のため、江戸まで行かず、京都の伏見で国書交換が挙行された。また第十二回の通信使一行は、日本側の経費節減などの問題のため、東上することができず、対馬で国書を交換し、釜山に戻る旅程であった（易地聘礼）。

朝鮮通信使は、対馬から江戸へ向かう途中、または帰路中に各地方で日本の年中行事を経験した。使行録には、彼らの目で見た江戸時代の日本の年中行事が詳しく記されている。前掲の表の備考に、彼らが訪日中に経験した年中行事を記しておいたが、そのうちの一部に触れてみる。たとえば、第三回の通信使一行は、江戸での日程を終え、帰路中に大井川で日本の正月を体験する。副使である姜弘重の『東槎録』の一六二五年一月二日の条に、「門前には竹枝・松葉・雑草を掛けているが、それは我が国の祓除の制の如くである」と、門松としめ縄を門前に掲げる正月の風習を描いている。また、第四回の通信使は、神奈川で正月を迎えることになる。正使である任絖は『丙子日本日記』の一六三七年一月一日の条に、「是は倭の風俗なり。家々は戸を閉ざして、外に出ない。十五日以前は、専ら忌諱を事となし、何事もしないで過ごす」と、小正月までは戸を閉ざして外出を控える日本の風習を記している。ただし、『守貞謾稿』によれば、元日と小正月（十五日・十六日）のみ、戸をとざすとあるので、任絖の記述は誤伝である可能性が高い。そして、第九回の通信使一行は、対馬で盆を迎えている。製述官である申維翰は『海遊録』

の一七一九年七月十五日の条に、「倭の風俗に、この日を最も重要な歳日とす。（中略）各々の家は、先祖の墓に行き、一人が灯籠を一つずつ懸ける。子孫の多い者は数十灯に至る。（その景色は―筆者注）熒熒としていて珠を貫いた如くである」と、子孫が先祖の墓に灯籠をかける対馬の盆の風習を書き残している。

さらに朝鮮通信使は、日本各地で端午の節句を経験している。第一回の通信使一行は江戸、第五回は対馬、第十回は伊庭町（現在の滋賀県東近江市）、第十一回は大坂、第十二回は対馬で端午の節句を迎えている。この中で、一回目の使行録には、男児が二手に分かれて石を投げ合う端午の節句の遊戯「印地打」が記されている。これは江戸時代後期になると行われなくなる、いわゆる失われた風習である。そのため、江戸時代後期の文人は、さまざまな書物にもとづいてその全貌を明らかにしようとし、その内容を考証随筆に書き残している。では、朝鮮通信使が見た江戸の端午の節句について具体的に触れる前に、まず江戸時代の年中行事に関する書籍および考証随筆に描かれている「印地打」について確認しておきたい。

3　日本人が見た端午の節句――「印地打」から「菖蒲打」への推移

「印地打」とは、端午の節句に子どもたちが二手に分かれ、「印地」すなわち「飛礫」を投げ合う石投戦のことである。著者未詳の考証随筆『雨窓閑話』（成立時期未詳）の巻之上「織田信長公客啬並印陣打の事」の項には、織田信長にまつわる「印地打」の逸話が次のように記されている。

幼年の時、尾州清須在所の寺へ手習に行れけるに、相弟子の寺子共四五十人も有けるが、五月五日の日は休の事なれば、印地打を遊びとなす。㋐此印地打は、古きたはむれにして頼朝時代より有とぞ。㋑たとへば其遊は、子供東西に立わかれ、石礫を以て打合勝負を争ふ。五月五日を印地打の遊びの日とす。〈割注〉印陣打とも書。」㋒双方の手負死人多きに因て、或怨を含み憤恨を夾むもの少からず。毎年々々其戦ひ大になりて、偏に剣を用ひざる軍に同じ。此故に御三代目将軍家の御時、寛永十二年印地打の義厳敷御制禁を仰出されける。

（『雨窓閑話』巻之上、「織田信長公吝嗇並印陣打の事」の項）

織田信長の幼年のころ、端午の節句に四、五十人の寺子屋の仲間たちと印地打して遊んだという話である。印地打は、源頼朝の時代から行われた端午の節句の遊びであると記されているが（傍線部㋐）、平安時代の年中行事を描いた土佐光長『年中行事絵巻』第五巻（平安時代末期）でも確認されることから、それより以前の時代からの遊戯であると言える。この遊びは、子どもたちが東西に分かれて、小石を投げ合う試合であり、「印陣打」とも呼ばれたと記されている（傍線部㋑）。ところが、この試合は負傷者や死者が多く出たため、寛永十二年（一六三五）に禁止令が出されたのである（傍線部㋒）。

では、印地打は、元禄年間（一六八八〜一七〇三）にどのように展開されたのかを見てみよう。まず、内田順也『俳諧五節句』（元禄元年〈一六八八〉序、刊行）の五月五日の条の「印地打」の項を次に取り上げる。

印地あり。予、童部の比迄、三条・五条の川原にて礫打〈つぶてうち〉。是も騎射をまなぶと也。果は小弓をもち射る。〈世諺問答〉にも地につくによりての名也。

（『俳諧五節句』十九丁裏）

『俳諧五節句』は、江戸時代後期の戯作者である柳亭種彦が、自身の考証随筆『足薪翁記』巻之二「桃の絵櫃・菊の絵櫃」の項に、「〔俳諧五節句〕は京師にてとりおこなふ五節句のさまを、片田舎の者に知らせんとて綴りし俳書なり。正月の玉ぶり〳〵、五月のかぶと、七月のをどりのたぐひ、百三十余年のむかしのさまをまのあたりに見るが如き事多く」と記したように、江戸時代初期の年中行事がわかる資料である。著者の内田順也は、幼いころまでは、京都の三条・五条の川原で小石を投げる礫打の遊びが行われたと記している。そして、この遊戯に「印地」という名が付いた理由を、年中行事について記した一条兼良『世諺問答』（天文十三年〈一五四四〉跋、万治三年〈一六六〇〉刊行）に求め、投げた石が地に付くからであると述べている。【図1】は、『世諺問答』版本中巻所収の挿絵で、左丁（十丁表）には「五月五日に子どもの印地打」という詞書があり、男児たちが川を挟んで飛礫を打ち投げ、互いに矢を射る様子が生き生きと描かれている。この図からもわかるように、印地打は、主として飛礫による合戦であったが、弓や木剣なども用いられたことがうかがえる

図１『世諺問答』（国立国会図書館蔵）

また、浮世絵師石川流宣『大和耕作絵抄』（元禄初期〈一六八八頃〉刊行）と菱川師宣『月次のあそび』（別書名『十二月品定図』、元禄四年〈一六九二〉刊行）には、印地打がどのような遊びであるかが具体的に描写されている。

（1）印地打、中比より菖蒲打といふて、田舎は村を分、江戸は町を分て飛礫を持つて子ども討合。今はまれなり。

（『大和耕作絵抄』二十丁表）

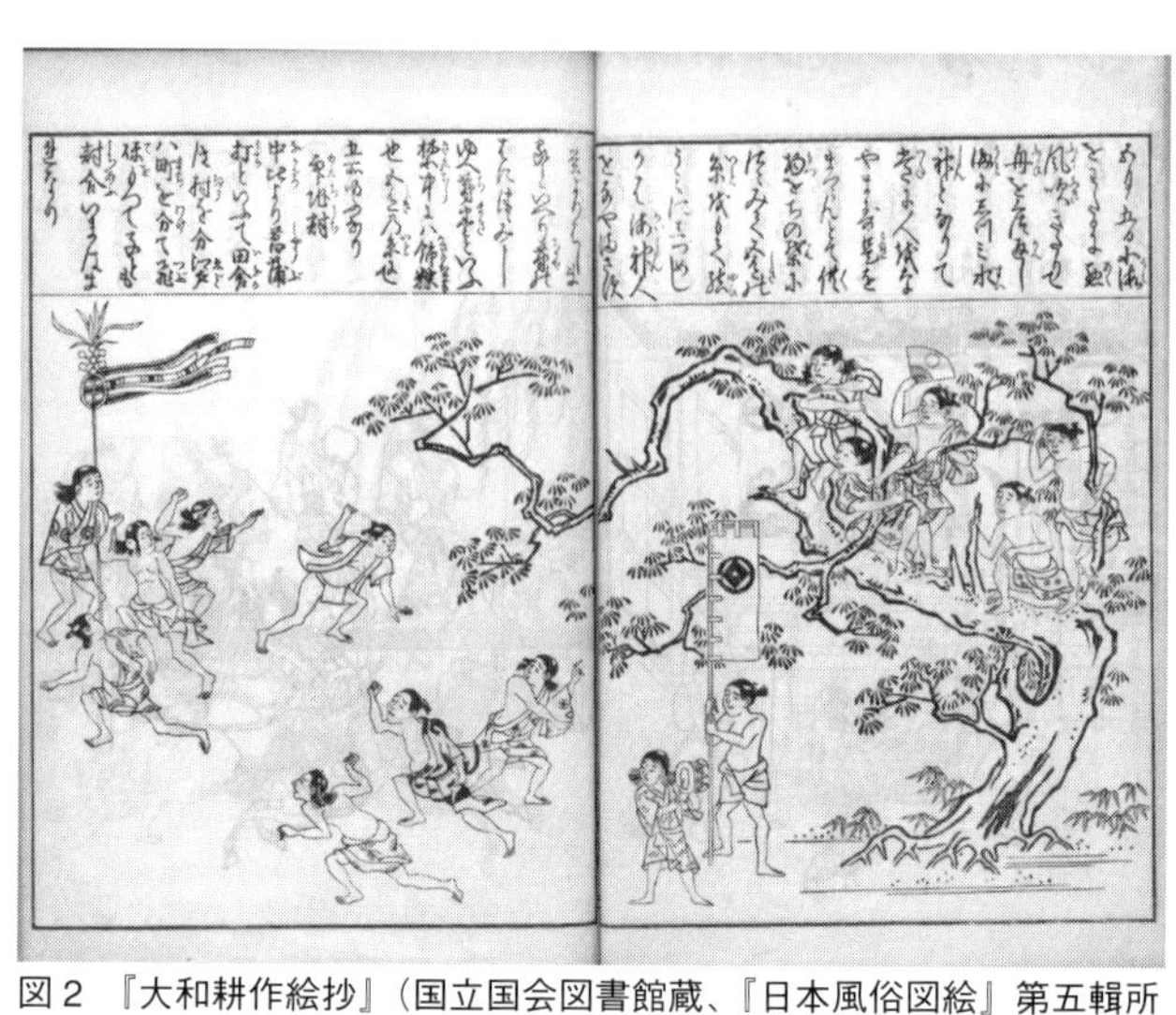

図２ 『大和耕作絵抄』（国立国会図書館蔵、『日本風俗図絵』第五輯所収の複製版）

（2）菖蒲の節句には、京も田舎にも老若打ち混じりて河原表に出て、石を礫として印地切をする。東西に立分かりて互ひに勝負を決せんとせしが、すでに両方印を立て、礫を打ち合ふ。旗色直りて打ち勝つ時は、貝を吹き立て、味方に勇みを付くる。打ち立てられては屈強の若き者も、或ひは陸をさして逃げるも有、川へ飛び入て流るゝもあり。互に石を打つ事総捲りの矢のごとし。

（『月次のあそび』九丁裏・十丁表）

（1）の『大和耕作絵抄』には、印地打は「菖蒲打」とも呼ばれたこと、子どもたちが飛礫を打ち合う行事であったこと、元禄年間にすでにまれな遊びとして認識されていたことが記されている。【図２】には、二手に分かれた子どもたちが飛礫を打ち投げている様子が描かれている。また、右丁（二十丁裏）には、陣営旗と小太鼓を持つ人びとが子どもらを応援している姿や、木の上で印地打を見物する人びとの姿も詳細に描かれている。

（2）の『月次のあそび』には、遊戯の具体的な様子が描写されている。まず、印地打は、老若に関係なく参加することができたこと、二軍に分かれた参加者たちは川辺に出て石を投げ合ったことがわかる。また、「旗色直りて打ち勝つ時」、すなわち形勢が立ち直ってよくなったときは、貝を吹いて味方の士気を鼓舞している。そして、打ち立てられて、陸に逃げたり、川に飛び入ったりする人もいる。相互に石を打ち合う様子は、「総捲りの矢」すなわち総攻撃でふりそそぐ矢のように、多くの石が飛び交っているとある。【図3】には、川辺に男子が二手に分かれて、石を投げ合っており、右下（九丁裏）には陣営旗の前にほら貝を吹き立てている男児の姿も描かれている。

これらを通して、元禄年間ごろに行われた印地打の特徴が浮かび上がる。まず、この時期になるとすでにまれに行われる行事になっていたこと、そして当初は男児の遊びであったものが、次第に大人も加わるようになったこと、最後に「印地打」は「印地切」または「菖蒲打」という別称で呼ばれていたことがわかる。

柳亭種彦は考証随筆『用捨箱』中巻（天保十二年〈一八四一〉刊行）の「禿の菖蒲打」の項に、「印地打」の移り変わりについて、次のように記している。

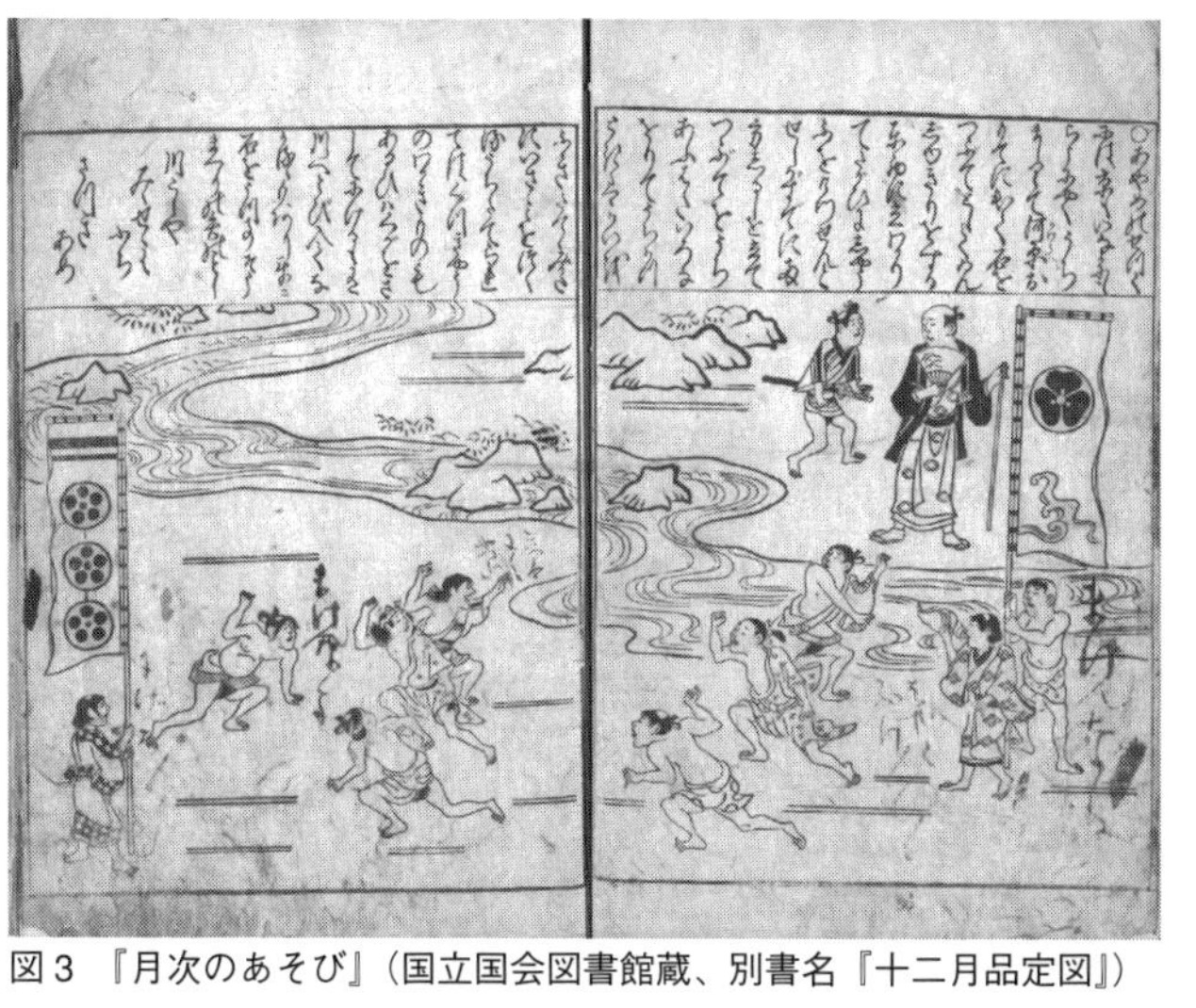
図3　『月次のあそび』（国立国会図書館蔵、別書名『十二月品定図』）

㋐端午の日の印地打一変していんじゆ切となり。正保・慶安の頃は、此日専童のいどみあらそひし事〈昔々物語〉にくはし。又其いんじゆ切、止て菖蒲打となれり。〈中古風俗志〉〈割注〉明和元年老人の筆記。」に、「享保の頃までは、所々の広小路へ童集り、菖蒲にて大きなるふとき三つ打の縄をこしらへ、或は長竿等を持出、往来の子供へしやがめ／＼といひて下座させ、若下座をせざれば打かゝりなどして、使につかはしたる小調市など重箱をこはされ、はふ／＼逃かへりし事などありしが、今は絶てなし」といふ事あり。さて㋑此菖蒲うち絶たる後も、吉原の禿にのみ残り、彼節句の日、江戸町方、京町方と立別れ、待合の街に出て打合を見物群集したりしが、あやまちて疵をかうぶりし禿もありしより、遂に止たりといふ事、平道〈割注〉揚屋町俳人。」が彼地の事を集し雑記にありしが、予写しとめざるさきに、平道歿して今もとむるに便なし。

（『用捨箱』「禿の菖蒲打」の項）

種彦は、「印地打」は「印地切」に変わり、さらに「菖蒲打」と変貌したことについて記している（傍線部㋐）。彼は正保・慶安年間ごろ（一六四四～一六五二）の童が「印地切」の遊戯を行っていたとする根拠として、新見正朝の考証随筆『昔々物語』（享保十七年〈一七三二〉成立）を取り上げている。『昔々物語』は、写本によって書名がさまざまであり、別書名に『中古風俗志』、『八十翁疇昔話』などがある。本書は、享保年間（一七一六～一七三六）に八十歳になった翁が、幼いときにあたる正保・慶安年間ごろから目にした江戸の風俗の変遷を記したものである。本書の端午の節句に関する条には、「童子の遊び、五月印じゆ切の事、百年〈割注〉正保・慶安。」も以前は、五月四日にときん篠懸を着し、菖蒲にて鉢巻し、しやうぶ刀をさし、ほらの貝を吹立、人数を催す」と、童の遊戯であったことが記されている。これにより、享保年間より約八十年前にあたる、正保・慶安年間には「印地打」と「印地切」と呼んでいたことがわかる。ここで注目すべきは、「印地切」は飛礫ではなく、菖蒲刀で戦う遊戯であったとすることである。また、種彦は、享保年間ごろまでは、下座せずに逃げる子どもたちを驚かすため、菖蒲の葉を編んで縄のように作ったものや長棹で地面を打ち付ける「菖蒲打」が行われたことを紹介している。だが、端午の節句の遊戯としての「菖蒲打」も廃れ、吉原の禿のあいだでのみ行われたが、誤って相手に傷を負わせたことがあり、天保年間（一八四〇～一八四三）には行われなくなったと記している（傍線部㋑）。

端午の節句の遊戯「印地打」は飛礫を打ち合う激しい戦闘であったが、寛永十二年（一六三五）禁止令が出されるに至る。そして、正保・慶安年間ごろ（一六四四～一六五一）には長棹や菖蒲刀で切り合う「印地切」へと変貌し、元禄年間（一六八八～一七〇三）になると「印地打」はまれな遊戯として認識されるようになる。さらに享保年間（一七一六～一七三五）までは、菖蒲の葉を編んだ長縄を持って地面を打つ「菖蒲打」へ変わったのである。端午の節句の子どもの遊びであった「菖蒲打」は、年中行事としての意味が失われ、吉原の禿のあいだでのみ行われる遊びに変わるが、天保年間（一八四〇～一八四三）になると禿の遊びとしてもほとんど行われなくなっていた。

4　朝鮮人が見た〈江戸〉の端午の節句――「印地打」をめぐって

それでは、朝鮮通信使が使行旅程中に見た日本の端午の節句について考察してみる。本章の第二節でも触れたように、通信使一行は日本各地でさまざまな年中行事を経験した。その中で、もっとも数多く経験したのは、端午の節句である。特に、第一回の朝鮮通信使は、〈江戸〉で端午の節句を迎えており、彼らが目にした当日の風景を使行録に書き残している。本節では、第一回の朝鮮通信使の使行録を通して、彼らが〈江戸〉で体験した端午の節句について考察する。

まず、第一回の朝鮮通信使の副使として訪日した慶暹の使行録『海槎録』の一六〇七年六月五日の条を確認する。

六月五日、曇り後晴れ。江戸に逗留する。支待官（公的な仕事で地方に行った高官の飲食を管理する職―筆者注）が餅三器を差し出した。日本では暦を作成しているが、中国とは一日の差があるので、月の大小と日の進退が同じでないものがある。今年は閏月（うるうづき）が四月に入ったので、今日を端午とするという。一日から男子のいる家では、それ〲紙旗（かみばた）を立てるが、これは戦いをすることを報告するための道具である。これを立てることによって予め勇猛心を養う。㋐この日になると、まず児童を集めて、あちこちに分かれて対峙し、石投戦をすることは、あたかも我が国の相撲の如くである。㋑午後には遠近の若者が、貴賤を問わず、槍を持ち、剣を荷った数千名が群を作って、陣を敷いて対峙する。前方へ進んだり、退いたり、座ったり、立ったり、また集まったり、離散したり、誘引したりする形勢は、合戦の方法をとっていた。それ〳〵精鋭を出し、刀を合せて交戦し、或は進み、或は退き、鋭いほこさきが集まって、日光が互いに射るようであった。㋒互いに争って打ち殺し、死を見ても強く進み、日が暮れるのを時限とした。死者が四十余名にもなり、そのほか腕を断ち、足が切られ、傷を受け、帰って来た者は、記録することができないくらいであった。（中略）㋓日本六十六州の人が、所々で皆戦ったが、ただ京都は彩棚（祭りや祝いごとのための飾りつけしてある小屋—筆者注）を設け、山台の戯（朝鮮の仮面劇—筆者注）を行い、男女が酒と食べ物を盛大に準備して、宴を行うという。㋔たまたま館所から眺められる所で、この戦いが展開されていたので、その刀を振り回し、血が流れて、野原が血に染まる状況を目撃したが、まことに驚くべきものであった。日本国の役人が機嫌伺いに来て言うに、「わが国ではこの日、いつもこの遊びをいたしますが、使臣が泊まっておられる館から近いので、もし騒がしいようなことであれば禁止いたします」とのことなので、「国の風習を取りやめにすることはない」との意を伝えた。㋕おおよそ日本の国の風習は、人をよく殺すことを胆勇としている。（中略）その生を軽視する風習はこのとおりである。

（『海槎録』一六〇七年六月五日の条）

第一回の朝鮮通信使は、日本の暦で慶長十二年（一六〇七）五月二十九日から六月十四日まで江戸に滞在し、六月五日に端午の節句を迎えている。慶暹は、右の引用文の冒頭に、第一回の通信使一行が訪日した一六〇七年は、四月が閏月であったため、六月五日が端午の節句である旨を記している。そして、端午の節句の風習として、男の子がいる家では、旗指物を飾ることを紹介している。

この条の中心となる記述は、彼が江戸で目にした端午の節句の行事である。それは児童たちが二手に分かれて行う投石戦で、対決する様子が朝鮮の相撲のようであると述べている(傍線部㋐)。また、午後になると、若者たちが数千人集まって槍や剣で戦うが、その様子はまるで合戦さながらであったと記している(傍線部㋑)。この戦いは日が暮れると終わり、死者が四十余人、負傷者も多く発生するほど相当激しかったと記録している(傍線部㋒)。このような端午の節句の行事は、朝鮮通信使の宿館から見られ、その悲惨な光景に驚いたと感想を述べている(傍線部㋓)。そして、慶暹は江戸で目にした「印地打」の風習について、日本には人をよく殺すことを大胆で勇気のあることだと言う、命を軽視する風習があるという見解を示している(傍線部㋕)。

同書の一六〇七年五月二十四日の条には、朝鮮通信使の江戸入りの様子が記されており、「村里の間を十余里、府の東における本瑞寺を宿館となす」と、江戸滞在中の宿館が「本瑞寺」であると明記されている。ところが、第一回の朝鮮通信使の従事軍官である蔣希春(ジャンヒチュン)の使行録『海東記(ヘドンギ)』の六月五日の条に、「晴、本誓寺に留まる」と、宿館が「本誓寺」であると記している。仲尾宏(一九九三)は、両者の記述が相異することについて、慶暹が「本誓寺」を「本瑞寺」と書き誤ったためであると指摘している、これにより、第一回の朝鮮通信使が端午の節句を目撃したのは日本橋馬喰町(ばくろちょう)の本誓寺(ほんせいじ)(現在は東京都深川区仲大工町にある)であったことが明らかとなっている。

また、端午の節句の行事は、日本全国で行われたが、京都では朝鮮の彩棚や山台のような舞台を設けて遊戯を楽しみ、男女一緒に酒を飲む宴会を開くと記している(傍線部㋓)。「彩棚」とは、【図4】に矢印で示した小屋根のある仮設舞台である。そして、「山台」とは、【図5】の矢印で示した蓬莱山をかたどった舞台、または四角で示したその舞台を背景に行う仮面劇のことである。慶暹は、端午の節句の当日、江戸に滞在していたため、彼が京都でそれらを直接目にしたはずはない。このような記述をした根拠は、何らかの書物による情報、あるいは他人から聞い

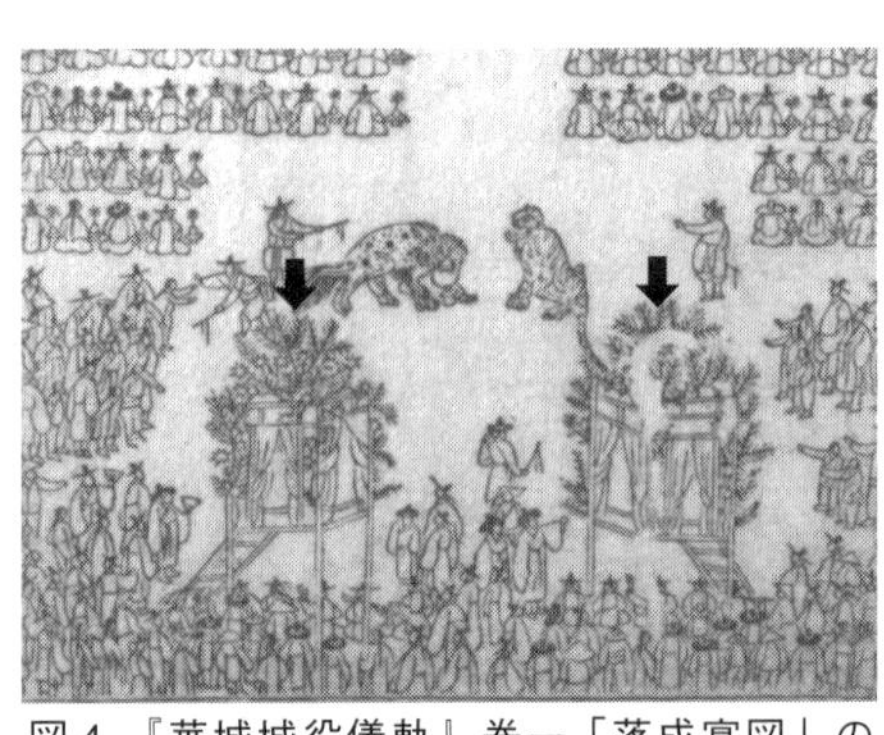

図4 『華城城役儀軌』巻一「落成宴図」の部分（韓国国立中央図書館蔵〈請求記号：610.911-4-12〉）

図5 『奉使図』第七幅（中韓文化交流史料叢書一、遼寧民族出版社、1999年の図録）

た話が、朝鮮の彩棚と山台のような舞台と仮面劇に類似していたか、または祇園祭との混同によることか定かではない。

次は、第一回の朝鮮通信使の従事軍官として訪日した蒋希春の『海東記』の一六〇七年六月五日の条である。

> 晴、本誓寺に泊る。この国の陰暦の閏月は我が国の如く前後しない。故に今日をもって端午となす。この日、死者のために仏事を行い、或は親戚を招いて飲食を楽しむ。また、㋐城中では、万の軍が一時に旗を挙げて、出戦を促すように見えた。無数の軍隊が貴賤を問わず集まり、市井と軍兵を東と西の両陣に分ける。市井を東軍となし、軍兵を西軍となす。勇気のある人は、両陣の前に出て、旗を揮いて、石を投げて、無数の戦いが行われた。長槍や大剣が雷の如く光っており、踊躍して勇を奮い、やや近くなって相撲する状態になる。（中略）一進一退して、結局西兵が勝利した。一人が多い場合は十余人の首を斬った。（中略）㋑この戯、必ずこの日に国を挙げて行う。六十六の州のうち、ひとえに対馬島でのみ、我が国に感化され、この事を為さなくなって今七十余年になるという。しかれども、但し京都では街路に集まって雑戯をし、或いは酒を飲みながら楽しむだけである。
>
> （『海東記』一六〇七年六月五日の条）

蔣希春は、端午の節句の行事について、城中で東西の両陣を組み、勇気のある人が両陣の前に出て旗を振り回し、石を投げて戦いが行われ、さらに長槍や大剣も用いられたと記している（傍線部㋐）。この行事は、まさに実際の戦争を思わせるものであったことがうかがえる。そしてこの行事は、対馬では行われず、京都でも雑戯をするか酒を楽しむばかりであったと述べている（傍線部㋑）。

第一回の朝鮮通信使が〈江戸〉で目撃した端午の節句の行事は、前節で触れた「印地打」である。印地打は、異国人の目には子どもの遊びというより相当激しい戦いに映っていたことがわかる。印地打は、地方でも行われた端午の節句の行事であったのは、たとえば、徳島での捕虜生活を記録した鄭希得（ジョンヒドク）の『海上録（ヘサンロク）』の一五九八年五月五日の条にも「児童は各々大小の木剣を身につけ、水辺に陣を張り、水を隔てて両敵に分け、石を相投げて戦いを為し、死ぬことを恐れない」と、児童たちが死を恐れず、小石と木剣を持って戦ったという記事からも確認できる。ところが、前掲した慶暹と蔣希春の使行録には、京都では印地打が行われないという記述が見られるが、これは第三節で取り上げた日本の考証随筆『俳諧五節句』や『月次のあそび』などの記述とは相異する部分である。第一回の通信使が京都で端午の節句を経験したはずがないので、書物か他人の話による情報源によるものであろう。

両者によって、江戸時代後期の考証随筆では見られない印地打の情景をうかがうことができる。印地打は江戸時代後期ではすでに行われなかった行事であるので、考証随筆の作者はそれを直接目にしたわけではなかった。それに対して、朝鮮通信使の使行録は、この時代において失われていた、しかも文献からも把握しきれない事柄のリアルな体験談とも言えるのである。

5　おわりに

京都の作者速水春暁斎（はやみしゅんぎょうさい）『諸国図会年中行事大成』（文化三年〈一八〇六〉刊行）巻三の下の五月之部の端午の節句の条は「印地打（いんぢうち）　今なし」からはじまる。端午の節句の遊戯として行われた石投戦である「印地打」は、江戸後期になると行われなくなった、代表的な失われた風俗である。本章では、日本人の考証随筆と朝鮮通信使の使行録における「印地打」関連記事を分析・考察し、その全貌を明らかにした。また、日本人と朝鮮人という異なる二通りのまなざしによる「印地打」のとらえ方の差にも注目し、それぞれの立場で見た江戸像を具体的に提示することも試みた。その結果、次のような二点が明らかになった。

一つ目は、「印地打」が「印地切」、「菖蒲打」へと変貌を遂げる過程である。江戸時代以前から行われた飛礫を打ち合う「印地打」は、寛永十二年の禁止令により、その勢いを失うことになる。正保・慶安年間ごろになると、飛礫の代わりに長棹や菖蒲刀で切り合う「印地切」へと変貌し、元禄年間にはすでにまれな行事と見なされるようになる。それは、さらに菖蒲の葉を編んだ長縄を持って地面を打つ「菖蒲打」へ変わり、享保年間まで行われる。ところが、端午の節句の行事としての意味が失われ、吉原の禿の遊びとしてのみ受け入れられることになる。すなわち、端午の節句の遊戯「印地打」は、次第に遊び方が変わるとともに年中行事としての意味が失われ、江戸時代後期になると禿の遊びとしてごく一部で行われるようになったのである。

二つ目は、日本人と朝鮮人のあいだの「印地打」に対する記述の差である。第一回の朝鮮通信使は、慶長十二年に訪日し、その年の六月五日に江戸で端午の節句を迎える。通信使の副使慶暹と従事軍官蔣希春の目に映った端午の節句は、「印地打」に関する描写が主である。そこには、江戸初期の年中行事を考証した『俳諧五節句』や『月次のあそび』などに比べて、進撃する様子、死者・負傷者数などが大変具体的に記されている。また、用いる道具においても、考証随筆では小石・小弓が描かれているのに対し、使行録には飛礫・大槍・大剣が登場して残酷さが強調されている。このような記述の差から、まだ豊臣秀吉による朝鮮侵略の記憶も生々しいときの、朝鮮人の日本観をとらえることができる。さらに、京都では「印地打」が行われていないという通信使の認識は、日本人の考証随筆の記述とかけ離れたものであった。これらは、間違った情報源による可能性もあるが、当時の朝鮮通信使が持っていた江戸と京都に対する認識の差によることも考えられる。

参考文献

・『大系朝鮮通信使』一～八（明石書店、一九九三～一九九六年）
・『通航一覧』一～八（清文堂、一九六七年）
・『古典国訳叢書 海行摠載』（ミン文庫、一九六七年）
・内田順也『俳諧五節句』（東京大学総合図書館所蔵本〈請求記号：酒一〇二九〉）
・新見正朝『昔々物語』（『日本随筆大成』二期四巻、吉川弘文館、一九九四年）
・著者未詳『雨窓閑話』（『日本随筆大成』一期七巻、吉川弘文館、一九九三年）
・仲尾宏『朝鮮通信使と江戸時代の三都』（明石書店、一九九三年）
・仲尾宏『朝鮮通信使―江戸日本の誠信外交』（岩波書店、二〇〇七年）
・夫馬進『朝鮮燕行使と朝鮮通信使』（名古屋大学出版部、二〇一五年）
・魯成煥「異国文化としての日本の民俗―朝鮮通信使が見た日本のお盆」（『日本人の異界観』せりか書房、二〇〇六年）
・許敬震のほか四人『通信使記録調査・翻訳及び目録化研究』一（文化財庁、二〇一四年）
・柳亭種彦『足薪翁記』（『日本随筆大成』二期十四巻、吉川弘文館、一九九四年）
・柳亭種彦『用捨箱』（『日本随筆大成』一期十三巻、吉川弘文館、一九九三年）

付記

・本章における朝鮮通信使の使行録からの引用箇所は、筆者が通読の便を考慮し、現代語訳したものである。使行録の著者と書名は、韓国語の読み方を振仮名として残した。そして、日本の考証随筆などの底本の振仮名は〈 〉を付して示した。引用文の傍線および記号は筆者によるものである。

・本章は、江戸東京のユニークさ・シンポジウム（二〇一九年二月二十・二十一日　於法政大学）における口頭発表の原稿に大幅加筆したものである。発表会場で御教示を賜った諸先生方や資料の閲覧に際して御高配を賜った諸機関に、心より感謝を申し上げます。なお、本章は日本国際交流基金の二〇一八年度「韓国における若手日本研究者訪日グラント」の助成金の成果の一部である。合わせて謝意を表します。

Check! そこにどんな〈江戸〉像があらわれたのか？

江戸時代の考証随筆は、失われた端午の節句の遊びである「印地打」を考証し、失われた風俗を蘇らせている。「印地打」とは、男児たちが二手に分かれて小石を投げ合う石塔戦であった。だが、次第に大人も参加するようになり、試合は激しさを増し、結局寛永十二年に禁止令が出される。「印地打」は、飛礫の代わりに長棹や菖蒲刀で切り合う「印地切」へ、さらに菖蒲の葉を編んだ長棹を持って地面を打つ「菖蒲打」へと変貌する。一方、第一回の朝鮮通信使は江戸で「印地打」を体験し、使行録にその様子が記録されている。それは、端午の節句の遊びではなく、腕が絶ち、足が切られる激しい戦争であった。

風俗を記録する意図
――雑芸能者たちの〈江戸〉

●小林ふみ子

本書の佐藤悟稿（Chapter5）では柳亭種彦による千年飴の飴売りの考証が取りあげられている。しかし、そもそもなぜ、「事実」がわかったからといって江戸の歴史をあきらかにするうえで大きな意義があるとは思えない、こんななんでもない物売りをわざわざ考証したのであろうか。

そうした例は、実は少なくない。真島稿（Chapter4）でも触れられているように、行商人や路上芸能者たちの人目を引くいでたちやふるまいは、比較的早くから当世風俗の一環として関心の対象となっていた。往年の江戸風俗研究の大家であった花咲一男によれば、その源は中世以来の「職人尽」にさかのぼる（「職人」とは諸職業の人物の意であった）。江戸でそれらをさかんに絵に残したのが享保年間（一七一六～三六）ごろの江戸の画工近藤清春であり、あるいは没後に出版された作品の絵手本によればという条件つきながら、それに先んじて十七世紀末にあたる元禄年間からの活躍で知られる英一蝶で、それがさらに十八世紀なかばになると、その動きが活性化するという。とはいえそれは、あくまで同時代風俗への好奇心の発露であったろう。

これが積極的に記録すべき事柄になってゆく。代表的な作品として、歌舞伎作者二代目瀬川如皐が路上の芸能民三十六種を記録した『只今御笑草』（文化九年〈一八一二〉自序、写）がある。これに（も）大田南畝がかかわり、七十四翁という年齢を書きそえたそのことばが巻末に書きそえられた本が、幕末に編まれた近世随筆集として名高い『続燕石十種』巻三に収められ、活字化されて知られる。作者自身が見聞した、ごく近い過去にあたる安永・天明期（一七七〇～八〇年代）を中心にしながら、しかし文献によって十八世紀初頭にあたる宝永・正徳のころ以来の「目慣れぬもの、異やうなる」芸能者についても挿絵もろとも抜き出して説明している。たとえば絵双六より、その宝永・正徳ごろに三味線を弾き語りして門付けをした「とぞ申しける」（語りの結びよりの名）の図をとったり、『俳諧名物鹿子』（享保十八年〈一七三三〉刊）より、狐を真似た修行僧「こん〳〵坊」を写し出したりといった調子である。

同じような例としては、筆者蛙楽斎なる人物が幼少期の宝暦・明和年間（一七五〇・六〇年代ごろ）に江戸で見聞して、のちの世に失われた、鉢叩き、壬生狂言の演目「桶取」、熊野比丘尼、物乞いの「閻魔」の五種について、それらの唱歌や口上まで収める『五色めがね』（写、岩瀬文庫蔵、塩村二〇〇七）もあげられる。

このような風俗を記録する意図はどこにあったのか。彼らその編者たちは、こうした芸能者たちの存在にある種の天下太平への祝意を見いだしていたようである。『只今御笑草』の掉尾「小僧と盲目」項は「すなをなる、世のおきてにして太平の恵み、幾万年も初春の寿き、目出度〳〵〳〵〳〵」と結ばれるのである。しかも「陳芬閑人」の名（若き日に『寝惚先生文集』を陳奮翰の名で刊行した南畝か）で同書に添えられた文章では、冒頭で「往昔有りて今は無き者」（原漢文）として伝説の吉原の名妓三浦屋高尾と名優二代目市川団十郎をあげつつも、とはいえ今日の繁華の江戸にそれらに優るものがないかどうかはわからない、と続ける。伝説の大名跡に、ちまたの大道芸人たちを比することのおかしみをねらった表現とはいえ、この人びとが歴史的に逸することができないという意識がそこにあることはまちがいない。それは、天明狂歌のはじまりの時期に唐衣橘洲や南畝らが行ったいわゆる「明和十五番狂歌合」（明和七年〈一七七〇〉）において正月の万歳や扇売り、猿引き、鳥追い、薺売りが狂歌の題に採られたことにも通じあう。南畝は松平定信の依頼を受けて鍬形蕙斎の画に詞書きを添えた「職人尽絵詞」（東京国立博物館蔵）上巻の末尾には、文化初年付で「水いたりて清ければ魚なく、庭いたりてきよければ塵塚なし」、武蔵の民も「君子あれば小人あり、百工あれば倡優あり」と記した。山東京伝が自ら店を構えた京橋銀座の街頭の十二ヶ月を描写した文章に、師重政の絵を添えた『四季交加』（寛政十年〈一七九八〉刊）に、失われつつあるものも含めて多数のささやかな行商人や芸能民たちを交えたことも同様の意識のもとにあろ

図1　『四季交加』（大英博物館蔵）　Ⓒ Trustees of the British Museum

うか【図1】。

これは種彦の千年飴の考証にも底流する発想ではないか。あるいは京伝が『近世奇跡考』（文化元年〈一八〇四〉刊）巻二で「歌比丘尼」（熊野比丘尼）を、『骨董集』（文化十一・二年刊）上巻では「臙脂絵売」のほか「耳の垢取」などいう商いを追いかけているのも同じく。種彦その人も『還魂紙料』（文政九年〈一八二六〉刊）巻上で「千年飴」考証とともに「塩屋長次郎」という放下師をも論じている。路上の商売人、大道芸人たちはこうして江戸風俗考証の重要な一角を占めるようになる（ただし京伝は『奇跡考』冒頭で京都の古い風俗「懸想文売」も取り上げ、こうした関心の対象は江戸に限定されなかったようだが）。

かつて近世の文芸、芸能についてその精神性を広い視野で思索した廣末保は、「遊行」の芸能者たちが、定住民の苦、ないし不安・動揺・恐れといったものをにない・になわされることによって、賤視されるとともに畏敬の対象にもなるような緊張関係にあったことを論じた（廣末一九六五→一九九七）。本稿でみたような、一見たわいもない雑芸能者、物売りたちもまた、江戸に住む人びとによってそうした両義的なまなざしを向けられ、その意味において江戸という都市の一部をなすとみられていたといえるであろうか。

江戸の都市風俗の重要な要素の一つとして行商人や路上の雑芸能者たちを取り上げることは、近代にもつながっていく。前掲の花咲稿も触れる、幕末の嘉永五年（一八五二）に幕府先手与力の家系に生まれた岡本経朝、号混石が、浮世絵師小林永濯の挿絵を添えて編んだ『古今百風吾妻余波』（明治十八年〈一八八五〉刊）は江戸風俗の諸相を伝える書物である。編者自序にいわく、文明の進歩は一筋縄ではいかず、信玄あっての謙信のように、あるいはキリスト教が渡来して奮いたった神官僧侶らのように、好敵手はなくてはならぬもので、「旧習」もまた文明にもとるものではない、と。こう述べて記される旧時代の風俗は、女性の服飾、街の看板、子どもの遊びやことば、そして見世物や「銭貰」の諸相で、以上を図示したのち、番付体裁による名物の名寄せで結ぶ。近代文明に対するいわばアンチ

図２『吾妻余波』（国立国会図書館蔵）

・テーゼのように、徳川時代の「女童子の戯言」(同自序)を描きだし、そこにこうした雑芸能者たちを位置づけている【図2】。

その混石と一歳違いで先に神田に生まれた清水晴風もまた、こうした路上の物売り、物乞いの風俗に関心を寄せた一人であった。この晴風が約三百を集めたこうした人びとの図説は明治期の成立と推定され、三種の稿本によって今日に伝わる(浅川一九八三)。そのうち一本はさらに明治期の同種の風俗をも集めているという。晴風は明治期に刊行された諸国玩具図録『うなゐの友』で知られ、大正二年(一九一三)に没した。先の岡本混石の『吾妻余波』も児戯の類を載せていたこととも符合し、両者の関心の重なりが見てとれる。そしてそれはまた、京伝の随筆『骨董集』が児戯や玩具に紙幅を割いたことにもさかのぼることであった。

『吾妻余波』の「東都銭貫図寄」の前書きは「これ亦、当時の風俗をあらはす」ことを収録の理由としてあげている。この都市の歴史を知るには、こうした芸能者も見世物も、また子どもの遊びも逸することができないということであろう。江戸という都市にあるのは、いわゆる大文字の歴史だけではないこと、むしろ細部といっていいようなところに本質が宿っていると考える先人たちがいた。そしてその姿勢は、大正五年日本橋生まれの花咲一男その人による『江戸の飴売り』(近世風俗研究会、一九六〇年)、『図絵江戸行商百姿』(三樹書房、一九七七年)、また『絵本 江戸の乞食芸人』(太平書屋、二〇〇五年)などまで受け継がれることになる。

参考文献
・浅川征一郎編『晴風翁物売物貰図譜 江戸篇 街の姿』編者「解題」(太平書屋、一九八三年)
・同書 花咲一男「序に代えて—職人尽絵の系譜」
・塩村耕『こんな本があった!江戸珍奇本の世界』「江戸の雑芸能者の絵図集『五色めがね』」(家の光協会、二〇〇七年)
・廣末保「遊行的なるもの」(『廣末保著作集六 悪場所の発想』影書房、一九九七年、初出一九六五年)

Ⅲ　盛時の歌舞伎と遊里の面影を求めて

Chapter7

古画を模す——京伝の草双紙と元禄歌舞伎

●有澤知世

『近世奇跡考』巻之二。五巻五冊。文化元年（一八〇四）刊。山東京伝が、近世初期の風俗や芸能などについて考証した成果をまとめた随筆。喜多武清画。友人らから借覧して模写した絵画資料を多く収録しており、元禄歌舞伎にまつわる資料も多い。掲載箇所は、元禄期（一六八八〜一七〇四）を代表する女方の役者、水木辰之助の図。注記により、鑑定家河津山白蔵『四季御所櫻』を摸写したことが知られる。本書で扱った話題や資料は、京伝の戯作作品においても使用されており、考証と戯作とのかかわりの在り方を考える手掛かりとなる。（国文学研究資料館蔵）

1 はじめに

山東京伝（一七六一～一八一六）は、洒落本、滑稽絵本、黄表紙、合巻、読本と多彩なジャンルで活躍した、近世後期を代表する江戸の戯作者である。特に寛政の改革を契機とし、それまで活躍していた武家作者たちが戯作執筆をしりぞいてからは、江戸京橋一丁目に紙烟草入れ店を開業することで、「本職」を持つ戯作者像のロールモデルとなり、次第にきびしくなる規制に敏感に反応しながら新しいジャンルを開拓し続けた。

彼はまた、当時文化人たちのあいだで流行していた考証でも才を発揮し、その成果の一部を随筆『近世奇跡考』（五巻五冊。文化元年〈一八〇四〉刊）、『骨董集』（三巻四冊。上編前帙は文化十一年〈一八一四〉、中編は文化十二年〈一八一五〉刊）として刊行した。『骨董集』は後編の出版が予定されていたが、京伝の急死により未刊に終わっている。彼が死の直前まで『骨董集』を執筆していたことはよく知られており、曲亭馬琴に「骨董集と討死せし（鈴木牧之宛書簡）」と評されるほど、考証に対して並々ならぬ情熱を傾けていたのである。

さて本章では、彼が考証の対象とした事物のなかでも特に元禄歌舞伎に注目する。京伝がそれをどのようにとらえようとし、自らが生きる時代においていかに表現しようとしていたのかを考察してみたい。

ここでは元禄歌舞伎を、元禄年間（一六八八～一七〇四）を中心とした約四、五十年のあいだに盛行した歌舞伎の特色を指すこととし、その時期に活躍した役者に関する事柄を含む。

2 元禄歌舞伎への関心

そもそも古い時代の歌舞伎に高い関心を持っていたのは京伝ばかりではない。

江戸の文人サロンの中心的存在であった大田南畝（一七四九〜一八二三）もその一人だ。彼は京伝と『骨董集』について意見を交わしたり、資料を提供したりしており、京伝の考証活動について考える際にもっとも重要な人物の一人である。

南畝が竹垣直清（柳塘とも。幕臣。鑑定家としても知られる）へ送った文化八年（一八一一）三月六日付書簡には、次のような誘いがみられる。

> 珍書珍画会いたし、来月より月々二日と相定、神田明神前雲茶店と申候茶店之楼上へ、二百年来の古物、青楼、戯場其外之俗ナル古物を持ちより申候。（中略）俗物は一切入不申、小連に限り申候。京伝、京山は是非来るよしに候。
>
> （『大田南畝全集』十九巻、岩波書店、一九八九年）

南畝周辺の好古の人物が集まり、二百年来の古物を披露し合う会が開かれるという内容で、京伝と弟の京山は「是非来る」旨を伝えている。「俗物」は入れない小規模な集まりにおける関心事は、遊里や歌舞伎などいわゆる〈俗〉な事柄なのであった。

さて、同好の士との交遊を深めていた京伝は、こういった対象にどのように向き合っていたのだろうか。

たとえば『骨董集』の巻末に掲げられた「近刻」書物一覧のなかには、「雑劇考」という書名もみえ、演劇に特化した考証随筆の刊行も予定されていたようだが、それは叶わなかったものと思われる。それでも特に『近世奇跡考』において、初代市川団十郎や水木辰之助、中山平九郎といった、元禄期に活躍した役者たちに関する考証を行っている。

京伝の考証は、さまざまな文字資料の比較検討を行い、適切に用いるだけではなく、当時のありさまを目の当た

図２　『梅由兵衛紫頭巾』前編下冊「俳優の狂言尽し」（山東京傳全集』合巻４、ぺりかん社、2006 年）

図１　『近世奇跡考』巻之二　木村太朝蔵『淫男評林』所収の水木辰之助肖像。（国文学研究資料館蔵）

りにすることのできる絵画を重要視するものであり、同書の凡例には「証とすべき古画あれば、原本をすきうつしにして、露ばかりもたがへずあらはせり。古図なきは其代のおもむきを考へて、あらたに画しむ」と、その方針が明記されている。

　役者たちについての考証でもそれは例外ではなく、辰之助の項（巻之二）では木村太朝（歌舞伎作者木村園夫か）蔵の『淫男評林』（元禄十三年刊）【図1】や、鑑定家河津山白蔵『四季御所櫻』所収の図【本章扉参照】を、団十郎の項（巻之四）では、絵師鍬形蕙斎蔵の古物や、戯作者談洲楼（烏亭焉馬）蔵『四場居百人一首』（元禄六年刊）の図を掲出する。

　京伝の考証にとって、貴重な資料を提供してくれる同好の士との交遊は不可欠だったのであり、先述のごとく、南畝等を中心としたコミュニティで共有された関心事との関連は無視できないものである。

　また、彼の考証の成果が戯作にも反映されていることは、以前から指摘されているが、特に目立つのは、絵画資料の利用である。

　たとえば『梅由兵衛紫頭巾』（合巻、歌川豊国画、文化八年刊）では、「俳優の狂言尽し」の場面【図2】において、『歌舞伎事始』（為永一蝶、宝暦十二年刊）巻之一の「室町殿狂言尽興行之図」【図3】や、巻之二の「両儀舞図」「夏かぐらのまひの図」【図4】などを巧みに組み合わせてい

図3 『歌舞伎事始』巻之一「室町殿狂言尽興行之図」（『歌舞伎叢書』金港堂、1910年）

図4 『歌舞伎事始』巻之二「夏かぐらのまひの図」（図3同書）

ることが指摘されている（『山東京傳全集』合巻4「解題」）。
『歌舞伎事始』は演劇の故事来歴について綴った一書で、多くの図が掲載されているため、京伝にとっては使い勝手のよい資料であったのだろう。

ところで、歌舞伎と親和性の高い合巻（江戸で出版された絵入り読み物（草双紙）の一種）を執筆した戯作者として、柳亭種彦（一七八三〜一八四二）をあげることができる。種彦の合巻には歌舞伎に対する知識と関心が強く表れており、金美眞（二〇一七）は、『正本製』（文化十二〜天保二年〈一八一五〜一八三一〉刊）に代表される「特に演劇趣味が強く表れている作品」について、「種彦の考証癖が発揮されていることが確認されるというところが彼の合巻の特徴である」と評価している。

金氏は、特に種彦が近松の歌舞伎作品を合巻上で表現する際にどのような方法を用いているのかについて詳細な分析を加えている。

まず、近松の狂言本『曾我多遊染』を原作とした種彦の合巻『曾我太夫染』（文化十四年〈一八一七〉刊）が、注記をもって近松狂言本の古風を伝える方法を採っていることに注目し、注記の対象が、作品の素材とした近松狂言本に見える登場人物の役柄・扮装・鬘に関する事柄や、近松の原作の上演時期や元禄期から存在した古い言葉に関する事柄であることを指摘した上で、「本文と挿絵ではなく、注記という表現形式を用い、百年以上以前の古風を温存しつつ、一つの紙面に古風と当世風を共存させた」と指摘している。

また、近松の浄瑠璃『反魂香』における大津絵の趣向が、京伝、式亭三馬、種彦の作品でそれぞれどのように使われているのかを比較した上で、種彦の独自性について、京伝・三馬が利用した、大津絵から絵の精霊が抜け出すという趣向を描かずに所作事を描くことで、舞台上の表現を合巻の紙面にも再現する工夫を行ったことを述べている。

このように先行研究により、作者によって考証、この場合は舞台表現を合巻に落とし込む方法が異なることが示されつつあるといえる。

3 『松梅竹取談』における考証

まずは、京伝の合巻『松梅竹取談』（歌川国貞画、文化五年〈一八〇八〉四月稿成、文化六年刊）において、元禄歌舞伎をどのように扱っているのかについてみてゆこう。

本作の「発端」（巻之二）には作者京伝自身が登場し【図5】、夢の中で「嵐喜代三が紋所の封じ文」が自然に開いて机の上に落ちかかり、読んだ文の内容を草双紙に綴ったという旨が記される。作者が夢の中で趣向の種を得るという形は、合巻に先行する草双紙ジャンルである黄表紙以来の常套であるが、その直前に考証めいた文言が掲載されていることに注目したい。

該当箇所には、「於七伝奇始原封書花号説」として、宝永年間（一七〇四～一一）に嵐喜代三郎が演じた八百屋お七（吉祥寺の小姓吉三郎との恋に狂って放火する娘役）が評判をとったこと、その後お七の衣装に喜代三の紋「丸にふうじぶみ」がつけられるようになった由来などが記してある【図6】。その全文は次の通りである。

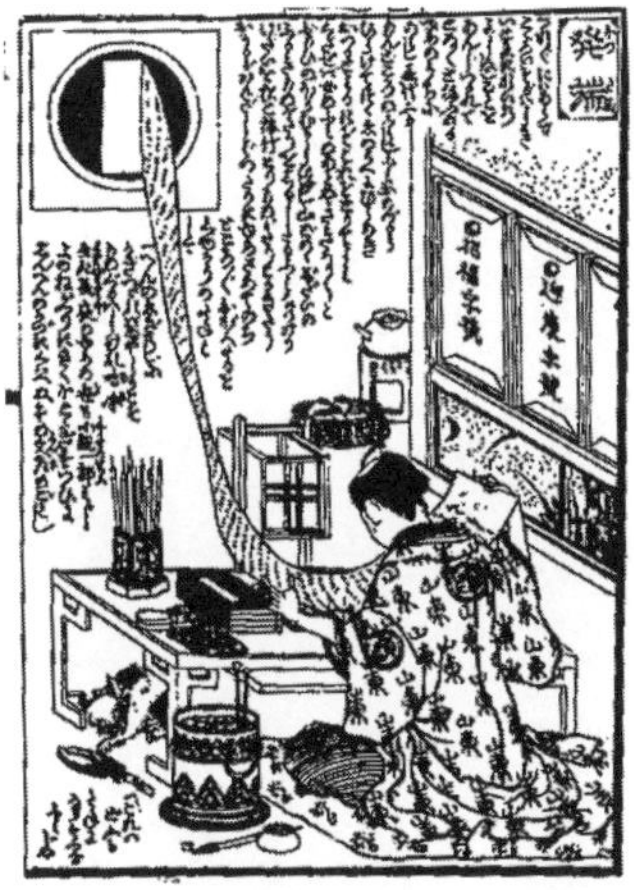

図5 『松梅竹取談』巻之二「発端」（『山東京傳全集』合巻2、ぺりかん社、1999年）

図6 『松梅竹取談』巻之二「於七伝奇始原封書花号説」（図5同書）

○於七伝奇始原封書花号説
役者全書曰、八百屋お七狂言の始は、宝永三戌年正月、大坂西の芝居嵐三右衛門座にて、嵐喜代三郎始てお七のやくをつとめ大当たりにて、同四年の冬江戸へくだり、同五年子のはる中村座にて、けいせい嵐曾我に又、お七のやくをつとめ大に評よく、翌年も又〱つとめ大あたりなりしが、正徳三巳年閏五月十五日身まかりぬ。その、ち享保三戌年春、市村座にて、三条勘太郎お七のやくをつとむ。これ喜代三が追善のためにせしゆゑ、衣装に喜代三が紋、丸にふうじぶみをつけたり。その時、大に繁昌す。これよりお七の狂言には、かならずかの紋をつくることになりぬ、と云々。案るに喜代三郎法名円法院玉山日登、下谷報新山宗延寺に墓あり。大尽舞といふ小うたに、軒もる月のすがれにや嵐喜代三を身うけする、といふは、すなはち此俳優の叓なり。
蛭の血にあかねさす日の青田哉
右青牛老人筑波先生題下戯子嵐喜代三扮二於七一絵上句

ここで京伝が引用している『役者全書』（安永三年〈一七七四〉刊）とは、先述『歌舞伎事始』の後編とも見なし得る書物であり、『歌舞伎事始』以降の役者や演目・役について解説したものである。

また、傍線を付した「案るに」以降の内容は、京伝が、吉原の古い俗謡である大尽舞について考証を加えた『大尽舞考証』（享和四年〈一八〇四〉識語）と同様である。すなわち、大尽舞の歌詞「嵐喜代三を身請する」に京伝が施した注、「歌舞伎女形、宝永五年、始て八百屋お七の狂言をす、ふうじ文は喜代三が紋なり、正徳三年五月十三日没す、下谷報新山宗延寺に葬す、日蓮宗、法名円珠院玉山日登」がそれにあたり、すでに自らが考証した事柄を、作品の冒頭に置いているのである。嵐喜代三はまさしく元禄歌舞伎を代表する役者の一人であった。

『松梅竹取談』は主に、八百屋お七物の一である「伊達娘恋緋鹿子」（菅専助など合作、安永二年〈一七七三〉大坂豊竹坐上演）を典拠としており、後編では八百屋お七と吉三郎の悲恋と、実は天人であったお七の昇天が描かれる。天人お七の趣向が盛りこまれた「其往昔恋江戸染」（文化六年〈一八〇九〉三月森田座）への当て込みも意図したとされており、その演目で大当たりをとった五代目石井半四郎の似絵が用いられていることが指摘されている（『山東京傳全集』合巻2「解題」）。

当世の芝居を意識しつつも、冒頭に考証を置いたことにより、半四郎が演じたお七像に喜代三の面影が重なり、物語世界の外側に元禄歌舞伎の世界が設定されるのである。

なお大尽舞については、三馬も合巻『大尽舞廓始』（文化六年刊）で取り上げている。前年に刊行された『松梅竹取談』を参照したとも考えられるが、大尽舞について同じ交遊圏のなかで話題になっていた可能性がある。後考を期したい。

4　『松梅竹取談』における古画とデザイン

京伝の尚古趣味は、別のところにも見いだされる。たとえば後帙の見返しには、鳥居派の画風（瓢箪足・みみず描き〉と呼ばれる独特の描法を確立し、元禄期から十八世紀なかばまで役者絵の世界を席巻した）を模した図が掲載され【図7】、その次の丁の裏には次のような「付言」が記される。

附言

宝暦年中、鱗形屋の板に、八百屋お七狂言の絵草紙あり。「いでものみせんといふまゝに、やんらぬはありや〳〵」といへる古風なる詞書のありし比の古きを尋ねて、新しく綴合せし此絵草紙に因縁深ければ、其うち半張を模して右にあらはし、絵草紙復古の趣を好古の君子に告はべるなり。

図７　『松梅竹取談』後帙見返し（図５同書）

傍線部により、ここに掲出された図は、宝暦年中（一七五一～六四）に実際出版された鱗形屋の草双紙を、京伝が入手したか披見して模したことが知られる。元禄歌舞伎と縁が深い鳥居派風に描かれ、また丸に封じ文の紋を付けたお七の姿は、冒頭の、嵐喜代三についての考証と親和性が高く、作品に元禄歌舞伎の面影を重ねるのに一役買っている。

また、鱗形屋本を模した図の隣には、「此本いつかたへまいり候とも御ひやうはんよろしく御もとめ御らん被下可候　此ぬし八百やお七」という宣伝文句が記されるが、これは言うまでもなく、草双紙の末尾にしばしば墨で記される「此本いづかたへまいり候ともおかへし被下可候」といった文句をもじり、お七をこの本の持ち主に見立てたものである。単純に古画を模すだけではなく、広告の文言を草双紙の版面にふさわしい体裁にして配したところに、デザイン上の工夫がある。

ところで『松梅竹取談』には半紙本形態と中本形態の二種類が存するが、清水正男(一九九四)によって、半紙二つ折り大の半紙本の前帙(九冊)と後帙(六冊)がそれぞれ別のタイミングで出版されたこと、それより一まわり小さい中本形態は、半紙本形態の後に出版されたことが明らかにされている。以下先行研究にしたがい、刊行の事情をまとめておく。

半紙本巻之十一丁表には「文化五年戊辰夏四月稿成/仝　六年己巳春正月発兌」とあるものの、前帙下巻の巻末には版元西村屋与平による次のような口上が掲載されている。

口上　板元　西村屋与八欽白

此絵草紙は十五冊つゞきなれども彫刻間合ざるによりて始九冊を合本三冊とし前帙として先売出し申候この末六冊を合本二冊とし後帙として来ル霜月中旬相違なく売出し申候(中略)絵も又伊賀国国見山降魔の瀧兼好谷の三枚つゞき菱川流小町をどりの古図鎌倉荏柄天神朝比奈切通しの細画等いろ〳〵めづらしき図あり出板の節御もとめ此前帙九冊と合て御一覧可被下候

右は後帙の近刊予告であり、傍線部は、前帙の刊行時点では後帙が売り出せなかったことを示す。また後帙にも、版元による文言が、以下のように掲載されている。

恭　稟

此絵草紙の始九冊を合本とし、前だつて売出し置き申候。此後帙二冊と合はせ見ざれば、一部の趣意整はず。

冀はくは、前に売出し置き候前帙三冊と合せて一覧を賜るべきなり。

東都書舗永寿堂謹記㊞

これは、半紙本の未刊部分が整った後に、改めて発売済みの前帙の広告を行うものであるため、それぞれの出版時期は次のようになると考えられる。

図8『松梅竹取談』半紙本型　後帙絵題簽（図5同書）

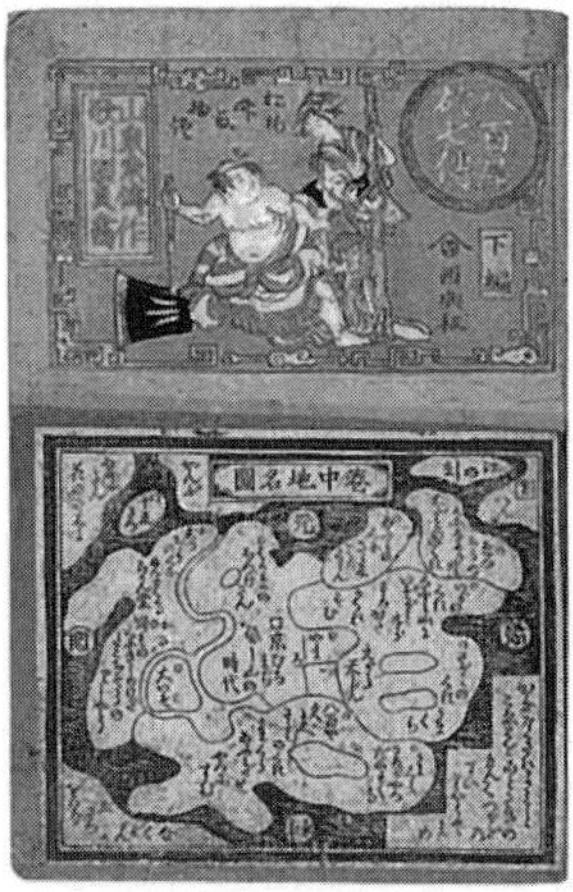

図9『松梅竹取談』中本型　下編表紙（図5同書）

半紙本　前帙九冊／合本三冊……文化六年正月刊行

同　　　後帙六冊／合本二冊……文化六年十一月刊行

中本には前掲口上がみられないため、中本の刊行は半紙本の後帙完成を待って行われたと考えられ、文化六年十一月か、同時でなくともあまり間を置かずに刊行されたものと考えられている。

さて、半紙本と中本の表紙にはそれぞれ異なる絵題簽（表紙に貼られた、題名を刷った絵入りの紙片）が貼られているのだが、作中に登場する大力の甚五郎と今井子の出会いの場面を鳥居派の絵柄で描いた、半紙本後帙【図8】のそれが、黄表紙以前の草双紙である青本を想起させることに注目したい。

甚五郎と今井子は中本下編の題簽【図9】にも描かれているが画風が異なる上、題簽の形も異なる。先述の、青本を模した後帙見返し部分とは、半紙本形態の題簽のほうがより親和性が高い。

先掲後帙の近刊予告に「いろ〳〵めづらしき図あり」とあるように、本作の眼目の一つは視覚的要素にあったと思われ、古画を模したり古い形態の絵草紙を紙面に復活させたりすることも、その工夫の一環であったと考えられる。そしてその方面に特に関心を抱いたであろう「好古の君子」（後帙「付言」）に対して、京伝は半紙本形態の装丁でもって、存分に工夫を見せたのである。

5 鳥居派の古画を模す

『松梅竹取談』で見てきたように、京伝は鳥居派以外の絵師が担当した作品でも、画風の使い分けに意識的である。京伝の合巻において、鳥居派の絵師が筆を執った作品は三作（いずれも鳥居清峯）であるが、それらの作品では特に、鳥居派の筆法を活かして古画を効果的に用いている。

『糸桜本朝文粋』（文化七年〈一八一〇〉刊）は、鳥居派五代目である清峯が、はじめて京伝の合巻挿絵を担当した作品であり、京伝は本作二之巻にて、清峯披露の口上を述べている。

> 此絵草紙の画者清峯は、元禄の始より浮世絵ならびに四芝居の絵看板をゑがき始たる元祖鳥居庄兵衛清信、其子二代目清倍、其子三代目清満の孫にて、清長の門人なり。いまだ若年にて画道未熟に候へば、御目まだるきがちにござあるべく候へども、名家のすゑに候へば、先祖清信師匠清長の余光により、画をもつてゆく〳〵鳥居の名跡を相続仕候様、御贔屓御取立のほど、ひとへに〳〵奉希上候。此絵草紙は初舞台同然にて、うゐ〳〵しくござ候へば、此叓を清峯にかはりてねがひ上候。

図 10 『糸桜本朝文粋』口絵

図 11 『糸桜本朝文粋』口絵

図 12 鳥居清満画「矢根の五郎」

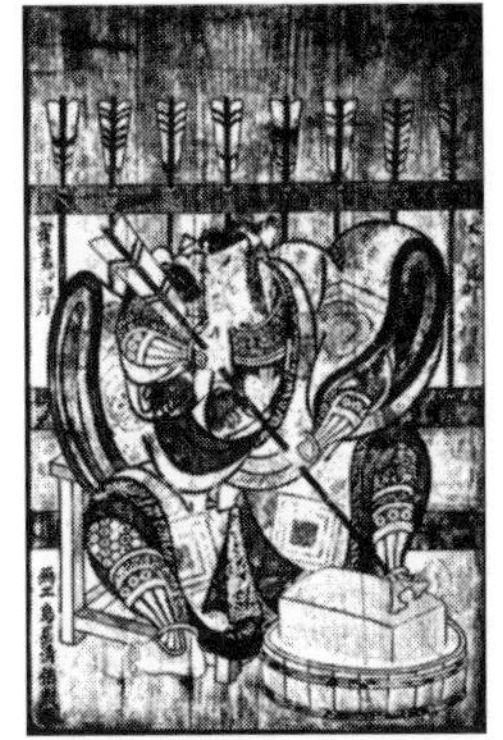

図 13 鳥居清信画「矢根の五郎」

図 14 『糸桜本朝文粋』中本型 前編表紙

図 15 『糸桜本朝文粋』半紙本型 下冊表紙

出典・所蔵＝図10『山東京傳全集』合巻3、ぺりかん社、二〇〇二年／図11 図10同書／図12 早稲田大学文化資源データベース浮世絵データベース、作品番号201-0782／図13『新版歌舞伎事典』（平凡社、二〇一一年）／図14 図10同書／図15 図10同書／図16『山東京傳全集』合巻5、ぺりかん社、二〇一四年／図17 図16同書。

図17 『籠釣瓶丹前八橋』巻之二「鎌倉扇が谷額風呂の古風」

図16 『籠釣瓶丹前八橋』前編見返し

○鳥居流浮世絵の家譜、予が骨董集にのせて詳なり。

鳥居派直系の絵師としていずれ名跡を襲名する清峯に、京伝は大きな期待を寄せているように見える。京伝が清峯にかけたのは、元禄歌舞伎と縁の深い鳥居派の古画を再現し得ることに対する期待ではなかろうか。『糸桜本朝文粋』では、清峯に花を持たせる意味もあってか、鳥居派の古画を多数模写させている。

たとえば一丁表に、「元禄十三年印本鳥居清信絵本四方屏風といふに此図あり」として、歌舞伎役者上村吉三郎と横山六郎の姿が「五代目鳥居清峯縮図」として掲載されている【図10】。これは、鳥居派の祖・清信が同時代の俳優の舞台姿を半丁に一名ずつ描いた『風流四方屏風』の図を取り合わせたものであることが指摘されている（鈴木一九七九a）。

また口絵の曾我の五郎【図11】は、特に出典は記されていないものの、鳥居家三代目鳥居清満が、古くからの荒事の代表格の一つである矢根の五郎を描いた錦絵【図12】、そしてその典拠であろう清信描く絵馬【図13】を強く意識したものと思われる（有澤二〇一八）。

本作は中本、半紙本の体裁で刊行されており、五郎の姿は、中本【図14】、半紙本【図15】両方の表紙に掲出されているが、より口絵と親和性が高いのは、清信の筆法を模写した芝居仕立ての半紙本の絵題簽であろう。

中本の表紙は、京伝作品としてははじめて採用した摺付表紙であり、全体的に装丁への工夫がみられる作といえるが、やはり『松梅竹取談』と同様、半紙本の装丁において、鳥居派の画風を活かすことに意識的である。

また、同じく清峯が筆を執った『籠釣瓶丹前八橋』（文化八年稿成、文化九年刊）も、作品展開とはそれほどかかわらない部分に、鳥居派の画風を活かした工夫がみられる。

たとえば前編見返し【図16】には鳥居派の画風でもって丹前振り（丹前六方）の所作が描かれており、元禄歌舞伎の古風が表現される。丹前振りとは出端の特殊な歩き方を指し、同じ側の手足を一緒に出す所作が代表的である。丹前風呂に通う男たちの伊達な風俗を歌舞伎に取り入れ、元禄期に洗練されたとされている。すると、このデザインは、本作の発端「鎌倉扇が谷額風呂の古風」【図17】（巻之二）で描いた風俗と呼応していると考えるのがよいだろう。

> その頃、鎌倉扇が谷に額風呂といふありけり。こゝに来る遊人は茶筅立髪を好み、一文字玉縁の目塞笠を被り、ぱつぱの鮫鞘、巻羽織、一つ印籠、一つ前、槍頤の奴は上髭を松虫の声に捻り、すべて風流の出立ちなれば、これを鎌倉様の六方懸かりとて、末の世までも芝居の狂言に残りけり。

京伝はこの場面の舞台を、小三金五郎（湯女小三と大坂の歌舞伎役者・金五郎との情話に取材した作品群）の舞台となった額風呂と綯い交ぜにして設定しているが、題名に冠した「丹前」からいっても、神田の堀丹後守邸の前にあった丹前風呂のことを指していると考えてまちがいない。その風俗についての記述は、『異本洞房語園』の、

> 勝山、丹後殿前風呂屋に居しときも、すぐれてはやりたる女なり、寛永の頃はやりし女かぶきの真似などして、

玉ぶちの編笠に裏付のはかま、木太刀の大小をさし、小唄うたひ、せりふなどいふ、其立振舞見事にて、風体至てゆゝ敷観へしと也、多門庄右衛門などゝいひし芝居者も、勝山が風を真似し故、丹前の名は此かつ山より始る、神田丹後殿前なれば、丹前の勝山といひたり

などによると思われる。

本作は合巻の通例にしたがい、物語の時間軸を建長年間に設定してはいるが、実際は、刊行年の直前に江戸中村座でかかった芝居に想を得た佐野八橋物（佐野次郎左衛門と遊女八橋の事件に取材した作品群）である（『山東京傳全集』合巻5「解題」）。

額風呂の場面はその先の物語展開とはかかわりがなく、また時代も異なるため唐突の感が否めないのだが、洗練された丹前六方につながる風俗を鳥居派の画風で描き、元禄当時の風俗を出現させている。

なお、三馬が同じく文化九年に刊行した合巻『丹前風呂昔絵容（たんぜんぶろむかしのえすがた）』においても、丹前風呂を扱っている。本作の冒頭においても同様に丹前六方の風俗の由来を解いており（ただし丹前風呂ママ）、モチーフが共通している。冒頭で述べたように、当時の考証には同好の士との交わりが不可欠であったことを思い合わせると、両者間で考証上の交流があったように考えられる。ただし同じ事柄を題材としても、両者の扱い方はまったく異なるため、表現方法や効果については、作品ごとに精査が必要である。

6　おわりに

本章では、物語の本筋とはかかわらない要素、特に絵やデザインによって、元禄歌舞伎の古風を描いた京伝合巻

の事例について述べた。
考証随筆と同様に古画を多用することは、先学が指摘する通り、京伝合巻の特徴の一つといえよう。また、題簽などにより草双紙の古態を表現すること、その場合、半紙本形態の装丁において、より凝った工夫が行われていることを指摘した。京伝にとって、元禄歌舞伎と鳥居派の古画は不可分の存在である。古態の草双紙の装丁を借りながら古画を模すことで、戯作作品において、元禄歌舞伎の所作や役者の姿、それらの土壌となった風俗までをとらえ、再現し得るのである。

読本および草双紙の造本美術における史的変遷について論じた鈴木重三（一九七九b）は、読本の絵題簽に考証めかして赤本・青本風のデザインを用いた例として、京伝、三馬、種彦の作をあげている。特に種彦『近世怪談霜夜星（しもよのほし）』は、文化三年刊と時期が早く、こういった流れの初期の例といえる。合巻にあっては、文化六年後頃から、表紙の全面に錦絵を摺った華やかな摺付表紙本が登場し、二冊、三冊とつなげたときに一枚絵になるような工夫が施されるようになるが、京伝の半紙本合巻は、工程数が増えコストがあがるにもかかわらず、古い草双紙を意識した絵題簽を用い、読本における造本上の工夫と軌を同じくしている。半紙本合巻が特製版であったことを考え合わせると（佐藤一九九二）、その試みは「好古の君子」たる上客に支えられていたと推察される。

参考文献
・有澤知世「京伝合巻における古画―『籠釣瓶丹前八橋』・『糸桜本朝文粋』を例に―」（『上方文藝研究』十五号、二〇一八年六月）
・井上啓治『京伝考証学と読本の研究』（新典社、一九九七年）
・金美眞『柳亭種彦の合巻の世界―過去をよみがえらせる力「考証」―』（若草書房、二〇一七年）

・佐藤悟「草双紙の造本形態と価格―半紙本型草双紙の意義」（『近世文藝』五十六巻、一九九二年七月）
・清水正男「『八百屋／於七伝　松梅竹取談』の刊行事情」（『文学研究』第八十号、一九九四年十二月）
・鈴木重三「『風流四方屛風』解題」（『近世日本風俗絵本集』第3回配本、臨川書店、一九七九年）
・鈴木重三『絵本と浮世絵　江戸出版文化の考察』（美術出版社、一九七九年）。なお、『改訂増補　絵本と浮世絵―江戸出版文化の考察』（ぺりかん社、二〇一七年）に再録。

付記
本研究は、科学研究費助成事業（若手研究　課題番号：18K12306）による成果の一部である。

Check!　そこにどんな〈江戸〉像があらわれたのか？

合巻の視覚的要素を活かして、古画を模写し、草双紙の古態を意識した装丁を用いることにより、元禄期（一六八八～一七〇四）頃に活躍した役者の姿、特徴的な所作、そして元禄歌舞伎を生み出した風俗を紙面に立ち上がらせている。それらは、文化年間（一八〇四～一八）の戯作における新たな試みとして特筆すべき現象であり、当時の好古の同士たちの、一つの方向性であったといえる。

Chapter8

古画の収集と考証——京伝読本の発想源

●阿美古理恵

伝英一蝶筆「名古屋山三郎仇討絵巻」貞享二〜享保九年（一六八五〜一七二四）。無款ではあるが、一蝶もしくは門弟による「名古屋山三郎絵巻」であり、現存する同種の絵巻の中で一蝶の作風を伝えるもっとも完成度が高い作品。巻首に「四季絵跋」を併せて表装してある。描かれているのは、傾城葛城をめぐって名古屋山三郎と不破伴左衛門とが対立し、恋の鞘当を演じる物語。この派手で伊達風俗な二人の歌舞伎者の物語は、元禄十年の「参会名古屋」で初代市川団十郎が伴左衛門を演じて当たり芸となり、市川家の「家の芸」の一つになった。（遠山記念館蔵）

1 はじめに

江戸時代初期の寛文・延宝のころ（一六六一〜八一）、江戸の町で土佐小掾橘正勝という太夫が語って人気を博した曲に「名古屋山三郎」という作品があった。島原の遊女葛城をめぐって名古屋山三郎と不破伴左衛門とが恋の鞘当てを演じ、伴左衛門に父を殺された山三郎が梅津掃部の助力を得て敵を討ち、めでたく葛城と結ばれるという物語である。土佐小掾の初期を代表する当たり作で、いくたびも繰りかえし上演されたというばかりでなく、以後の浄瑠璃や歌舞伎に大きな影響を与えた。延宝期（一六七三〜八一）には、もう一つの古浄瑠璃「なごやさんざ六条がよひ」が生まれ、江戸の歌舞伎では天和期（一六八一〜八四）に「遊女論」、元禄十年（一六九七）には「参会名古屋」で初代市川団十郎が不破伴左衛門を演じて当たり芸にし、市川家の「家の芸」の一つになった（服部一九九三）。

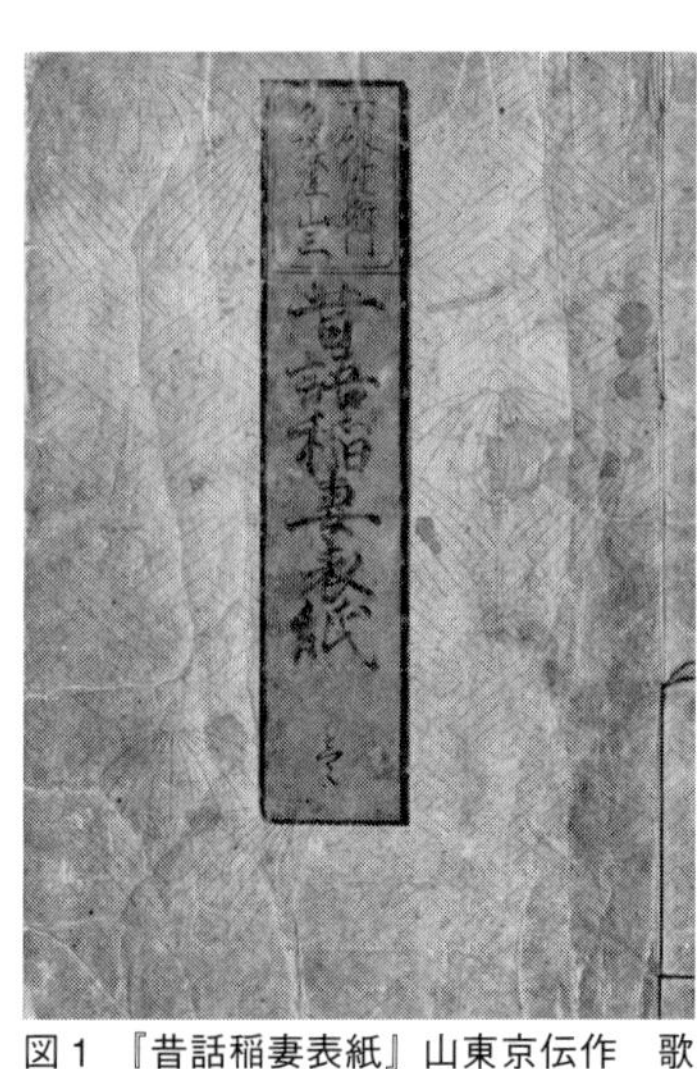

図１『昔話稲妻表紙』山東京伝作　歌川（個人蔵）

文化三年（一八〇六）、山東京伝が歌川豊国の挿絵を添えて、『昔語稲妻表紙』（以下、『稲妻表紙』）を刊行した。『稲妻表紙』は表紙に貼られた題簽の角書「不破伴左衛門名護屋山三」【図１】から推察されるように、この名古屋山三郎物語に取材した読本である。『稲妻表紙』の続編『本朝酔菩提全伝』（以下、『本朝酔菩提』）は、文化六年に刊行された。

『稲妻表紙』と『本朝酔菩提』は、文化十一年に刊行される考証随筆『骨董集』の執筆過程において作成されており、『稲妻表紙』と『本朝酔菩提』が京伝の古書画考証と関連しあって成立していたことはすでに指摘されている（佐藤深雪一九八四)。

本章では、『稲妻表紙』の挿絵と『本朝酔菩提』の「不破名古屋伝奇考」に注目し、京伝が、江戸初期に活躍した師宣や一蝶の作品を実際に見て、読本制作の発想源としていることを明らかにしていきたい。

2　京伝による師宣と一蝶の古画考証

『稲妻表紙』の挿絵は浮世絵師の歌川豊国が描いているが、京伝は北尾政演という名で浮世絵を描いていたためか、挿絵について事細かに指示を出す人だった。文化元年に刊行された『作者胎内十月図』は京伝の自筆稿本が残っているが、背景の衝立の絵まで事細かに描かれ、見返しには「かき入落字無之様奉願上候」などの伝言も記入されている(国立国会図書館二〇〇八)。挿絵を担当したのは京伝の師・北尾重政であったが、刊行された版本をみると、重政は京伝の指示通りに挿絵を描いている。したがって、『稲妻表紙』の挿絵にも京伝の意図が反映されていると考えられる。

永瀬恵子は、『稲妻表紙』の挿絵には、「此一圖摸擬英一蝶所畫名古屋山三絵巻物之圖」と記した英一蝶の絵巻の模写が描かれていることを指摘している(永瀬一九九〇)。英一蝶(一六五二~一七二四)は、狩野安信に師事するも、岩佐又兵衛や菱川師宣を慕い、都市風俗を好んで描いた絵師である。英派の「名古屋山三郎絵巻」は、遠山記念館や国立国会図書館、大英博物館などに、類本、摸本が幾点か所蔵されているが、一蝶筆と見なされる作品はいまだ見ない。遠山記念館には、英派による名古屋山三郎絵巻が四点所蔵されているので紹介する。このうち、①の絵巻について永瀬氏は、無款ではあるが、一蝶の作風を伝えるもっとも完成度が高い作品とされている(永瀬一九八五)。

図3　『婬男なさけの遊女』内題「山三情の通路」（国立国会図書館蔵）

図2　英派「名古屋山三郎絵巻」（遠山記念館蔵）

①「名古屋山三郎仇討絵巻」「四季絵跋」附属
②「名古屋山三郎絵巻」署名「英一舟」印章「旭志円青画不眞」
　模写
③「名古屋山三絵巻」無款
④「名古屋山三画巻」（箱書「英一蝶模写」）署名「英一蝶画主螢雪」
　印章「長煙一空」（朱文方印）

そもそも英派の名古屋山三郎絵巻は、貞享二年（一六八五）に刊行された浮世絵師の菱川師宣（?～一六九四）の版本『婬男なさけの遊女』（内題「山三情の通路」）の挿絵を参考にして描かれた。そのうちの一巻「名古屋山三郎絵巻」③【図2】には、冒頭にその師宣の版本の序文が写されている【図3】。

師宣は土佐浄瑠璃正本、あるいはそれに追随した古浄瑠璃「なごや山三六条がよひ」正本などの冊子だけを参考に描き上げた可能性が高く、この『婬男なさけの遊女』の挿絵が名古屋山三郎物語絵の祖形と考えられている（浅野一九八八）。

『稲妻表紙』には、名古屋山三郎と不破伴左衛門が遊女・葛城が道中する姿を眺める図がある【図4】。この挿絵には、「稲妻のはじまり見たり不破の関　荷翠」「傘にねぐらかさふに濡燕　其角」「傾城の賢

図4　『昔話稲妻表紙』山東京伝編・歌川豊国画・文化3年（1806）刊（個人蔵）

なるは此柳かな　其角」という句が記されている。

これと同様の図を先ほどあげた①英派の「名古屋山三郎仇討絵巻」（遠山記念館蔵）に見いだすことができる【図5】。京伝は英派の絵巻をそのまま写すのではなく、版本の挿絵の幅に制約があるためか、先頭の遊女と荷物を持つ禿（かむろ）を取り出して画面を構成している。

また、「京五條の曲中にて鞘当喧嘩の図」と書かれた『稲妻表紙』挿絵【図6】には編笠の中からにらみ合う名古屋山三郎と不破伴左衛門が描かれている。この場面は、現存する英派の絵巻の中には見当たらない。この図は、師宣の『姕男なさけの遊女』の挿絵【図7】を直接参考にして描いたのではないだろうか。師宣の挿絵に描かれているのは伴左衛門一味が廓（くるわ）へ戻ってきたときの様子であるが、暖簾（のれん）から顔を出す遊女に共通点が認められるのである。

ただし、『稲妻表紙』に描かれた名古屋山三郎と不破伴左衛門の衣裳の紋や模様は『姕男なさけの遊女』の挿絵と異なっている。山三郎は肩に三本の傘を組み合わせた紋をつけ、雨の中飛ぶ燕が描かれた着物、伴左衛門は雲に雷の模様が描かれた着物を着ている。

京伝が、両者にこのような衣装を着せた理由を、『稲妻表紙』の後編である、文化六年（一八〇六）刊『本朝酔菩提』の「不破名古屋伝奇考」にうかがうことができる。少し長いが、以下に記す。

不破名古屋伝奇考（ふはなごやきようげんのかふがえ）

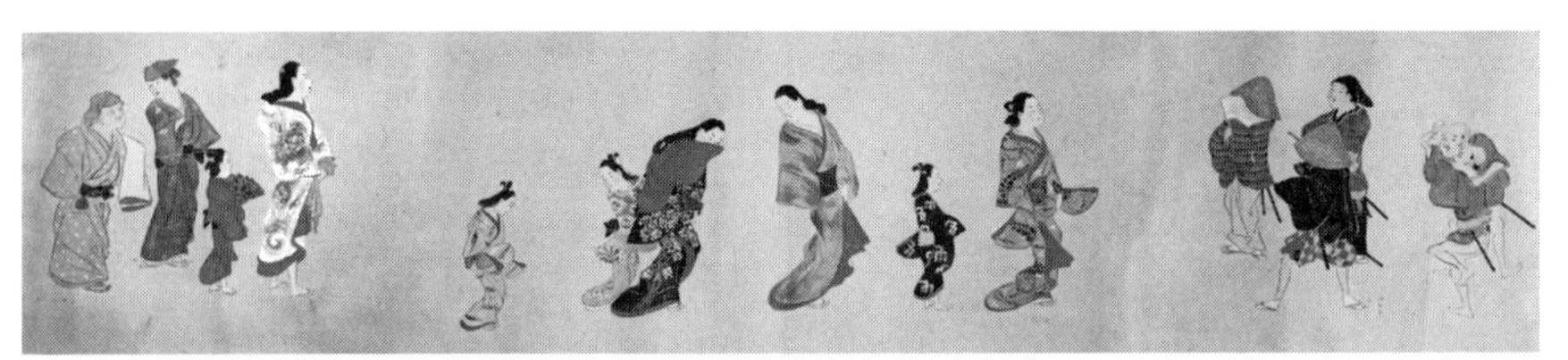

図５　「名古屋山三郎仇討絵巻」「四季絵跋」附属（個人蔵）

図６　『昔話稲妻表紙』（図４と同じ。個人蔵）

図７　『娍男なさけの遊女』内題「山三情の通路」（国立国会図書館蔵）

貞享二年の印本に菱川師宣の筆の絵草紙二冊あり。名古屋山三郎絵尽と号す。詞書ありて往古山城国小幡の里に住。名古屋山三郎といふ者。父三郎左衛門正春の仇。同国伏見の里に住。不破伴左衛門といふ者を討たる事。北野のほとりに住。梅津嘉門。幷に遊君高間の葛城等が事をしるせり。いとおぼろけにて實記ともおぼえず。又英一蝶の筆に。名古屋山三郎仇討の絵巻物を世につたふるといへども。詞書なければ殊に詳ならず。僕案ずるに延宝天和のころ。土佐掾が浄瑠璃節に作てかたりたるが自然女児の耳に残りて。漸世に傳へしとおぼゆめり。山三郎が僕に鹿蔵猿次郎といふ者ありしといふは。貞享の印本舞曲扇林といふ草紙に記せる説なり。又名古屋三郎左衛門。所赴の娼家の奴僕に猿といふ者ありと雍州府志に記せり。延宝八年江戸市村芝居に於て。遊女論といふ狂言に。原祖市川団十郎。始て不破伴左衛門に扮作す。時に三十歳なり。山三郎に扮する者。村山四郎次。葛城に扮する者。伊藤小太夫なり。其狂言大におこなはれて。其一年のうちに。同狂言を同戯子にて三度まで興行しけるとぞ。其刻伴左衛門に扮する衣裳に。始て雲稲妻の形を摺ぬ。是おだまきといふ俳書に載たる。稲妻のはじまり見たり不破の関といへる。荷翠の句にもつづきて。団十郎自己の物のこのみなるよし。しかりて後伴左衛門に扮するには。必衣裳に雲稲妻をつくる事になりぬ。団十郎には◈如此の紋をつけたるが伴左衛門の狂言の後稲妻一つを轉じて回如此に更けるよし。然則三舛の花號は回如此稲妻の形雷紋なり。一説に草履打の事は。元禄の末年花井才三郎といふ戯子と。不破其が事より起れりといふ。名古屋山三郎に扮する衣裳には昔より定たる花紋なし。僕稲妻表紙前編著述の刻稲妻の花紋俳諧の句にもとづきぬれば山三郎の衣裳も俳諧の句にもとづきてこそと思よせて傘にねぐらかさふに濡燕といへる。晋子の句意をとりて。出像の花紋に。春雨に燕の飛かふさまを画しむ。これによりて。小春浪速の芝居両座ともに。山三郎の衣裳に濡燕を縫しつるよし。雲に稲妻雨に燕よき一對にしてしかも濡るといふ詞。小生に似合しかるべし。稲妻表紙の傳奇につきて。浪華びとぬれつばめといふ小曲をつくりてもはらかたふ。其文左に記せる如し。

ここには、延宝八年に江戸の市村座の芝居において上演された「遊女論」において伴左衛門が、はじめて雲と稲妻の模様が描かれた衣裳を着たこと、その衣裳の文様は、「稲妻のはじまり見たり不破の関」という古俳書『おだ巻』の中の荷翠の句にもとづいたものであったことが記されている。

山三郎の衣裳については、山三郎の衣裳は、昔から定まった家紋はないが、伴左衛門の衣裳が、俳諧の句にもとづいていることから、『稲妻物語』の山三郎の家紋も、晋子つまり、芭蕉の高弟であった其角の「傘にねぐらかさふよ濡れ燕」といふ俳諧の句意をとって、三本笠を描き、春雨の中を燕が飛び交うさまを描かせたというのである。

師宣の『婲男なさけの遊女』の挿絵では、京伝が言うように、丸に菱形紋や巴紋、丸に山の字の紋などがあり、山三郎の紋は統一されていない。一方、遠山記念館が所蔵している英派の「名古屋山三郎絵巻」の山三郎の紋は「三本傘」である。永瀬氏は、「三本傘」は『参考太平記』（七千剣城軍の条）によると、「名越家」の紋であるとされ、おそらくは一蝶が、実在した名越家嫡流の名古屋山三郎を考証して、「三本傘」にしたのであろうと述べている（永瀬一九九〇）。一蝶は、『婲男なさけの遊女』を参考にしたと考えられるので、「名古屋山三郎絵巻」は貞享二年以降、一蝶が没する享保九年（一七二四）までのあいだに描かれたことになる。

図８　戯画堂芦ゆき画「嵐橘三郎の名古屋山三と中山一蝶の奴鹿蔵」文政６年（1823）刊（池田文庫蔵）（『菱川師宣―古風と当風を描く絵師』藝華書院、2020年より）

先に引用したように、「不破名古屋伝奇考」には、「貞享二年の印本に菱川師宣の筆の絵草紙二冊あり。名古屋山三郎絵尽と号す」とある。菱川師宣が刊行した「名古屋山三郎」の版本『婲男なさけの遊女』は、上下二冊で、下巻の跋文には、「此なごや山三郎絵づくしは皆人のもてはやすにより其品をあつめて絵にして令板行者也（はんこうせしめし）。貞享二年丑正月吉日　大和絵師　菱川吉兵衛掾」とあるため、京伝の言う「名古屋山三郎絵尽」は師宣の『婲男なさけの遊女』を指していると考えられる。また、この絵草子には詞書があり、山城国小幡の里に住む名古屋山三郎といふ者が父三郎左衛門正春の仇である同国伏見の里に住む不破伴左衛門という者を討ったこと、北野のほとりに住む梅津嘉門や遊君高間の葛城などについて記されていることを述べている。これは、「名古屋山三郎」の粗筋の紹介であり、『稲妻表紙』の物語の種本明かしでもある。

先にみたように、『稲妻表紙』には、英派による「名古屋山三郎絵巻」や『婬男なさけの遊女』の図様が取り入れられていた。京伝は、師宣や一蝶の作品を実際に見て、挿絵や物語を創作する際の発想源としていたと考えられる。

『稲妻表紙』は人気を博し、二年後の文化五年（一八〇八）の正月に大坂の角(かど)の芝居「けいせい輝艸紙(いなずまそうし)」と中(なか)の芝居の「けいせい品評林(しなさだめ)」の両座において歌舞伎化されて上演された。文政六年（一八二三）に刊行された戯画堂芦(ぎがどうあし)ゆき画「嵐橘三郎の名古屋山三と中山一蝶の奴鹿蔵」【図8】に描かれた嵐橘三郎の名古屋山三の衣裳には、濡れ燕が描かれており、京伝が豊国に描かせた名古屋山三郎の衣裳の模様が取り入れられていることがわかる。

3　竹垣柳塘と師宣、一蝶、元祖市川団十郎

京伝は『本朝酔菩提』に「浄瑠璃芝居之図」として、見開き一丁分の挿絵【図9】を掲載し、さらに次の丁には、この挿絵のもととなる図が竹垣柳塘(たけがきりゅうとう)所蔵のものであり、「日本絵　菱川師宣画」という署名をもつ師宣の作品であることを記している【図10】。柳塘（一七七五～一八三一）は、名を直清、通称を庄蔵・三右衛門という旗本で、関東代官である。

京伝が柳塘に宛てた享和三年（一八〇三）五月の書簡からは、柳塘から師宣の絵巻を借りていたことや大田南畝や柳塘、京伝のあいだで師宣作品が貸借され、師宣の伝記考証が話題に上っていたことがわかる（肥田一九七六）。

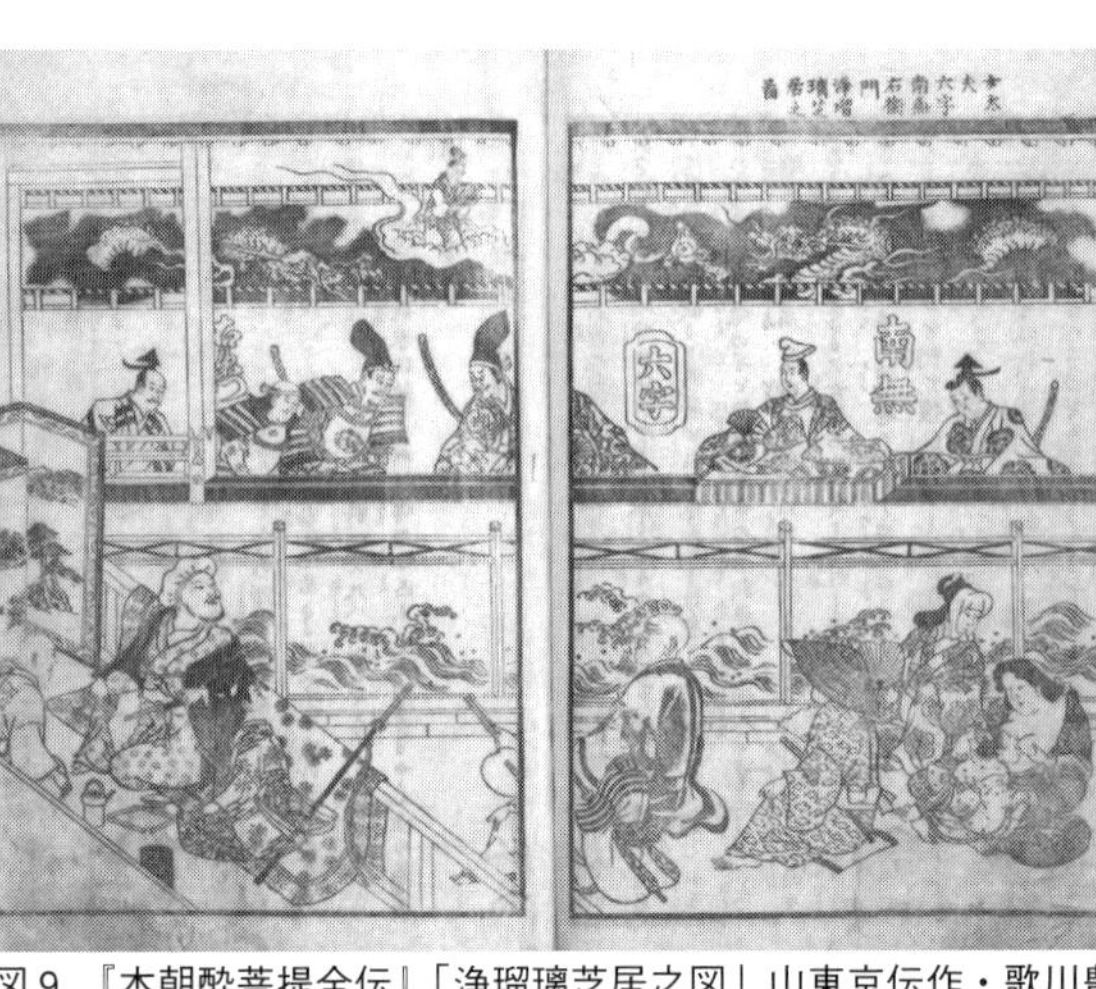

図9　『本朝酔菩提全伝』「浄瑠璃芝居之図」山東京伝作・歌川豊国画・文化6年（1809）刊（国文学研究資料館蔵）

図10　『本朝酔菩提全伝』山東京伝作・歌川豊国画・文化6年（1809）刊（国文学研究資料館蔵）

南畝や京伝とも交遊した医師の加藤曳尾庵（かとうえいびあん）（一七六三〜？）が記した随筆『我衣（わがころも）』巻六、文化七年（一八一〇）の記事には、「菱川の浮世絵、専流行す」とあり、師宣の浮世絵が当時流行していたことがわかる。また、文化八年四月二日と翌五月二日に、湯島明神社内の茶屋である雲茶店（うんさてん）に南畝や京伝、曳尾庵、烏亭焉馬（うていえんば）などが集まり、書肆・雁金屋の青山平々山人の主催にて古書画の品評会「雲茶会」が開催された。南畝が文化八年三月に柳塘宛に出した「雲茶会」の誘いの手紙には、「二百年来の古物、青楼、劇場其外之俗ナル古物を持より申候」と会の趣旨が説明してあり、南畝などのグループの関心が「二百年来の古物、青楼、劇場其外之俗ナル古物」であったことがわかる。平々山人が記した出品目録には、京伝が「菱川師宣真蹟」として「延宝年間よし原の図」を出品していることが記されている（林一九〇九）。

実際、師宣筆として有名な「見返り美人図」（東京国立博物館蔵）の箱蓋裏には「文化七年庚午初冬　醒々斎鑒定」

と記されており、醒々齋とは京伝の号であることから、文化七年に京伝が師宣の作品の鑑定を行っていたことがわかる。文化年間に京伝は頻繁に師宣作品に接していたのである。

柳塘は、師宣作品だけでなく、一蝶作品も好み、『近世奇跡考』に「朝妻舟讃」の原本を提供している（井田二〇一三）。京伝の弟・京山作『一蝶流謫考』（天保八年〈一八三七〉）にも一蝶の伝記や使用した印章、島流しに関する歴史的考証、一蝶が島で描いていた作品の縮図などが掲載されている。京伝は、師宣と一蝶の関連資料や作品が、身近にある環境で過ごしていたのである。

また、文化元年（一八〇四）に刊行された京伝の考証随筆『近世奇跡考』にある「元祖団十郎伝並肖像」には、「柳塘館蔵本に、宝永二年印本、宝永忠信物語と云ふ草子五冊あり。これ団十郎一周忌追善の書なり」とあり、京伝と柳塘のあいだで元祖市川団十郎が話題になっていたことを神谷勝広が指摘している（神谷二〇一七）。また、「元祖団十郎伝並肖像」に列挙された初代市川団十郎の経歴の中に、「延宝八年不破伴左衛門の役を。始めてつとむ。時に年三十才。衣裳の模様雲に稲妻のものずきは「稲妻のはしまで見たり不破の関といふ句にもとづきたるよし」とある。京伝は、『近世奇跡考』の考証の成果を『稲妻表紙』の挿絵と『本朝酔菩提』の「不破名古屋伝奇考」において再活用したのである。

初代市川団十郎が演じた不破伴左衛門は評判となり、市川家の「家の芸」の一つになった。天保三年（一八三二）に七代目団十郎が制定し、公表した「歌舞伎十八番」の中に「不破（鞘当）」が含まれている。京伝が、『稲妻表紙』において、初代市川団十郎の当たり芸である「名古屋山三郎」を題材とし、師宣や一蝶の作品を参照して挿絵を描いたのは、古画考証の成果が下敷きになっていることを、柳塘など、好古趣味仲間に気づかせ、楽しみを共有したかったからではないだろうか。

京伝らによる古物考証の対象は、近世初期以来の、遊里、芝居そのほか民間風俗に関する古物が中心であった。

これらが京伝たちの古物考証の対象となった理由について、佐藤悟は、「吉原や歌舞伎が江戸の繁栄を象徴する場所であったことと無関係ではあるまい」と述べたうえで、「「好古」の趣味は江戸の古き良き時代と考えられていた過去、それは徳川家康の余蘊が当代よりもあふれていた時代への郷愁であり、同時に現実からの逃避でもあった」と指摘している（佐藤悟一九九二）。

「名古屋山三郎」では、伊達風俗の歌舞伎者による恋の鞘当てが、遊里を舞台に繰り広げられる。文政期の江戸に生きた京伝は、延宝から元禄期の遊里や芝居に関する古書画の考証を通じて、自らの文化基盤の成り立ちを探るとともに、考証で得た知識や題材を自らの読本に織り込んでいったのである。

京伝が『本朝酔菩提』において、『稲妻表紙』の取材源をことさらにあげ連ねるのは、『稲妻表紙』が、先述のように文化五年（一八〇八）の正月に大坂の角の芝居「けいせい輝艸紙」と中の芝居の「けいせい品評林」の両座において歌舞伎化されて上演されたからだろう。『稲妻表紙』が演劇化されたことで、歌舞伎の観客が京伝の読本の読者にもなっていった。柳塘など、好古趣味仲間であれば気がつけたであろう京伝の古画考証の成果を、新たな読者のために、京伝がここで得意げに披露したのだと思われる。

4 英派の再興

山東京伝作は、文化元年（一八〇四）に『近世奇跡考』巻之四において「英一蝶大津絵讃縮図」を紹介し、巻之五で一蝶の伝記や「朝妻船讃考」として「朝妻船」の賛に関する考察を述べている。本書に関しては、一蝶の記述に関して一蝶の弟子の一蜂（いっぽう）よりクレームが付き、翌年に訂正した内容で再版したというエピソードがある（二又一九九七）。

図 11　英一蜂画『英林画鏡』宝暦 8 年（1758）（早稲田大学図書館蔵）

英一珪は、高嵩谷の門人で文政元年（一八一八）に自ら校閲した『北窓翁遺文』を刊行し、文化六年（一八〇九）に深川宜雲寺に一蝶の筆塚を建立している。その碑「北窓翁退筆塚記」（狩谷棭斎篆額）は漢学者の市野光彦によるもので、一蝶の生涯を述べた後、一珪にいたるまでの英派の系譜が記されている。文化年間に入って、英派による一蝶の顕彰事業がさかんに行われるようになった。こうした英一珪などによる英派再興の機運も京伝が『稲妻表紙』において一蝶が描いた「名古屋山三郎絵巻」を取り入れる契機になったのではないだろうか。

英派にとっても名古屋山三郎物語は重要な画題であったようで宝暦八年（一七五八）に刊行された英一蜂の『英林画鏡』には「廓見物の図」として、英派が描く「名古屋山三郎絵巻」の遊女道中図が取り上げられている【図11】。また、遠山記念館には、英一舟の署名をもつ「名古屋山三郎絵巻」の模写【図12】も所蔵されており、英派において一蝶が描いた「名古屋山三郎絵巻」の図様が継承され、描き続けられていたことがうかがわれるのである。

『英林画鏡』の序文には「菱川、宮川、英氏、能く当時俗間の事を写す。遊戯三昧に至りては物情を貌り尽くすは英氏の勝るのみ」（原漢文）とある。菱川派、宮川派、英派は当時の民間風俗をよく写すという点で評価されていた。一蜂は、自らの流派について特に、遊戯三昧、つまりは遊里などでの遊興の様子を描く点で、菱川派や宮川派よりも勝っていると認識していたことがわかる。

5 京伝没後の不破名古屋考証

遠山記念館に所蔵される④「名古屋山三画巻」の箱書には「英一蝶模写」とあり、「英一蝶画主螢雪」という署名と「長煙一空」という印章がある。この絵巻の見返しには、「不破名古屋が紋所」という説明書きが記されている【図13】。署名と説明書きの筆跡は異なっているため、絵巻が制作された後に、何者かが考証的な視点で書き添えたものと考えられる。

不破名古屋が紋所
土佐浄瑠璃 名古屋山三 上畧「懸所に三郎衛門正はる山三の父なり。しまばらさしてぞいそぎける伴左衛門見るよりしてあれに見えしちやうちんのもんはともえと見えて有正しくなこや山三がもん」云しとあれど巻中に伴左衛門が紋のさだ無。豊芥子蔵菱川が絵本を見るに山三は三つ巴伴左衛門は紋を不図此画巻の図と相異なり又同蔵延宝天和頃の画中は伴左衛門が紋左の如し。山三は三つ巴なり。

風流名古屋 元文。寛保。頃の赤本也。画は奥村トあり。山三が紋所三本傘伴左衛門は衣服の模様に電光をかきたり。
歌舞妓にて此狂言を仕組たるは延宝八申年市村座遊女論といふ名代にて伴左衛門役元祖団十郎山三役村山次か

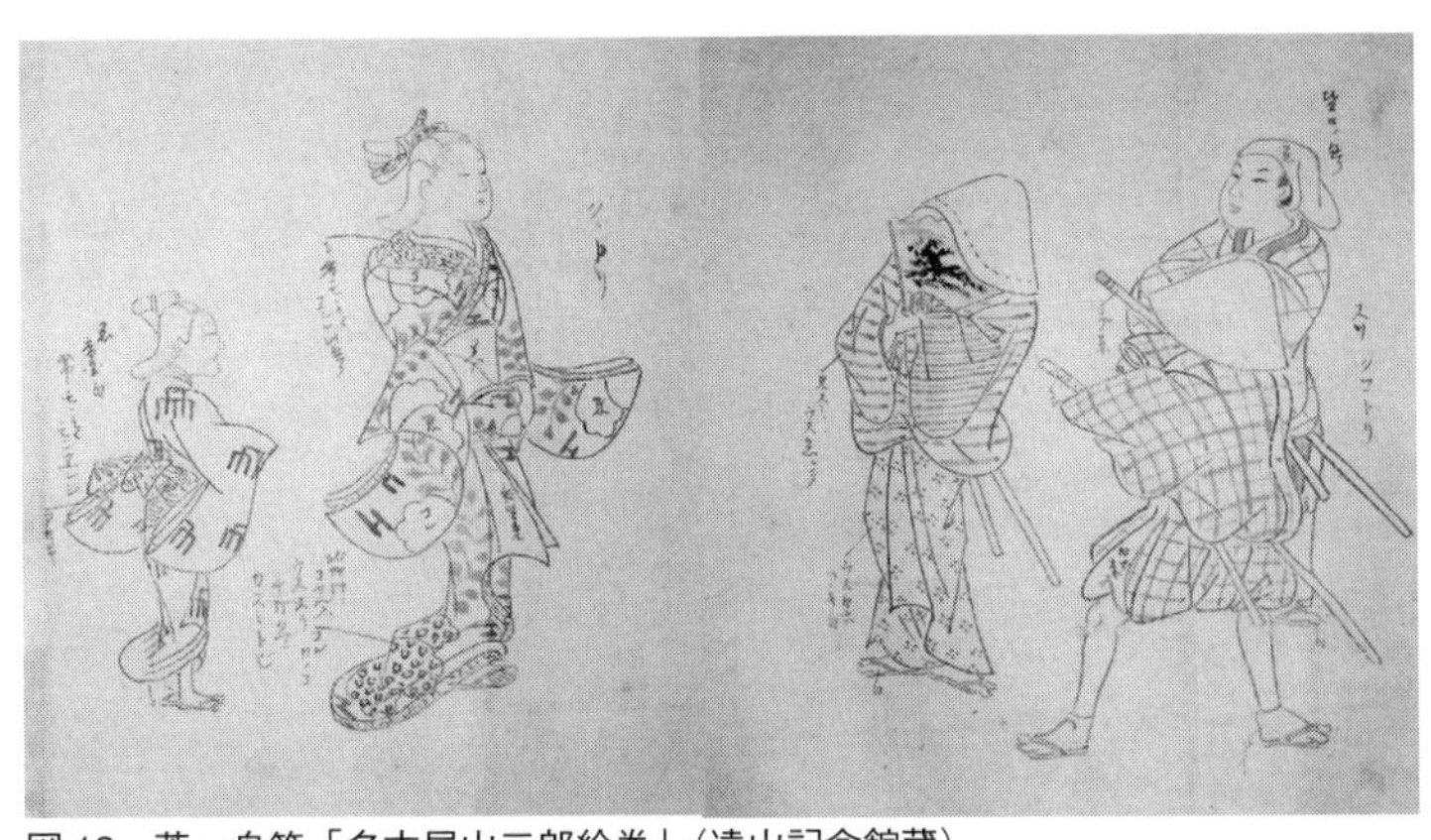

図 12　英一舟筆「名古屋山三郎絵巻」（遠山記念館蔵）

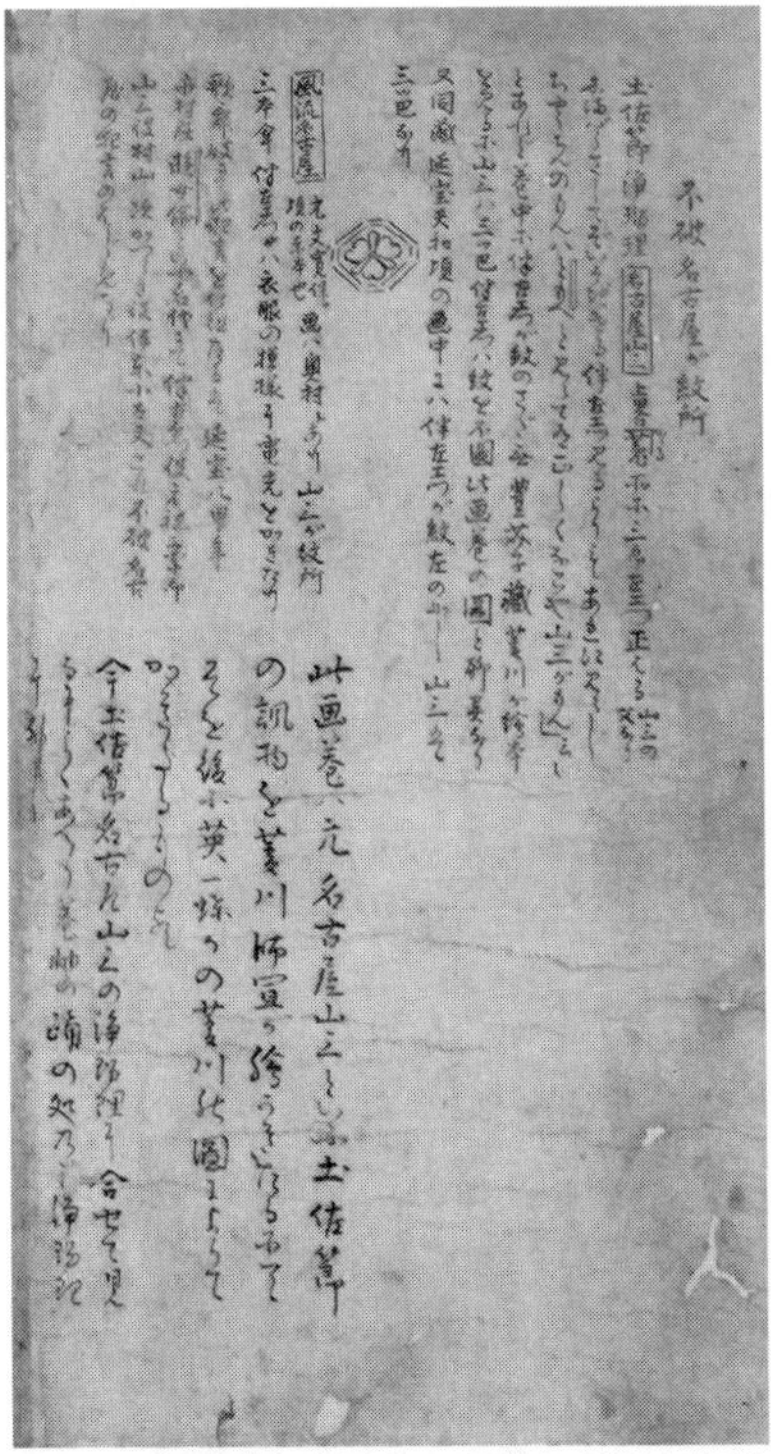

つらぎ役伊東小太夫これ不破名古屋の狂言のはじめなり。

此画巻は元名古屋山三といふ土佐節の諷物を菱川師宣か絵かきたるにてそれを後英一蝶かの菱川の図によりてかきたるものよし。今土佐節名古屋山三の浄瑠璃に合せて見えるによくあへり。巻物の踊の処のみ浄瑠璃になし。

ここには、京伝が『本朝酔菩提』の「不破名古屋伝奇考」で示したような、名古屋山三郎と不破伴左衛門の衣裳の柄や紋へ関心の高さが示されている。

図 13　英派「名古屋山三画巻」見返し部分（遠山記念館蔵）

「豊芥子蔵菱川が絵本を見るに」とあるが、これは石塚豊芥子（一七九九～一八六二）のことで、豊芥子は芥子屋を営みながら、近世の文芸書や芝居、遊里の関係書などを収集し、京伝とも交遊していた。

豊芥子が嘉永元年（一八四八）に刊行した『寿十八番歌舞妓狂言考』（東京大学総合図書館霞亭文庫蔵）には、不破名古屋について次のように記されている。

●『寿十八番歌舞妓狂言考』

○不破

延宝八庚申年、市村座におゐて、遊女論といふ狂言、元祖市川団十郎始て不破伴左衛門に扮作す、名古屋山三郎に村山四郎次、傾城かつらぎ伊東小太夫、是不破名古屋狂言の起原なり、此狂言大当りにて、其年の内、同狂言三度まで興行せしとぞ（団十郎時に三十歳云々）

扨、伴左衛門に扮する衣裳に、雲に稲妻の模様を摺ぬ、是『おだ巻』といふ俳書に載たる、

稲妻の始まり見たり不破の関ト云

と云荷翠の句にもとづきて、団十郎自己の物好なるよし、此事『金之揮』（享保十三申年印本、元禄十年より団十郎評判）其外伝書に見へたり、亦三升紋所も、稲妻模様より工夫して、定紋とせしと云云、又、予蔵する所の狂言本、元禄十丁丑二月、中村勘三郎座に於て、大名題『恵方男勢梅宿　参会名古屋』、名古屋山三郎村山四郎次郎、けいせいかつらぎ荻野沢之丞、不破伴左衛門市川団十郎、大切に鍾馗の霊、此時、才牛京都村山平右衛門座より下り、久々にて大当り、衣裳には、雲に百足の模様をつける、其後同十二己卯、中村座大名題『白髪伴左衛門前髪名古屋　傾城小夜嵐』、名古屋山三村山四郎次郎、同小山三猿若山三郎、太夫かつらぎ岸田小才次、不破伴作中村清五郎、不破伴次郎中村半次郎、梅津歌門山中平九郎、不破伴左衛門、は

んれい入道市川団十郎、此白髪伴左衛門衣裳にも稲妻の形なし、是より後の事歟、猶考ふべし、

画巻物ニ
不破ノ紋所
角切角ニ釼
カタバミ

『四座役者絵尽』巻中年号なし、何れ元禄年中の印本也、古山師重画

（中略）

是、元祖才牛、始めて不破伴左衛門勤めし時のせりふにて、文の内難解所多し、又、宝永年中の絵本に、二代目団十郎、不破の衣裳に稲妻模様あり、又、不破名古屋の絵巻物は、烏を画きしもありし、（尤廓の所なり）

元祖団十郎、此役より其名を四方へ発す。是市川家第一の狂言なるべし（後略）

「画巻物ニ不破ノ紋所角切角ニ釼カタバミ」とあり、先ほどあげた④「名古屋山三画巻」の「同蔵延宝天和頃の画中は伴左衛門が紋左の如し。」の後に記された紋の形と一致している。④「名古屋山三画巻」の見返しに「不破名古屋が紋所」を記した人物は、豊芥子から英派の絵巻を借り、自らの考証に役立てていたのである。豊芥子が記した『寿十八番歌舞妓狂言考』の「不破」考証は、新たな資料も加えてあるが、「伴左衛門に扮する衣裳に、雲に稲妻の模様を摺ぬ、是『おだ巻』といふ俳書に載たる、稲妻の始まり見たり不破の関と云荷翠の句にもとづきて、団十郎自己の物好なるよし」という個所などは、京伝の「不破名古屋伝奇考」を参考にした可能性は高く、文化十三年（一八一六）に京伝が没してからも、京伝の考証の成果が豊芥子など、好古趣味仲間に活かされていることが知られるのである。

6　おわりに

本章では、英派による「名古屋山三郎絵巻」や菱川師宣の『婬男なさけの遊女』の図様が、文化期に刊行された京伝の読本『稲妻表紙』の挿絵に取り入れられるとともに、『本朝酔菩提』の「不破名古屋伝奇考」に、『稲妻表紙』の取材源としてこれらについて記されていることを見てきた。京伝が、「名古屋山三郎」を題材に『稲妻表紙』の物語を創作し、師宣や一蝶の作品を参照して挿絵を描いたのは、柳塘や南畝など、好古趣味仲間のあいだで師宣や一蝶、初代市川団十郎への関心が高かったからであり、これらを題材とした物語を作ることで、仲間とともに古画考証の楽しみを共有したかったからではないだろうか。また、文化期に英派による一蝶の顕彰事業が活発になっていたことも、一蝶がクローズアップされる契機になっていたと考えられる。

江戸幕府が開かれてから一世紀後の延宝から元禄時代、新興都市である江戸に生きた人びとは、遊里や芝居を基盤にして江戸独自の文化を形成していった。京伝らは、華やかな元禄文化への強い憧れから、師宣や一蝶、初代市川団十郎といった江戸時代初期を代表する浮世絵師や役者の活動にクローズアップしていったのだろう。こうした師宣や一蝶の古画の収集と考証は、文政期に生きた京伝ら江戸っ子たちによる、自らの文化基盤の確認であり、新たな創作活動の発想源にもなっていたのである。

参考文献

・浅野秀剛「『婬男なさけの遊女』解説」（『秘蔵浮世絵大観Ⅲ大英博物館』講談社、一九八八年）
・井田太郎「英流の書画情報」（『原本『古画備考』のネットワーク』古画備考研究会編、思文閣出版、二〇一三年）
・井上啓治「『近世奇跡考』論（一）―〈不破名古屋〉考証と『稲妻表紙』『本朝酔菩提』―」（『就實語文』第二十号、就実女子

大学日本文学会、一九九九年）
・神谷勝広「〈好古〉の愉悦・柳塘宛京伝書簡五通を踏まえて」（『同志社国文学』八十六、同志社大学国文学会、二〇一七年）
・国立国会図書館『国立国会図書館開館六十周年記念貴重書展　学ぶ・集う・楽しむ』（二〇〇八年）
・佐藤悟「考証随筆と戯作―柳亭種彦の古俳諧研究」（『俳諧史の新しき地平』論集近世文学四、勉誠社、一九九二年）
・佐藤深雪「『稲妻表紙』と京伝の考証随筆」（『日本文学』三十三、日本文学協会、一九八四年）
・服部幸雄「三　不破・名古屋の狂言」（『江戸の芝居絵を読む』講談社、一九九三年）
・永瀬恵子「一蝶拾遺―六―名古屋山三郎絵巻」をめぐって」（『日本美術工芸』六二一、日本美術工芸社、一九九〇年）
・永瀬恵子「英一蝶の画巻様式一考―「名古屋山三郎絵巻」の制作をめぐって―」（『人文論究』第三十五号、関西学院大学文学部、一九八五年）
・林若樹「雲茶會」（『日本書誌學大系二十八　林若樹集』青裳堂書店、一九八三年）。初出『集古』己酉一（一九〇九年）
・肥田晧三「山東京伝書簡集」（『近世の學藝―史傳と考證』八木書店、一九七六年）
・二又淳「『近世奇跡考』の諸本管見」（『近世文芸　研究と評論』五十二号、早大文学部谷脇研究室、一九九七年）

Check!　そこにどんな〈江戸〉像があらわれたのか？

十七世紀の末約三十年にあたる延宝から元禄時代、新興都市である江戸に生きた人びとは、遊里や芝居を基盤にして江戸独自の文化を形成していった。京伝、柳塘、南畝等は、華やかな元禄文化への強い憧れから、師宣や一蝶、初代市川団十郎といった江戸初期を代表する浮世絵師や役者の活動にクローズアップしていった。その憧れは研究的な側面をもち、師宣や一蝶、初代市川団十郎の伝記考証が活発に行われ、関連する資料や作品が収集された。こうした師宣や一蝶の古画の収集と考証は、文化文政期に生きた江戸っ子たちによる、自らの文化基盤の確認であり、新たな創作活動の発想元にもなっていった。

其角の記憶・追憶・江戸残照

●稲葉有祐

一日長安花

鐘一ツうれぬ日はなし江戸の春

（『宝晋斎引付』元禄十一年〈一六九八〉刊）

経済成長の著しい江戸の街は、寺の梵鐘ですら毎日買い手が付くほどの繁盛を見せるという。前書は、唐の詩人、孟郊の「登科ノ後」の一節「一日看尽クス長安ノ花」を踏まえたもの。孟郊の詩には、厳しい科挙試験に合格して花の都長安を歩む晴れ晴れしさが詠じられており、その心持ちを句に重ね合わせることで、江戸の活気と誇らしさとが強調されていく。文化の中心が京・大坂にあったいわゆる文運東漸以前の時代に、「東より上方へ向ん物はといふに、其角が誹諧であらふ」（『誹諧よりくり』同十六年刊）と、強力に江戸文化を牽引していたのが、芭蕉門の俳人、宝井其角（宝晋斎・晋子。一六六一～一七〇八）である。その人気は「国々にてもこひわたるは此君也」（『花見車』同十五年跋）と評される通り、並々ではない。たとえば、先の「鐘一ツ」句が詠まれるや、俳人たちはたちまちこれに和し、

長安の夜遊、寄晋子

鐘ひとつ買てかけたりけふの月　周東

かけて猶鐘はさえたり後の月　専仰

（『焦尾琴』同十四年刊）

との作品群（これを「句兄弟」という）を生み出している。『類船集』（延宝四年〈一六七六〉刊）によると、「月夜」と「鐘」とは付合（連想語）。そこで周東・専仰は「うれぬ日はなし」と詠まれる「鐘」を買ってきて掛けると、響き渡るその音色に月夜の風趣は弥増すと、其角句の「江戸の春」に対して秋の景物の「月」を出して応じる。さらに、江戸俳壇の重鎮、水間沾徳は、其角句の前書の「花」や句中の「鐘」から「山里の春の夕暮来てみれば入相の鐘に花ぞ散ける　能因法師」（『新古今和歌集』巻二）といった風情を読み取り、没後の七

回忌にあたって、

極つて鐘売レぬ日は花の留主　沾徳

（『二のきれ』正徳三年〈一七一三〉刊）

との句を手向けていく。「晩鐘」と「花の散」も付合（『類船集』）。「鐘」が売れなくなった日、それは即ち花が散りきった日だとの意である。故人の不在を追懐しての吟といえるが、そういえば、其角にも「鐘かけてしかも盛のさくら哉」（『雑談集』元禄四年〈一六九一〉刊）との句があった。とすると、「鐘一ツ」句は、実は街に「鐘」が溢れていると江戸の繁栄を鼓吹する一方で、前書とも相俟って、その「鐘」と対になるべき、満開の桜の花に彩られた「江戸の春」をも暗示させていたということになろう。

「聞えがたき句（理解しづらい句）多けれども、読むたびにあかず覚ゆ」（『新華摘』寛政九年〈一七九七〉刊）とは与謝蕪村の言。蕪村は其角の句に触れるたびに新たな発見があり、飽きることがないという。知的好奇心を刺激する其角の俳諧は都市江戸のシンボルとなり、永く人びとに語り継がれることとなる。

逸話は事欠かない。根城とした新吉原遊廓では佐々木文山との遊興が知られる。次のような話だ。文山が高名な書家であったことから、宴闌の折、揚屋（現代でいう高級料亭）の主人が「春山桜花」を描いた屏風を出して賛を乞うたところ、文山はいたずらに「此所小便無用」と落書きをしてしまう。塀などに記す、「ここで立ち小便をしてはいけない」という言葉である。突如として気まずい空気の流れる一同。だが、其角がこれに「花の山」と続けることで、見事な一句が現出した。

此所小便無用花の山

立ち小便などして興を削いではいけない、なぜならば、山一面に満開の桜が美しく咲き乱れているのだから……。花に浮かれる大勢の酔客の姿も眼前に広がってくる。「春山桜花」の屏風の賛としても気が利いている。当意即妙の手際に沸く一座の喝采は想像にあまりあろう。この話を、其角に私淑した山東京伝は考証随筆『近世奇跡考』（文化元年〈一八〇四〉刊）に書き留めている。

新吉原に赴く江戸人士ならば、其角に思いを致さぬ者はいない。「扨、土手を歩行程に、蛍飛かふ星合の、闇の夜はよし原ばかり月夜哉、と云しを思ひ出し、いつともなく極楽の大門に着しかば」（『惚己先生夜話』明和五年〈一七六八〉刊）とは、吉原へと続く日本堤を歩きながら、きらびやかな不夜城を活写した其角の「闇の夜は」の句（『むさしぶり』天和二年〈一六八二〉刊）を想起しつつ、大門に辿り着いたとの場面。また、二代目市川団十郎（栢莚）は、新吉原にはじめて足を踏み入れた幼年の折、三升紋の入った黒羽二重を着て「右の手を英一蝶にひかれ、左の手を晋其角にひかれて」（『神代余波』弘化四年〈一八四七〉序、所引「老のたのしみ」）日本堤を歩いたことを懐古している――画師、英一蝶も其角の盟友であった――。

ところで、隅田川東岸の三囲稲荷社神前で雨乞いする者にかわって、

夕立や田を見めぐりの神ならば

と詠み、雨を降らせたとの逸話も人口に膾炙する。自撰句集『五元集』（延享四年〈一七四七〉刊）は「翌日雨ふる」とだけ記すが、これにはさまざまな尾鰭がつき、都市伝説化していく。

其角翁の奉納をしたひて
傘さしてそのゆふ立やゆふ襷　（『柿表紙』）

とは、その「夕立や」句を慕う栢莚の句。「雨乞の外小便も名を流し　有幸」とは、文山との逸話も合わせた『誹風柳多留』（六十一編、文化九年序）の川柳である。同じく『誹風柳多留』（九十五編、文政九年〈一八二六〉奥）から、「大高の紙へ其角が別れの句　里谷」。元禄赤穂事件、名高い両国橋での俳人子葉こと浪士の一人大高源吾との邂逅は、史実かどうか定かではないもの

の、安政二年（一八五五）、江戸森田座初演の「新台いろは書初」十一段目、「松浦の太鼓」として舞台化される。一方、赤穂浪士討ち入り時の子細を報じる文鱗宛の其角書簡（偽簡）が市中に多数出回った。幕末の尊皇攘夷運動に大きな影響を与えた頼山陽の「観ル其角山人録スル赤城義士ノ事ヲ手札ヲ引、為ニ紀ノ倹卿ノ作ル」（『山陽詩鈔』天保四年〈一八三三〉刊）も、これらの書簡について触れるものである。

維新を経て、江戸は東京となる。明治三十九年（一九〇六）二月二十五日、其角二百年忌が芝浦竹芝館で営まれ、巌谷小波ら秋声会（新派の俳句結社）のメンバーを中心とする総勢六十名が結集する。記念として床の前に置かれた句帳に、角田竹冷は次の句を認めた。

其角忌や売れぬといひし鐘が鳴る

（『卯杖』第四巻第四号、同年四月）

明治の世にも、其角の句は響いていく。開会の辞は小波。その後、戸川残花・竹冷らの講話が数時間に及んだという。

『江戸名所図会』巻二（天保五年、同七年刊）元吉原大門通り（国立国会図書館蔵）

大門通　昔此地に吉原町ありし頃の大門の通りなりしにより、かく名づく。今ハ銅物屋・馬具師多く住り。

鐘ひとつうれぬ日もなし江戸の春　其角

※本稿は科学研究費助成事業（若手研究・18047476）の成果の一部である。

Ⅳ 響き続ける江戸

Chapter9

受け継がれた江戸——高畠藍泉の考証随筆

●中丸宣明

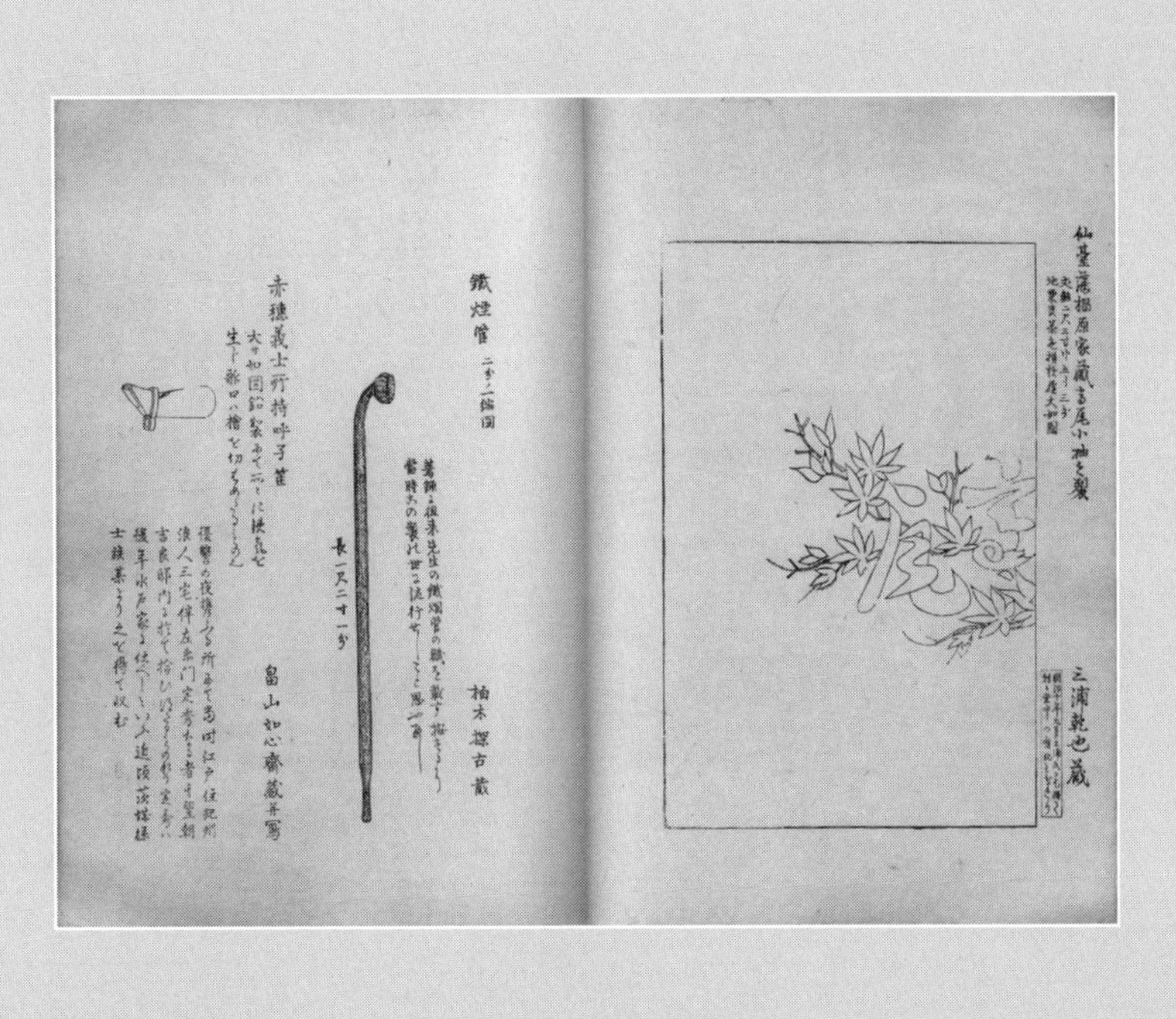

『好古麓の花』（高畠藍泉編纂、明治二十三年〈一八九〇〉、青山清吉蔵版・青山堂雁金屋）。一八九頁参照。高畠藍泉が残した考証随筆。図版は「仙台藩梠原家蔵高尾小袖之裂」（右）、荻生徂徠旧蔵「鉄煙管」（中央）、「赤穂義士所持呼子笛」（左）。ほかに「三代目高尾真跡」、「紀伊国屋文左衛門真跡」といった有名人の墨跡、最初期の瓦版「大阪落城図」や「元禄二年大阪町触」などの歴史的文書が掲載されている。（架蔵）

1 はじめに

十九世紀文学というカテゴライズが可視化する文学史の問題は、明治中期以降成立したとされてきた「近代文学」への疑いであったはずである。具体的には西洋文学の影響下に近代文学を見ること、文学を娯楽ではなく真面目な芸術ととらえること、荒唐無稽ではなくリアルなものが価値があるとすること、など近代文学の常識であったことへの疑問であった。それらを相対化する一つの装置として、十九世紀文学という枠組みが有効に作用するはずである。しかし、おうおうにしてこれまで十九世紀文学の括り(くく)は、「幕末維新期の文学」という風に理解されてきた。そこでは幕末／維新と分断され、江戸文学の末流と近代以前の前文学という価値付けがなされてきた。

この時期の文学に対する研究は、関東大震災以後の明治文化研究の潮流のなかから立ち上がってくる。柳田泉(やなぎだいずみ)・木村毅(きむらき)・本間久雄(ほんまひさお)等の先学らの仕事であるが、なかでも柳田泉の仕事が突出していた。また同時期には円本全集という、近代文学のおもだったものを集成する一冊一円の「文学全集」が盛んに出版される。その嚆矢、改造社版『現代文学全集』の第一巻『明治開化期文学集』(昭和六年〈一九三一〉一月、木村毅編)に仮名垣魯文(かながきろぶん)の『牛店雑談安愚楽鍋(うしやぞうだんあぐらなべ)』(明治四年〈一八七一〉)がおさめられる。また大正十五年(一九二六)には『明治文学名著全集』(東京堂、全十二巻)が発行され、そこに仮名垣魯文・久保田彦作(くぼたひこさく)・岡本起泉(おかもときせん)らのいわゆる明治戯作の担い手の作品が掲載される。しかしそれらは、やはり部分的だったといわざるを得ない。この分野の研究はそれ以後しばらく停滞するが、戦後、興津要(おきつかなめ)の手によって長足の進展を遂げる。氏は『転換期の文学―江戸から明治へ―』(早稲田大学出版部、一九六〇年)、『明治開化期文学の研究』(桜楓社、一九六八年)といった著作で、資料面でも作家評伝の面でも多くの成果を示した。しかし、時代的制約と言っていいのか、近代文学の基準に従い、その独自性や反近代性に積極的な意味を与えることは少なかったように思われる。まさに幕末／維新の分断の上に構想されてきたゆえといえよう。

二十世紀も後半、近代そのものに対する疑問が抱かれるようになると、文学研究の分野でも、積極的に十九世紀文学は研究し始められる。いってみればポストモダンの模索のなかからプレモダンの再評価が進むようになったといえる。江戸期の伝統を受けつぐ明治戯作はその中心となるわけであるが、まずもって多く論じられるようになるのは仮名垣魯文であった。なぜなのだろうか？　おそらく魯文は、近代文学研究にとって相性のいい存在だったからなのではないか。それは魯文が近代的作家であったということではなく、むしろ逆に近代ないし近代社会を相対化する視点をその上に見うる作家だったことによろう。つまり円本全集に収められた『安愚楽鍋』や『万国航海西洋道中膝栗毛』（明治三〜九年）が同時代風俗を風刺的に描いたものとして、『高橋阿伝夜刃譚』（明治十二年）などは毒婦ものとして時代の悪を描いたものとして近代への反措定として読まれたことによる。これは筆者の主観が多分に入ったものの見方かも知れないが、明治期戯作の担い手として、近代人に人気のある作家・作品は、多かれ少なかれ近代批判を読み取れる作家ではなかったか。たとえば、万亭応賀の『和談三才図笑』（明治六年）、『近世悧蝦蟇』（明治七年）などにおける文明開化批判、御一新後の世相を諷刺し皮肉った『寄笑新聞』（明治八年三月〜五月）の作者の梅亭金鵞、魯文と毒婦ものを競作した岡本紀泉、噺家三遊亭円朝との関連で取りざたされること多い山々亭有人（採菊散人）などが、そういった作家と目された。

2　藍泉・二世柳亭種彦の位置

魯文や応賀などに比して、高畠藍泉は古典的倫理観にもとづき、勧善懲悪的結構を好む作家というイメージがあった（「怪化百物語」〈明治八年〉のような風刺的作品もあるが）。藍泉が編集した戯作雑誌『芳譚雑誌』の創刊号（明治十一年七月）に〈専ら忠信孝貞の佳説撰みかの悪説誹謗に類するものは之を他に措きて載せざる〉といい。あるいは〈淫説を耳に触れざらしめん〉などともいう。こういった一種の保守性が、藍泉を論から遠ざけたことは確かなように思われる。（むろん魯文らも勧善懲悪から自由であったわけではないが。）しかし、近年そのような藍泉観が皮相なものであり、一時期を画した文学現象の担い手であったことが、解明されてきた。佐々木亨は、藍泉の体験と作品の分析を通して、『巷説児手柏』のなかに〈私小説的な要素〉（『明治戯作の研究―草双紙を中心にして―』二〇〇九年）を発見するなど、新しい藍泉像を提示した。そこには、単に古めかしい倫理に縛られた作家像を超える、「近代的」な作家のありようが示されていた。新しい発見はそれだけではない。佐々木は、藍泉と、多くの新聞に関係し、『勤王佐幕二葉松』（明治十七年）などの小説を発表した宇田川文海を中心とした関西文壇との関係を調査し、関西での出版事情との関連のなかで活字印刷による草双紙の成立過程を解明した。まさに皮相を超えた理解であるわけだが、しかし、藍泉を単に近代的な作家としてとらえるだけでいいのだろうか。ポイントは、佐々木が拓いてくれたような、作家の交友圏を考えることの重要性だろう。

柳田泉は、〈明治最初の文壇小説家は高畠藍泉だ〉と指摘する。確かに、

> 従来の文学史では藍泉は所謂幕末遺老の小説家の一人にされてゐるが、これは研究疏漏の致すところの間違ひで、私の調べによると藍泉が文壇の人となつたのは、明治十年前後からのことである。即ち幕末遺老の間に伍してはゐたが、明かに明治文壇になつてから小説家になつた人で、而かもその点で藍泉程早く明治文壇にデビューした人は、今のところ見当らない。
>
> （「高畠藍泉伝」『明治文化研究』第一輯、一九三四年二月、のち『随筆明治文学3』二〇〇五年）

といわれるごとくである。しかし、問題は〈文壇〉の意味であろう。実は文壇の定義は難しい。文学的な主義主張

を共有する、たとえば同人誌仲間の小説家や評論家・出版人の交友といったいわばタイトな関係によるもの、出版資本を中心とした同業者組合的なもの、緩やかな作家同士のおつきあいを指すもの、さまざまであろう。柳田が藍泉を論じた昭和九年を視野においてみたとき、菊池寛などを中心とした人間関係が念頭にあったものかとも思われるが、いずれにせよ藍泉の文壇と明治以降の文壇のありかたの違い、ないしは変遷が問題となろう。

藍泉は天保九年(一八三八)五月十二日、江戸に生まれる。[*1]本名高畠瓶三郎、代々幕府の御坊主衆を務める家柄であったが、

演劇を好み花柳に沈酔し所謂務め嫌ひにして遊蕩怠惰いふべからず故に同僚親戚に疎まるれど君吏に意とせず慶応の初め画工と成で力食せんと実弟に家を継がしめ壮年にして隠遁す

(隅田了古『新聞記者奇行伝初編』明治十四年一月)

とされる。作家以前の藍泉は、

五六歳の頃より和漢の小説稗史を好み雑書は観ざるものなく壮年に至りて戯文を草し四条風の画を学び後に南宗画に移る茶は谷村氏が直指伝の門下俳譜は其角堂の高弟にして一方の英傑たり常に風月を愛すれども閑のみに偏せず客に接することを好みければ雅友其門戸を訪ひ音信る者絶ず頓智秀才にして幕政の末路辻某が発起にて興画合せといふ事江戸市中に流行し市井の才子争ふて此連中に加はれり翁(筆者注─藍泉)も又此道に遊び興画の趣向意表に出で高点を得て連中の人々を驚かせり

(岡田龍吟「三世柳亭種彦伝」『東京絵入新聞』明治十八年一月二十三日)

などと回想されている。藍泉は作家以前に画工であった。藍泉は〈画を松前の藩士高橋波藍に学〉んだが、藍泉という号はまずもって師匠の一字を嗣いだ画号であった。この文章でもっとも注目しなければならないのは〈雅友〉の交わりである。それはまさに書画会のことである。書画会とは、

江戸時代から明治前半において盛んに開かれた、書家や画家たちによる展示・揮毫会といったものである。その始まりは、寛政年間（一七八九～一八〇一）、鎌倉の僧・曇熙が始めたものといわれる。当初の書画会は専ら文人たちが集って詩を作り、絵を描いて慰みとした風雅な遊びであったが、江戸後期になると、著名な書家や画家を料理茶屋に集め、好事家たちから参加料をとって書画家に揮毫させる、書画家の自己宣伝、また生活の資とするための会となっていった。会場も江戸後期には両国柳橋の河内屋や万八楼、明治時代には両国・中村楼（後の東京美術倶楽部）といった大きな料理茶屋で行われ、扇面亭や扇明亭のような周旋業者まで登場するほど盛況となった。

（「書画会の風景」『酔うて候―河鍋暁斎と幕末明治の書画会』思文閣出版、二〇〇八年）

と説明されるようなものであった。藍泉は明治以前から〈興画の趣向意表に出で高点を得て連中の人々を驚かせり〉とあるようにその中心人物であり、明治以降も、

高橋得知さんと南新二さんと当社の藍泉が会主で補助は日報社の岸田吟香さん絵入新聞の前田健次郎さんと当社の正雄が致し日本橋最寄で書画珍器玩弄会といふを開き席費を乞はずに皆さんへおめにかけますから珍らしい物を御所持の方はお出し下され又催ほす家が極ツたら広告いたしましやう（『読売新聞』明治九年十月二十一日）

あるいは、

日本橋通り三丁目の寿亭である玩弄会と笑覧会と思ツて道戯た品を持出す積りのお方もあり無代の道具市だらうと不用な重箱や皿小鉢を出と云てゐる人もあり又は書画とあるから出席の先生方に書て貰ふ積りのひともある様子だが（頼んだら扇ぐらゐは書かも知れないが）只めづらしい物を集め風流に一日遊ぶので有ります皆さんそう思召て下さいと会主の藍泉より申し上ます

（『読売新聞』明治九年十一月二日）

などという記事が新聞紙上に散見できるのである。明治以降もそういった交友圏のなかに藍泉はいた。

3 考証随筆と藍泉

今見てきたような文人たちの交友は、書画会と同様の存在である考証の会にもあった。むしろその二つは地続きの関係にあったといえよう。考証の会とは表智之が、

一八世紀末から一九世紀初頭にかけて、すなわち寛政年間から文化年間にかけて、日本のあちこちで、まちまちな学派・門流に属する多くの人々が、身の回りの様々な事物の起源や来歴について、同時多発的に思いをめぐらしていたようだ。近代的な分類でいうなら、地誌であったり、民俗学であったり、考古学であったり、書誌学であったり、時には好事家的な骨董趣味であったりするような、多様で散漫な作業群が、ある特定の時期

に雲霞のごとく涌いて出てきているのである。

（「〈歴史の読出し〉／〈歴史の受肉化〉―考証家の十九世紀」『江戸の思想』第七号、一九九七年十一月）

と説明するようなもので、本書でも前章までさかんに論じられてきた通りである。それを母体として「考証随筆」なるものが生み出される。野口武彦はそれを、

随筆とは、考証であった。随筆という言葉は今日ひどく値打ちが下っている。随想とかエッセイとか、四季折々の感興やら身辺日常の雑事やらを書き綴って、いつのまにか文芸雑誌の埋め草のたぐいになってしまった。本来はそういう部類の文章ではなかった。

（「考証随筆の想像力」『文学界』一九九六年五月）

と言う。そして、

考証学は「学」の制約を取り払って、考証好き、考証趣味、考証癖といったものに多様化していった。考証校勘の対象はこうなると文字とは限らない。地理への関心は、土地の考証として地誌になる。物産への関心は、本草学の図譜記述になる。花卉草木、奇岩珍石も同じことである。市井の雑事への興味は、これは考証随筆とはいわない、随筆雑録という一つの文学ジャンルを生んだ。

と説明する。

藍泉の著作のなかに考証随筆と呼びうるものが、現在確認できるものとして、三冊ある。『䍐椿靄隆（かちんあいりゅう）』／近世四

大家画譜』（渡辺崋山等画、高畠藍泉臨（題簽）、明治十七年十一月、文永堂、奥付著者名には静岡県氏族とあり）、『椿山粉本／琢華堂画譜』（椿椿山画、臨写人高畠藍泉、明治十三年四月、武田伝右衛門（文求堂））、『好古麓の花』（高畠藍泉編纂、明治二十三年、青山清吉蔵版・青山堂雁金屋）【本章扉参照】であるが、前二冊は、まさに書画会を彷彿させるものであり、江戸後期の文人画家渡辺崋山や椿椿山の画の模写集である。最後の『好古麓の花』については、

今度高畠藍泉先生が今古の書画器物に考証を添へ麓の華といふ書を編纂されて同好へ贈られましたが板刷仕立とも手を尽した美本にて古物家の悦ぶものであります又来月七日には南茅場町薬師堂の地内の宮松といふ茶屋にて此書中へ載せた物品其ほか諸家秘蔵の書画古器物を陳列して古物会を開かれます

（『読売新聞』明治十二年十一月二十五日）

と報道されるようなもので、江戸期からの伝統的な考証随筆そのものであった。また、藍泉は『東京日日新聞』『東京絵入新聞』『読売新聞』など多くの新聞に関係するが、その「寄書」欄をおもに利用して、短いものであるが考証随筆といえる文章を発表している。明治十年東京夕刊新聞の発行を企てるが頓挫し、宇田川文海を頼って大阪に一時身を寄せた後、帰京し『芳譚雑誌』（愛善社、明治七年一月十七日～十七年十月十一日）を主宰し、代表作（『岡山紀聞筆命毛』明治十四～十五年、『蝶鳥紫山裙模様』明治十六～十七年、『怪談深閨屏』明治十七年など）を同誌に発表、「活版草双紙」という新時代の様式をもって単行本として出版、一躍時代を代表する「作家」となる。がその一方で、『芳譚雑誌』などにも藍泉は考証随筆の類いを寄稿し続ける。その考証の意義について、

古きを温ねて新しきを知るの教へは誰々のうへにも関係ある事ながら、殊に美術の工業家と新聞記者等のうへ

には要用の語なるべし。工業家は古物の精妙なるを模範として今日の製造物に巧を尽すべく、又新聞記者は余の学者と異りて和漢洋の一方に傾ず古書に眼を晒し、雑学に見聞を博くして以て今日の雑話に筆を下すが故に、古を温ぬるの意を疏（おろか）にすべからず（中略）苟（いやし）くも事を勧懲の意を托し新聞社に書を寄んとする者は必ず古きを温ぬるを要用とすべし。

（「古物を観て知識を博めよ」『芳譚雑誌』明治十五年四月十一日）

と説く。『芳譚雑誌』は、幕末に発売を始めた、気付け薬「宝丹（ほうたん）」の発売元守田治兵衛（もりたじへえ）商店の援助で創刊された戯作雑誌で、当初は孝子や貞婦の美談をあつめたものであったが、小新聞を舞台とした「つづきもの」や毒婦ものなどを中心とした草双紙の流行を受け、戯作系統の作品を掲載するようになる。その誌面構成は、江戸期の人情本・合巻・戯文・俳諧などといったジャンル性を色濃く反映しているものであった。と同時に寄書欄を設けたり、小新聞の、半ば職業化した投書家の寄稿を受けるなど、小新聞の要素をあわせもつものであった。そんな場で、考証の必要を説く。藍泉は続けて、

人情政体の如きを見るも啻に古書に因るのみにては所謂変則学にて実情を探るに満足なさゞる所あらん。況や衣服調度雑器および時々の風俗の如きに至りては其実物に附て見るには如ざるべし。然れども古画はたま〳〵蔵する者あれど、数百年を経過する調度の如きは甚だ稀なり。故に鼻祖足薪翁も古器を愛して学問の助けとし、還魂紙料用捨箱の二書著はし丶は、今日の博物学の考纂となり世に鴻益をなす事寡なからず嗚呼故人の其道に心を尽せる至れりといふべし

と語る。鼻祖足薪翁とは初代柳亭種彦（りゅうていたねひこ）を指し、『還魂紙料（かんごんしりょう）』と『用捨箱（ようしゃばこ）』はともにその考証随筆（Chapter5・6参照）。

前者は文政九年（一八二六）刊で、江戸初期の俳優や芝居・風俗などについて、後者は天保十二年（一八四一）刊で、江戸初期の風俗や言葉について、古俳書などを参照して実証し、挿絵や古画を模写し多数載せ実証としている。まさに藍泉自身の『麓の花』がお手本にしたものであった。藍泉にとっておそらく、初代種彦はありうべき「作家」の姿であったには違いない。藍泉が柳亭種彦を襲名し披露の宴を開くのは、明治十五年一月二十九日のことであった。しかしその襲名に先立って、藍泉は足薪翁あるいは愛雀軒といった初代が用いていた別号を自分の号として使っていた。初代への私淑は新聞記者となった時にさかのぼると思われる。また、藍泉は二代目柳亭種彦であると主張する。初代没後、弟子であった笠亭仙果（りゅうていせんか）が二代目を相続するが、一門の総意が得られず、幕末にようやく披露目ができた、とされる。しかし、藍泉はその正当性に疑いを持っていたようだ。襲名の際、藍泉は〈知友〉に〈藍泉は擅（ほしい）まゝに種彦と称せるにはあらず初代の親戚の許諾を得て彦の字の印をも附属せられたるなれ〉（「中島座の白猿」『朝日新聞』明治三十四年十二月八日）と主張した。やはりそこには、江戸戯作の正統な後継者でありたいとする意思を見るべきなのであろう。晩年、自分と作風が似ているとされた柳塢亭寅彦（りゅううていのぶひこ）に三代目を托すが、そういった芸統の維持に気を配るところにも江戸戯作の命脈を継ぐ者という矜持がうかがわれる。むろん、それは一人種彦の継承ということだけではあるまい。藍泉は種彦のみならず江戸戯作者の交友圏をも含んだかたちで受け継ぐことだったと思われる。〈香の物のカクヤ〉（『芳譚雑誌』明治十三年六月二十一日）という随筆がある。そこではカクヤを〈馬琴が角弥〉と書いていることに疑問を持ち、江戸後期の茶人谷村宗蓮の『座右録』や種彦の『柳翁雑記』などを引用し考証している。まさに江戸の文人たちの交友圏に参入し戯れている藍泉がいた。しかし、そういった藍泉は『芳譚雑誌』のなかでは、そう多いわけではなく、徐々に後退していくかのようである。

4 おわりに

先の「古物を観て知識を博めよ」は、〈投書家諸先生の衆きが中には稀に温故知新の教などは顧みもしたしたまはで徒に猥褻の狂句都々一などのみを書て送らる丶人さへあり〉といった現状を踏まえての言葉だった。また、藍泉は、

> 維新以来の職人はいふ迄もなく、文人でも著述家でも叮嚀を旨としてグヅグヅしては飯が食れぬといふ野暮な文句を先に立て即吟の詩歌や一夜漬の文章を據ろなく世に出すは、甚だ恥る所なる中にも新聞記者の職務は今夜の事と翌日の朝早く売出す間に合ふやうに書綴る其急しさを故人嵐雪種彦などが見たら杜撰とも麁漏とも咄に成ぬと笑ふであらふが、是も開ける世につれての一商業なれば、新聞の編集は早いを専務として誤謬の所は看客も長い眼に見て免さるべけれど、近年は総て書籍の編輯も早い勝が流行して新聞記者でもない人の著した本類が多くは古書を切抜しもの丶一夜漬で売出されるには感心しませぬ。急しくせずともよい物なら一章の歌俳も其師とか宗匠とかに相談し、一小冊も友人などの校正を乞て世に出すやうにしたいものと。
>
> （「著述の杜撰を嘆く」『読売新聞』明治十五年二月五日）

思う。そこには温故の文言はない。〈開ける世につれての一商業〉の中で粗製されるものに温故の余裕はなかろう。それは〈嵐雪種彦〉つまり芭蕉門人であった江戸の俳人嵐雪、そして種彦のありようとは相反するものには違いない。藍泉が勧める〈其師とか宗匠とかに相談〉すること、あるいは〈友人などの校正を乞〉うこと、それは単に

〈文章〉の〈誤謬（あやまり）〉や〈活字の植違（うゑちが）ひ〉をなくすためだけに留まるはずはない。交友圏のなかで〈歌俳〉も〈小冊〉も作られるべきである、という主張には違いない。一文は、

何事も遅いは因循と嘲り、早手廻しを開化の人と称さる、さへあれば、節倹と吝嗇を一ッに心得たひとのやうに杜撰を開化の時にあふと思ひ違へたまふな。

と結ばれる。藍泉のなした活字を利用した江戸時代以来の絵入り読み物草双紙、それはまさに〈開化〉の所産であったはずである。しかし、藍泉のなかでは、その新しい草双紙も江戸以来連続する文人たちの「共同性」が紡ぎ出す世界に裏打ちされたものだったようである。

藍泉にとって考証随筆のなかの江戸とは何だったのだろうか。藍泉にとっての考証随筆のなかの江戸とは、明治の現在から追憶という遠近感（パースペクティヴ）のもと追憶されるものだったのではないような気がする。考証随筆が示す交友圏は歴史性を超えた現在として、そこに参入するべき知の共同体とでもいうべきもののように思う。先の引用では〈今日の博物学の考纂となり世に鴻益をなす〉と藍泉はいう。それは、考証随筆のなかの江戸を対象化し資料として利用するという近代的な指向である。藍泉は、方便としてそういっているのか、あるいはそういわざるをえないという時代認識がそこにあるのか。今しばらく判断を保留したいと思っている。

注

1　本論の藍泉の伝記・業績については、前掲の柳田泉、奥津要、佐々木亨らの著作、高木元「高畠藍泉の時代」（『開化風俗誌集』

二〇〇四年二月）などに多く拠っている。

Check! そこにどんな〈江戸〉像があらわれたのか？

明治以降「知識人」と言ったらば、新しくは西洋的学問を学んだ人、古めかしくは四書五経など漢学書生を指すといってよかろう。しかし、江戸期における考証家たちはそれらの枠からは逸脱する。対象も森羅万象古今東西あらゆる方面に及ぶ。方法はあくまで「実」を尊ぶものであるが、近代科学の目で見れば、時に不合理時に牽強付会、しかしそういった考証は、近代文的知性の流れの中に伏在し近代そのものを相対化してやまない。

Chapter10

「趣味」（Taste）とは何か――近代の「好古」

●多田蔵人

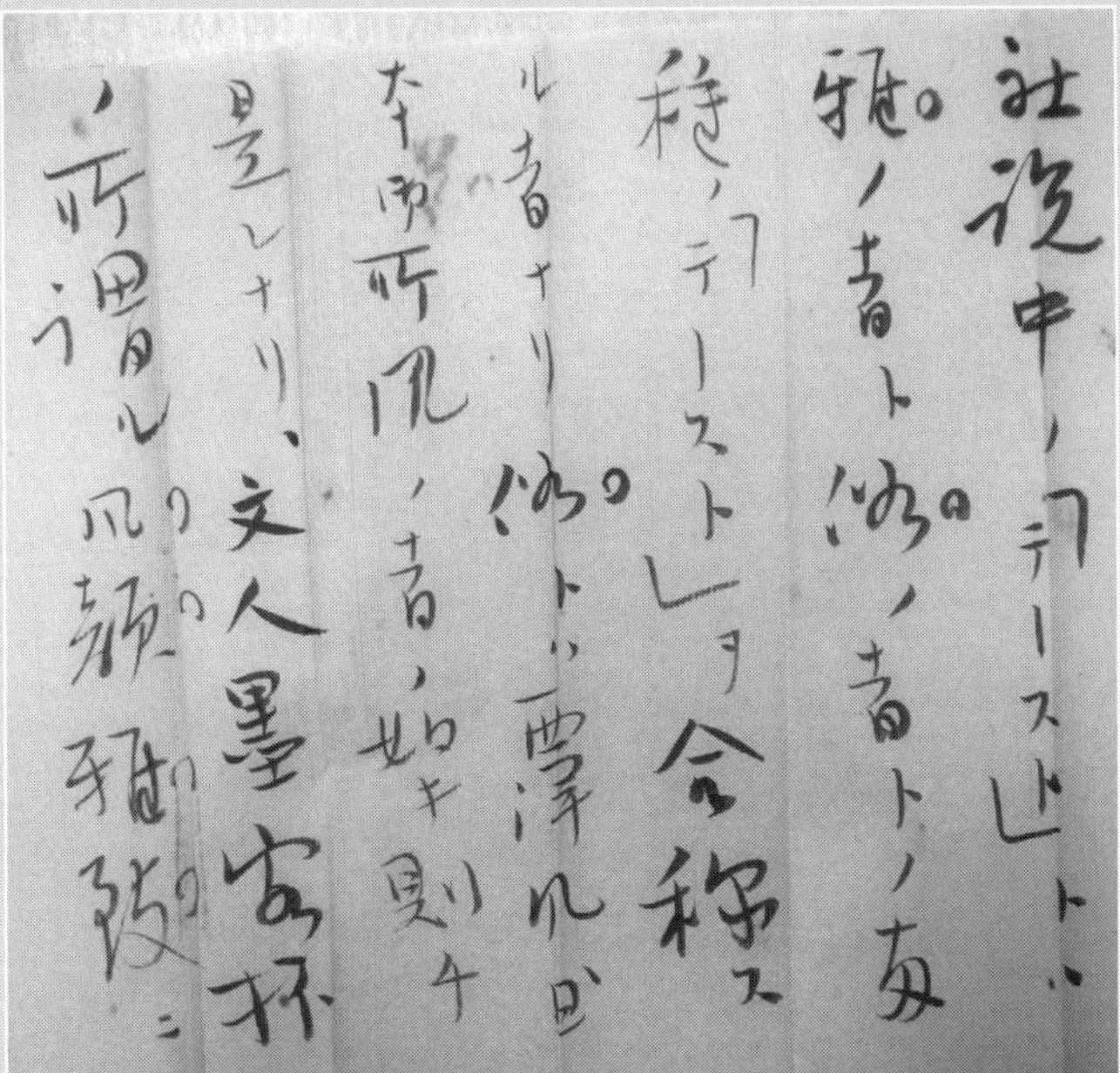

明治二十年（一八八七）四月二十九日付、森田思軒宛矢野龍渓書簡。「郵便報知新聞」の社説について、美術品の評語である「風韻雅致」などの言葉が英語の「テースト」（taste）の訳語であること、「テースト」が新しい美術の見方を示すものであることを伝え、可能ならば「風韻雅致」をすべて「趣味」と直すよう指示した手紙。（個人蔵、笠岡市立図書館寄託資料、資料番号 1536）

1 「趣味」の登場

江戸から明治にかけて微妙に変遷しながらあらわれる「好古癖」という志向は、英訳するとどんな言葉になるだろう。「好古」の営みは、明治に愛読されたC・ディケンズのひそみに倣って Old Curiosity とすべき（*The Old Curiosity Shop*, 1840-1841, 邦題『骨董屋』北川悌二訳あり）か。あるいは同じく明治人必読の書であるW・スコットから、Antiquary（*The Antiquary*, 1816, 邦題『好古家』貝瀬英夫訳あり）を選ぶのがよいだろうか。

たぶん、より難しいのは「癖」のほうだ。古人を慕い、古物を蒐める人はいつの時代にもいるけれども、そうした営為をどのように言葉に表現して方向づけたかという点に、時代ごとの特徴はあらわれるのだろう。「癖」といえば、上田秋成『癇癖談』（文政五年〈一八二二〉刊）が思い浮かぶ。「ひとごとにひとつのくせとは、むかしむかしの諺ぞかし。今の世の人は、心辞のくせの外にも、たつに癖、居るにくせ、それにも、これにも、癖なきはあらぬを」——慈円の歌を引きながら、今は一人に一つどころか、ふるまいの一つ一つに「くせ」が見えるものだ、と述べた秋成の言葉通り、近世後期には滑稽本から学問的な注釈書（『源氏物語読癖并清濁』）にいたるまで、「癖」の一字がジャンル横断的にあらわれる。〈クセ〉は身分や職掌、年齢、性に応じてあらわれる〈カタギ〉の語と近いけれども少し違う、もう少し身体的な言葉である。この habit とも fond とも訳しがたい「癖」は、しかし明治になるとたとえば「生理学」（バルザック *Physiologie de l'employé*, 1841, などの語）や「骨相学」の視線によって分類されなおす（青山二〇一二、富塚二〇一五）のであり、そこでは「癖」ともまた違う、別の「好古」のかたちが登場することになる。

＊

この章では明治から大正にかけてあらわれる「趣味」という言葉を取り上げ、文学者たちがこの言葉をめぐってどのように江戸東京へのまなざしを育んだのかを考えてみたい。現今の英語学習において hobby とほぼ一対一に対応している「趣味」は、明治時代にはもう少し違う響きを持つ言葉だった。この言葉にこだわった人物の例として、笠岡市立図書館に寄託（個人蔵）された、森田思軒(もりたしけん)宛矢野龍渓(やのりゅうけい)書簡群の一通（資料番号1536）をあげよう【本章扉参照】。

【封筒表】森田様　矢野／急用事【封筒裏】四月廿九日

【本文】

（朱字）別紙添フ

呈上／社説中ノ「テースト」トハ雅ノ旨と俗ノ旨ト両種ノ「テースト」ヲ合称スル者ナリ俗トハ西洋風、日本御所風ノ如キ則チ是レナリ、文人墨客抔ノ所謂風韻雅致ニノミ限ルノ意味ニアラス小生ノ論ハ甚タ広キ意ナリ、故ニ当字(アテ)困リ「風韻趣致」と為シ置キト覚ユ、今日ノ所ニ「風韻雅致」ト処々ニ在リ又末尾ニ「文人好事ノ人々」云々トアリ右ニテハ支那風ノ淋シキ趣ニ見違ユルノ嫌アリ小生カ日本ノ美術品ニ望ム所ノ「テースト」ハ文人好事ニノミ開ク狭小ノ雅致ニアラス派手ナル趣、高尚ナル趣、清閑ノ趣、冨貴ノ趣、総体ヲ抱括シ居ルコトニテ全篇立論アリ若シ読者中誤テ「文人好事」ノ雅致ノミヲ論スルト見倣サハ折角ノ労ハ無益ニ帰スヘキ恐レアリ明日、明後日ノ文面ニ右ノ誤謬ナキ様、御注意被下度候、「風韻雅致」ノ字カ改メラル、ナラハ（明日ノハ致方ナキヤモ知レス）「趣味」ト一切御直シ被下（以下欠）

「郵便報知新聞」の社主矢野龍渓が、同紙主幹の森田思軒に指示を出した手紙である。『経国美談(けいこくびだん)』（明治十六年）の作者として知られる龍渓は明治十七年の外遊後、すでに有力論説紙だった「郵便報知新聞」を大新聞の筆頭に押し上げるべく紙面改革を行い、きびしくも情愛に満ちた言辞で思軒を激励していた。「郵便報知」の記事を見るに、本書簡は明治二十年四月二十九日付。龍渓が言及した「社説」は、同年の「我国の新製美術品の意匠に描きは何故ぞ」

から「我美術界に一大進歩を与ふるの法」までの一面記事（四月二十九・三十日、五月一日・三日）。「今日ノ所」は四月二十九日分のことである。

一連の記事は、明治二十年四月から上野公園内で開催された「工芸品共進会」についての論説である。「郵便報知」はこの共進会（博覧会の別称。海外輸出のための工芸品などの陳列会）について四月十三日から五月八日まで断続的に報じ、多く失望を語っていた。龍渓は共進会不振の原因が「製作人」が西洋間に工芸品を置く人の「風韻雅致」を知らないことにあると述べ、解決策として「意匠家（デザイナー）」制度を導入すること（五月一日）、また「支那古代の雛形抔」だけでなく「外国諸物品の手本雛形」の学習を奨励すること（五月三日）、を提案している。

これから作るべき美術品について述べた龍渓の言葉は、江戸東京のモノに対する見方を変革してゆこうとする、強い意志につらぬかれている。右の書簡に触れたTasteを、龍渓は芸術上のもっとも重要な基準であると考えていた。「日本油絵評（筆記）」（明治二十三年「明治美術会第九回報告」・同「第十回報告」）という演説では、審美の基準はただ単に絵の美しさを好む「ヲールナメント」（「奇麗」）から、真を写しているかどうかを判断基準とする「エミテーシヨン」（「模真」）、そして歴史上の合戦や動植物の一瞬の動きなど、眼で実際に見ることのできない画を好む「キユリヲシチー」へと進む、と述べた上で、「佳味「テースト」ヲ好クト云ナラバ是レコソ真ノ見物人デス」と「テースト」を最上位に置く。この演説筆記によれば「テースト」とは、「人ノ心中ニ彼様アリテ呉レ、バ宜ヒト思フ坪ニ切込んだ描きかたであり、観る者がこうあってほしいと思うかもしれない基準、つまり世界の〈見えかた〉を切りひらく営為であるという。

単にきれいだから、現実に似ているから、あるいは珍しいからよい、という基準だけではだめで、観るものの内なる期待を開拓するような「テースト」を持たなければならない——こうした意味でのTasteは十八世紀イギリスで東洋磁器を論じる際にしばしば用いられ、諷刺の対象にさえなった言葉である（Wilson1972）。しかし明治初期の現実にあえてこの言葉を肯定的に投げこんだ龍渓のねらいは、日本の画文工芸の見方を多角化することにあった。「風韻雅致」の語をすべて「趣味」と改めてほしいという龍渓の希望にかえて、五月一日記事に掲載された「附言」を見てみることにしよう。

附言　読者の誤解を恐るゝか為め一言し置くへき事あり章首より用ひ来れる「風韻」或は「趣味」或は「雅致」等の文字は旧来我邦の墨客文人抔が唱へ居る者よりは其の意味甚だ広きこと、知るべし本論中の右文字の意義は一切の趣味（英語にて「テースト」と云ふ者）を包む者にて綺羅錦繍の飾り付の間に似合ふへき「富貴の趣味」（七宝物の類）瀟洒清楚の境界にも似合ふへき「風雅の趣味」（紫檀の机抔の類）派手なる風味（錦の縫箔の屛風の類）静閒なる風味（班竹の屛風の類）厳正なる趣味（西洋風の紋形唐草の類）放縦なる趣味（日本の花鳥の画の傾斜なる類）を総称して「風韻趣致」の文字をは宛たる者なり単に瀟洒清楚の文人風の者のみと思ふ可らす

「風韻」「趣味」「雅致」「趣致」などの訳語群は、Tasteという言葉がまさに日本に流れこんだばかりの言語状況を如実に示している。先行する訳の例として、ヘボンの『和英語林集成』は慶応三年と明治五年の版ではTasteの訳にAji; ajiwai; fumi, mi.をあてるのみで、明治十九年の版ではじめてfuryu, gachi.を加える。ヘブン著・西周（にしあまね）訳『心理学』（明治八年）は「雅趣」、ベイン著・菊池大麓（きくちだいろく）訳『修辞及華文』（明治十二年）は「典雅」をTasteにあて、スマイルス著・中村正直（なかむらまさなお）訳『西洋節用論』（明治十九年）は「味」「雅致」のほか、「趣味」を主たる訳語に選んでいた。

龍渓の独創は、Tasteを風韻や雅致といった自国語の文脈に取りこむのでも、Tasteという言葉で旧来の感性を塗りつぶしてしまうのでもなく、これらの漢語がもともと示していた感性を分類しなおそうとした点にある。「雅ノ旨と俗ノ旨ト両種ノ「テースト」」という手紙の文言が明確に示す通り、「テースト」の語は、江戸時代の「文人墨客」

の見地――一つの文化を〈雅〉と〈俗〉に分かつ江戸期のまなざし――を相対化し、分類項のひとつへと送りこむべく用いられていた。あらためて「テースト」を論じた「何をか風韻と云ふ、日本工芸美術家の誤解」（明治二十年十二月二十一・二十二日「郵便報知新聞」）でも、龍渓は「東洋の風韻とは異性の風韻」と「日本旧来の風韻」とを双方とも取るべきであると主張している。「風韻雅致」の語は絶対に「支那風ノ淋シキ趣ニ見違ユル」誤解を与えてはならない、という書簡の注意も同じ発想に由来するわけで、龍渓は江戸以来の文人たちの好み以外のモノの見方を、日本の「美術」観につけくわえようとしているのである。

中島国彦は近世画論における「気韻」と「生動」の水脈を近代に探った論文のなかで、夏目漱石『草枕』中の画論では「気韻」「生動」の語が「「趣」「心持ち」「感じ」「ムード」などの語句によって、内容的に薄められてしまっている」こと、また江戸後期の絵師である渡辺崋山が否定したはずの「風韻」の語が、明治後期の北原白秋の時代には「「趣味」「気分」の語」と「互いに響き合いつつ、一つの感受性のあり形、ある雰囲気を形成している」ことを指摘している（中島一九九四）。「文人墨客抔ノ所謂風韻雅致」を「風韻趣致」と言いかえたという龍渓の書簡がよく示す通り、龍渓は漢文脈にしばしば用いられる「気韻」「風雅」「雅致」「雅趣」[*1]ではなく、「風韻」「趣致」「趣味」などのやや軽いことば[*2]を、あえてTasteの訳に選んだ。そこには江戸以来のモノや空間の見方を根本的に変えるというより、Tasteというより大きな「総称」のもとに近世の雅俗文芸を取りこむことで全体の布置を新しく組みかえ、観者の立脚点を変えようとする企図がこめられている。その視野には雅俗のみならず、国外の文事も収められていた。たとえば葛飾北斎の浮世絵が群を抜いているのは、「本邦」の見地のみにとらわれない修業があったからではないかと龍渓はいう。

他の群画工は其手本を本邦にのみ求め居る間に在りて北斎のみ独り進て手本を外国にまで求め其眼底には日本

在来の粉本のみならす更ニ新しき西洋の画法までも蓄へたるか故に忽ち一箇の妙処を案出し近代の画工中にて屈指の地位を得るに至れり此等はなるへく多く則とるへき手本を見る時は非常に其力を増すへきの一証たるへき者なり

（五月三日）

北斎の名前は、前掲「日本油絵評（筆記）」でも「斯クアレカシト思フ処ニ程好ク切込デアル故如何ニモ面白イ」、まさしく「テースト」を備えた画師の代表としてあがる。もちろん粉本を西洋画に求めた「画工」は北斎のみではないが、ここでは「なるへく多く則とるへき手本を見る」ことを説いた龍渓の論旨にこそ目を向けておきたい。論説中の「西洋古今の美術世界の手本たる諸物品の写を一館に陳列」すべきだという主張にも見えるように、龍渓は「西、長崎に遊ひ多く西洋画を見」た北斎のように「眼底に其手本の数を増加」させ、世界の〈見えかた〉を増やすことを提言するのである。

画や彫刻、工芸品を一つの価値観で眺めるのではなく、対象がさまざまな「雛形模様」の混成物であると知り、それぞれを「趣味」の名のもとに「綜合」すること――こうした龍渓の「趣味」論を文章論の文脈から見るとき、それが近世後期文人の価値観を否定するものではなく、むしろ彼らのうちに育まれつつあった志向を拡大しようとする論であることが見えてくるはずである。代表作『斉武名士 経国美談』後編（明治十七年）の序文において、龍渓は明治の文章を「漢文体」「和文体」「欧文直訳体」「俗語俚言体」に分類し、今後はこの四種を「兼用」すべきだと論じた。

又欧文直訳体ハ其ノ語気時トシテ梗渋ナルカ為ニ或ハ文勢ヲ損スル事ナキニアラス然レトモ極精極微ノ状況ヲ写シ至大至細ノ形容ヲ示スニ於テハ他ノ三体ニ有セサル一種ノ妙味ヲ含蓄セリ故ニ是ノ一体ヲ時文ニ雑用スル

ハ至大ノ便宜ヲ得ル者ナリ他ノ文体ヲ専修スルノ学士ヨリ之ヲ見ハ不法放逸ノ文字タルノ謗ヲ免レサル者アルヘシト雖トモ少ク忍テ之ヲ咀嚼スルトキハ其間ニ於テ必ス一種ノ趣味アルヲ発見シ得ヘシ

（龍渓「文体論」、傍点引用者）

欧文を直訳した文章は奇怪に見えると思うけれども、ここにも「一種の趣味」はある。それを「少ク忍テ」理解すれば、これまで「雑用」してきた「漢文、和文、俗語ノ三体」に加えて「四種の器械ヲ兼用」することができるだろう――こうした言い回しは、龍渓の議論が「文人墨客」たちにこそ向けられていたことを示している。もっとも彼が想定したのは和漢俗の兼用さえも嫌悪する「他ノ文体ヲ専修スルノ学士」[*3]ではおそらくなく、江戸末期から明治初期にかけて、すでにさまざまなレベルで和漢俗の三文体を往還していた文人たちの営為だった。漢文でいえば菊池三渓の『訳準綺語』（明治四年）や『奇文観止本朝虞初新誌』（明治六年）に至る漢文説話集の流れ、浄瑠璃のサワリを訳した榧木寛則『艶華文叢』（明治十四年）、また信夫恕軒による『春色梅児誉美』への漢文評などの文事である。近世において和文と俗文のあわいを行く例としては、国学者の本居宣長『古今集遠鏡』や狂歌師でもあった石川雅望の雅文小説などがあげられるだろう。漢文学習や戯れなどの目的をもって展開したこれらの文事には、一つの文体やジャンルを別の文体の側から眺めかえようとするモチーフが共通していた。

龍渓との接点としては、『経国美談』に漢文の評を寄せた依田学海が、この流れを漢文学の側で集成した人物である。たとえば和漢の名文に漢文評を載せた『日本華文』（明治二十二年）の編者でもあった小説家の宮崎三昧は、森田思軒に序文を乞う際、これは「依田先生の国華発韞の出戻しやうな工合」の本だと説明した（早稲田大学図書館所蔵、明治二十二年〈推定〉二月七日付宮崎三昧森田思軒宛書簡〈文庫14 C0408〉）。「国華発韞」（「国民之友」十八号）は学海が『新評戯曲十種』の続編として書いた俗文学への漢文評であり、学海の営為が和文漢評における結節点として意識された例と見てよいだろう。これらの〈雅〉と〈俗〉のあいだをまたぎこえた近世文人の試みを、雅俗いずれにも力点を置かない「雑用」へと押しひろげる企図が龍渓の「趣味」にはあったのだと考えられる。

社会学者のP・ブルデューは第二次世界大戦後のフランス社会を対象として、個々の趣味（goût）における卓越性（distanction）が社会集団内の見えない弁別項となっていることを論じた（『ディスタンクシオン』）。ブルデューのいうgoûtはその後tasteとも英訳され、いわゆる文化資本の形成をめぐる論考の淵源となっているが、明治初期の「趣味」という言葉から見えてくるのは、それぞれの歴史を背負った「趣味」（taste）が優劣を定めえぬままに並びたっているさま、いわば分類の基準同士が争いあっている状況である。龍渓の手紙を受けとった森田思軒は、その二年後に次のように記していた。

今日は変革の最中にして当世に一定通常の趣味あらす随て一般の嗜好といへるものあらす故に如何に反対せる趣味も並ひ立つを得如何なる両端の見識も駢ひ行はるゝ（森田思軒「今日の文学者」明治二十二年四月「国民之友」）

こうした「趣味」の乱立状況を逆手にとるように江戸東京を描いた表現として、二葉亭四迷（ふたばていしめい）『浮雲』における上野公園の描写がある。

遠近の木間隠れに立つ山茶花の一本は枝一杯に花を持ッてはゐれど䒭々として友欲し気に見える、楓は既に紅葉したのも有りまだしないのも有る、鳥の音も時節に連れて哀れに聞える、淋敷い………ソラ風が吹通る、一重桜は戦栗をして病葉を震ひ落し、芝生の上に散布いた落葉は魂の有る如くに立上りて友葉を追つて舞ひ歩きフトまた云合せたように一斉にパラ〳〵と伏ッて仕舞ふ、満眸の秋色蕭条として却々春のきほひに似るべくも

無いがシカシさびた眺望でまた一種の趣味が有る（二葉亭四迷『浮雲』第二篇、明治二十一年）

初秋の木々と落葉を「魂の有る如くに」と擬人化した書き手は「欧文直訳体」（龍渓）のがわに立っているようでいながら、実はどの文体にも帰属していない。このことは一場の「さびた眺望」に「秋色蕭条」や「春のきほひ」などの別々の系譜に属する言葉を持ちこんだ上で「一種の趣味が有る」と評した、言葉の選択方法に見ることができるだろう。一つの風景に、春秋の争い（「春のきほひ」）の和文脈、旧幕府の遺臣として語られた栗本鋤雲（くりもとじょうん）の「門巷蕭条夜色悲」（門巷 蕭条として夜色悲し）の詩句で知られる「蕭条」の語、そして「淋敷い……ソラ風が吹通る」というツルゲーネフ『あひゞき』を思わせる欧文体を並置する——こうして「趣味」のウチとソトの相異を自覚的に取りこんだ『浮雲』の記述は、単に秋景色を揶揄まじりに語っているようでいながら、自分自身の言葉をも対象化しうる描写の立脚点を獲得していた。

龍渓が持ちこんだ「趣味」は、東京を描く言葉をこのように一度解剖し、そこでいくつもの価値基準が対立しあっていたさまを読む作業へと導いてくれる。ただし現状を「無統無制アナーキーの乱極」と評した思軒が「当世の雑然紛然たる趣味を導て之を高尚にし之を匡正」すべきことを説いていた（「今日の文学者」）ように、あるいは『浮雲』の叙述が次第に変化してゆくなりゆきが示すように、この場所に複数の認識の対立を維持していくことはおそらく難しかったのだけれども。

2 趣味の変容

龍渓が複数の「趣味」によって芸術をとらえるべきことを論じた少し後、時代の総合誌である「国民之友」には、徳富蘇峰の次のような論説が圏点・傍点つきで載っている。

蓋し今日は文学世界に於て、趣味の標準未た定まらず、著述の品位未た定まらず、文学の光輝未た赫灼たらず、（略）何となれば其他の世界には、皆不充分ながら、夫れ〳〵の秩序あれども、著述の世界に於ては、更に秩序有らざればなり

（徳富蘇峰「文学世界の現状」明治二十一年二月三日「国民之友」）

「文学上の趣味」を論じる蘇峰の言葉は、具体例として鎮西野人（藤野房次郎）の『東洋之安危』（明治二十年）や鈴木天眼『独尊子』（同）といった時論の書をあげた。蘇峰にとっても、「趣味」は「詩並ニ華文」（菊池大麓『修辞及華文』）に限られる観念ではない。むしろ「誠に一国の人心に及ぼす勢力の広大なる」ものである（「文学世界の現状」）という信念は、龍渓以上に鮮明に表明されていると言えよう。

ただし両者の相違点は、蘇峰にとっての「趣味」が「兼用」すべきいくつかの基準ではなく、いわば唯一の価値を指す言葉として用いられている点にあった。「高尚潔麗なる趣味」を当時の文学に求めた蘇峰のねらいは、これを読んで書かれた中江兆民「文学趣味論の応援」（同三月二日「国民之友」）の一節、今日の政治小説も恋愛小説も「一篇の結構は到底馬琴春水の輿台（奴隷の意）たるを免れず」と述べた箇所によく示されている。蘇峰は彼が「野鄙醜拙」であるとした過去の基準に取って替わるような「趣味の標準」をめざしているのであり、新旧入りまじった複数の「趣味」を「雑用」するという発想はここにはない。すべての人が自然に対してもつ「感銘」と「愛慕」を「趣味」と呼んだ北村透谷『エマルソン』（明治二十七年、民友社）もまた、エマーソンの「隠栖」を描く際には「彼の隠栖は、その学理が表はす如く、東洋流の隠栖とは相隔つる事甚だ遠しと謂つべし」と「東洋」との相違を強調していた。

蘇峰や透谷にそれぞれ形をかえて流れこんでいる〈唯一の趣味〉への信頼と、龍渓の説いた〈複数の趣味〉とが

交差するところに、たとえば武蔵野を描いた国木田独歩『武蔵野』（明治三十四年、民友社）の表現が生まれる。

> また多摩川はどうしても武蔵野の範囲に入れなければならぬ。六つ玉川などと我々の先祖が名づけたことが有るが武蔵の多摩川の様な川が、外にどこにあるか。其川が平な田と低い林とに連接する処の趣味は、恰も首府が郊外と連接する処の趣味と共に無限の意義がある。
> （独歩『武蔵野』七）

『武蔵野』において「国民之友」の連載を読んだ「朋友」の手紙が紹介される箇所であり、「趣味」の語はこの手紙の部分にのみあらわれる。「自然の静粛を感じ、永遠の呼吸身に迫るを覚ゆる」（三）ともあるように、『武蔵野』の書き手には、ロマン派詩人の自然観への景仰がある。しかし書き手は一方で武蔵野についてのもう一つの「趣味」を語る言葉を紹介してもいるので、最終章「九」では「朋友」の論に導かれるように、ロマン派が描いた場所とは少し異なる「首府が郊外と連接する処」の描写を試みていた。

普遍なる「自然」への渇仰と、「実に武蔵野に斯る特殊の」感覚を説く友とのあいだにあるわずかなズレ——実は書き手は名高い雑木林の自然描写を行う際にもツルゲーネフ『あひゞき』や自身の日記などを引用して独自の世界を織り上げ、「雑木林」の空間を複層的に描いている（滝藤一九八六、中島一九九四、亀井二〇〇〇）のだが、この作品のもう一つの見どころは、「田園詩の一節のやう」（八）な場所から都鄙の境界（九）へとわずかに乗り出し、ほとんど中断に近い形で一篇を終えた構成にある。『武蔵野』は、「社会といふもの、縮図でも見るやう」（九）な場所の「趣味」に「永遠」はあるのか、という問いを言わば宙づりにしたままなのであり。独歩が蘇峰と龍渓の双方に深くかかわったという事実（新保一九九六、黒岩二〇〇七、曲二〇一二、木村二〇一五）をまたずとも、『武蔵野』が〈唯一の趣味〉と〈複数の趣味〉との違和を生きるテクストであることは見てとれるだろう。

『鶉籠』（明治四十年）の序において「只文章は趣味を生命とす」と断言し「『鶉籠』は天下青年の趣味をして一厘だに堕落せしむるの虞なき作品」であると述べた夏目漱石もまた、かつて東西の「趣味」の違いにおののき、「趣味と云ふ者は一部分は普遍的であるにもせよ、全体から云ふと、地方的なものである」（『文学評論』）と書いた人でもある（福井一九九四）。「写生といふ事は天然を写すのであるから、天然の趣味が変化して居るだけそれだけ、写生文写生画の趣味も変化し得る」（『病床六尺』明治三十五年）と述べ、「理想」など排除してしまったほうがヴァリエイションゆたかな「趣味」を現出できる、と説いた正岡子規の写生論（伊沢一九六六）は「趣味」に関する一方の極をなす議論であり、その対抗物はおそらく、三木露風『夏姫』（明治三十八年）の序に入沢涼月がいう「すべて文学に於ける、芸術に於けるその趣味はより多く理解すれば、解する程より多くのテーストを解するもの也」という発想だった。明治三十年代における「趣味」をめぐる議論は、個々の「趣味」がそれぞれにたしからしく提示する唯一の「理想」と、描くべき空間に複数の「趣味」がひしめいているという実感とのあいだで揺れうごいている。

＊

それぞれの「趣味」の背後にある価値の体系をどのようにたたかわせ、どのように選ぶか。明治初中期の日本にたしかに存在したこの問題は、しかし「趣味」という言葉が本格的に流行した明治末期になると見えにくくなってしまう。先述した二葉亭四迷が「趣味」の語をふたたび用いた『其面影』（明治四十年）の一節、主人公の小野哲也と妻の妹である小夜子が夕食をともにし、本郷の壱岐坂を下りてゆく箇所を見ることにしよう。

> 髭の生えた眼鏡の男が、小机を引担いで、片手に洋灯を持つたのに引添うて、矢絣の羽織に千代田草履を穿いた女学生風の女が、風呂敷包を重さうに両手に提げて行くといふ、一寸大津絵か何かに有りさうな図で、余り見とも好くもなかつたが、しかし二人して所帯道具を買つて帰るといふ其処に、所帯道具だけに、非常にソノ

趣味があるのであつた。

（『其面影』四十九）

書き手は所帯道具を抱えた二人の姿を「大津絵」（諷刺画、というほどの意）になぞらえた上で、逆接を用いて「趣味がある」と評している。しかしここにあらわれているのは二つの〈見えかた〉の対比というよりむしろ、小机やランプに「家庭の趣味」（大森万次郎『家庭の趣味』明治四十二年、博文館、天野誠斎『家庭の趣味と実益』明治四十一年、求光閣）らしきものを指摘しようとしながら、「其処に、所帯道具だけに、非常にソノ」と言いよどんでしまう書き手の身ぶりであろう。右の一節に先立って「考へて見ると、権利は主張するよりも、寧ろ放棄した方が趣味がある」・「考へて見ると、主張は採用せられるよりも、寧ろ排斥せられた方が趣味がある」と「趣味がある」を繰りかえす『其面影』の書き手（あるいは、視点人物の哲也）は、自分でもはっきりとは定めえぬ「趣味」に振り回されるかのように、言葉を紡ぐのである。

「趣味」の語が判断基準の不確かさをかえって印象づけてしまう『其面影』の言葉づかいは、教師と義妹という二人の関係の語りがたさのみならず、「趣味」という言葉が変わりつつある時代状況をも浮き彫りにするものでもある。たとえば明治三十九年創刊の雑誌「趣味」の巻頭において、坪内逍遙（つぼうちしょうよう）は次のように述べている。

カーライルの語に「真正にして高大なるものを感知するをテーストといふ。その何処にて、如何なる形にて現る丶も問ふ所にあらず、苟も美なるもの、秩序あるもの、善なるものを感知し愛敬する心の作用をテーストといふ」とある。このテーストといふ言葉を趣味性とも訳し嗜好又は風尚とも訳し鑑賞力又は賞翫性とも訳するのです。

（坪内逍遙「趣味」、明治三十九年六月「趣味」）

右の文を逍遙が『文芸瑣談』に収録した際の文章には異同があり、特に「趣味性とも」以下の箇所は「嗜好又は風尚と訳し、趣味とも訳し、鑑賞力又は趣味性とも訳する」と修訂された。「趣味にも雅俗の別があり、濃淡の別がある」と述べる逍遙の言葉は一見すると明治二十年前後の龍渓や蘇峰の議論が再来したかのようで、西洋の「七くどいセンジュアリズムやヺラブチュアスネスは我が国の趣味史には見え」ず「日本の所謂雅致、風流、清淡、瀟洒などいふ味ひは多分西洋の趣味史にはあるまい」と論じる一節は、「郵便報知新聞」の注意書にたいする穏当な解説とさえ見うるものだ。

しかし日本と西洋における「趣味」の違いについて「我れに一長、彼れに一短で互ひに融通すべきことが多い」とつづく逍遙の議論は、龍渓の「新古を折衷し一種の趣を生するは往々之れ有ること」だから「取合ひ好き工夫を出たすの大なる便利あり」（五月三日「郵便報知新聞」）という論と似ているようでいて、その「折衷」のありようはまるで違っている。龍渓の「趣味」が強い潜勢力を保つ古い価値観と新しい西洋の価値観との拮抗を前提とした「拘括」をめざしていたのに対し、日本の演芸はいつか西洋化を免れないだろうと述べる逍遙は、すでに「兼用」の可能性を信じていない。一方、かつて「taste 進みて才進まざる　悲しきかな」と日記に taste への複雑な思いを書きつけたこともある（加藤、大村一九七二）逍遙は、蘇峰や透谷のいうような「高尚潔麗なる趣味」の普遍性からももちろん醒めている。逍遙のいう「趣味」とは「真正にして高大なるもの」をそれぞれに「感知」することであって、一国における個々の「趣味」を保存し向上するという宏大な計画は、「趣味」という言葉が持つ攻撃的な意味あいを中和することで成り立っているのである。

神野由紀は明治四十年前後における百貨店を精細に調査し、「趣味」の流行を、消費社会が知識人たちの Taste を大衆化する過程として分析している（神野一九九四、二〇一五）。ここでは、百貨店が「趣味」を創出してゆく際の Taste の細分化とも呼ぶべき現象が、すでに知識人のあいだに生じていたものでもあったことを指摘しておきたい。

「此の趣味と云ふ言葉は英語のテーストと云ふ字の訳になつて居るが、或は最少し漠然とした調子と云ふやうな意味にも用ゐられて居る」（「趣味と道徳と社会」明治四十二年二月）という上田敏の指摘は、さすがに時代の語誌を巧みにとらえていた。「趣味」が「調子」に成りさがり、ほかの「趣味」との競合という側面を消されるとき、持ちこまれるのは時代のシンボルたる人格主義である。「趣味は各人によつて異なつて居るから、従て個人的の色を帯び、人格と密接な関係を持つて来る」（西本翠蔭「趣味教育」明治三十九年八月「趣味」）――あるいは「人格」という概念は、個人の内なるいくつかの「調子」＝趣味を調停するためにこそ、設定されたフィクションなのかもしれない。「高尚なる意味の趣味」をもつ人は「同情が深い」ので、「自分の理解しない趣味を一概に排斥して了ふやうなことはない」（上田敏）。マッチや絵葉書などの蒐集を識者に語らせる「趣味のいろ〳〵」欄の執筆者たちはやがて奇妙で面白い文化の水脈を形づくってゆくことになる（山口二〇〇二）が、はじめから議論の可能性を排除して設けられたこの雑誌には、いくつもの「趣味」が反発しあう斥力を手掛かりとして文化を眺める視線は少なくともなかった。

かつて新旧さまざまの視線が切り結ぶ場として日本をとらえていたはずの「趣味」という言葉は、こうして一つの文化のなかにほどよく共存するモードの呼称としてはびこり、文化の見えにくさを象徴する言葉になる。龍渓その人でさえ、「君達ア、英文学や漢文学だから、さう云ふ趣味もあらうノウ、僕なんどは、物理だから、自らテーストが違ふよ」（『不必要』明治四十年）といった言葉を登場人物に言わせていた。抗争する「キユリヲシチー」の包摂を「テースト」が試み、やがて個々の「キユリヲシチー」の不干渉状態が訪れる――「趣味」の語には、江戸東京のうちに〈多なるもの〉を見いだそうとした視線と〈一なるもの〉を求める視線との交錯がありありと刻印されている。「わたくしは此に一のキユリオジテエとして其役割を抄する」（大正五～六年『伊澤蘭軒』その二百七十二）と書く森鷗外のように、「真正にして高大なるもの」（カーライル）とは無関係な「キユリヲシチー」が新たな視界を開くようになるのは、もう少し先のことである。

注

1　梅の実を詠んだ小淞釣徒の漢詩「楳子」への菊池三渓評に「比喩的確。不レ失二風人雅趣一」とある（明治十二年七月九日「京華新誌」）ように、雅俗混淆にあっても俗を描いて雅を失わないさまを指すのが「雅趣」である。龍渓も『経国美談』の時点では、「雅趣風致」をTasteの意味で用いている（前篇第三回）。

2　漢文脈における「趣味」の例は、『経国美談』後編第五回への依田学海評「甚麼趣味を没す」、あるいは学海の翻訳戯曲『当世二人女婿』（明治二十年）への耕雨小史の評語「此段ノ文字甚麼趣味を没す」（巻下）など、近世のいわゆる「趣向」と隣接しつつ、「面白み」に近い。

3　平山政涜『作文須知』（明治十二年）への片山精堂の序は、近年の「雅俗往復文」などの文例集に誤用が多く、「雅をもって俗に硬入し、措辞晦渋にして、和に非ず漢に非ず、一種名状すべからざるの文を成」（原漢文）すことを述べる。

参考文献

・青山英正「古典知としての近世観相学　この不思議なる身体の解釈学」「アジア遊学」（勉誠出版、二〇一二年）
・岩波書店文学編集部編『明治文学の雅と俗』（岩波書店、二〇〇一年）
・伊沢元美「子規における「趣味」の概念」『俳句』（一九六六年三月）
・加藤長治筆写、大村弘毅校注「逍遥日記　明治二十一年の巻―大造の事―」『坪内逍遙研究資料』第二集（一九七一年三月）
・亀井秀雄「郊外の物語」『明治文学史』所収（岩波書店、二〇〇〇年）
・木村洋『文学熱の時代―慷慨から煩悶へ―』（名古屋大学出版会、二〇一五年）
・曲莉「独歩「田家文学とは何ぞ」に対する一考察―蘇峰文学論の受容を視座に」『東京大学国文学論集』（二〇一二年三月）
・黒岩比佐子『編集者国木田独歩の時代』（角川書店、二〇〇七年）
・神野由紀『趣味の誕生　百貨店がつくったテイスト』（勁草書房、一九九四年）
・神野由紀『百貨店で〈趣味〉を買う 大衆消費文化の近代』（吉川弘文館、二〇一五年）

・新保邦寛『独歩と藤村―明治三十年代文学のコスモロジー』(有精堂、一九九六年)
・滝藤満義『国木田独歩論』(塙書房、一九八六年)
・富塚昌輝「顔と小説―坪内逍遙『一読三嘆当世書生気質』論―」『近代小説という問い　日本近代文学の成立期をめぐって』所収(翰林書房、二〇一五年)
・中島国彦「「気韻生動」の命脈―崋山・江漢と近代の文学者たち」『近代文学にみる感受性』第Ⅰ部(筑摩書房、一九九四年)
・福井慎二「漱石『文学論』への私註―〈趣味〉の分類学」『国文論叢』(一九九四年三月)
・山口昌男『内田魯庵山脈』(晶文社、二〇〇一年)
・Joan Wilson"A Phenomenon of Taste : the Chinaware of Queen Mary II."Apollo 126 (August 1972).

Check! そこにどんな〈江戸〉像があらわれたのか?

矢野龍渓は新聞社説などで「趣味」(Taste)という言葉を繰りかえし使い、江戸東京の美術や空間、物語についての江戸文人たちの評価方法にあたらしい基準を加えようとした。モノや空間を多角的に眺める「趣味」という概念は、江戸の見方と近代の見方、あるいは近代東京における複数の価値基準の、はげしい葛藤を生むことになる。こうした葛藤が安定しはじめてしまった明治四十年前後には、「趣味」という言葉に別の意味と役割を与える「江戸趣味」の文学があらわれることになった。

趣味を持ちにくい町

●多田蔵人

「趣味」という言葉が流行するとともに、かつての闘争的な響きを失ってしまっていた明治四十年代の東京では、この言葉をめぐってどんな視線が交わされていたのだろうか。まず、この言葉に敏感に反応していた歌人、石川啄木の言葉を聞いてみることにしよう。

人の素養と趣味とは人によつて違ふ。或る内容を表出せんとするに当つて、文語によると口語によるとは詩人の自由である。詩人は唯自己の最も便利とする言葉によつて歌ふべきである、といふ議論があつた。一応尤もな議論である。然し我々が「淋しい」と感ずる時に、「あゝ淋しい」と感ずるであろうか、将又「あな淋し」と感ずるであろうか。「あゝ淋しい」と感じたことを「あな淋し」と言はねば満足されぬ心には徹底と統一が欠けてゐる。大きく言へば、判断＝実行＝責任といふ其責任を回避する心から判断を胡麻化して置く状態である。趣味といふ語は、全人格の感情的傾向といふ意味でなければならぬのだが、往々にして、その判断を胡麻化した状態の事のやうに用ひられてゐる。さういふ趣味ならば、少くとも私にとつては極力排斥すべき趣味である。

（石川啄木「食ふべき詩」五、明治四十二年〈一九〇九〉十一月三十日～十二月七日「東京毎日新聞」）

啄木は短歌の口語表現に触れながら、「趣味」が一つの領域で自足する「胡麻化し」であってはならず、ほかの「趣味」を排斥しさえするような「徹底と統一」をもつ営為であるべきだと、強い口調で述べている。「食ふべき詩」の提言は、「趣味」にほかの「趣味」との競合というニュアンスをふたたび与え、口語短歌を通じてほかの「趣味」とは違う世界を切り拓くものでありえたかもしれない（河野二〇一八）。

しかし彼の議論は、その「人格」にもとづいた新しい議論は気づまりではありませんか、やいのやいのと人に「趣味」を説く言葉よりも野の花の姿や触感のほうがずっと美しいのです、といった言葉の前で、行きどころをなくしてしまうだろう。雑誌「明星」の与謝野晶子は、口語短歌を否定した。

わすれがたきとのみに趣味をみとめませ説かじ紫
その秋の花
消えて凝りて石と成らむの白桔梗秋の野生の趣味
さて問ふな

（与謝野晶子『みだれ髪』明治三十四年、新詩社）

「趣味」にやや似た言葉として、たとえば当時、「情調」という新しい言葉も流行した。「異国情調」「江戸情調」のように用いるこの言葉は、心理学や新ウィーン派の哲学におけるドイツ語Stimmung（英語ではmood）の訳であり、用例を詳細に追尋した権藤愛順と馬場美佳によれば、言語以前の無意識を主客融合によって提示し（権藤）、あるいは観念の複雑さを意志ならざる象徴のレベルで表現したものであるという（馬場）。「情調の生活は往々にして思想と人格とを拒むの生活となる」（大正三年〈一九一四〉、阿部次郎『三太郎の日記　第一』三―3、明治四十四年十二月三十日分）とも言われるように、人格や修養の概念からのがれる作用を期待しうるこの言葉には、しかし思わぬ方向から横槍が入る。

情調のある文芸といふものが例で示してあつたが、それが一々木村の感服してゐるものでもなかつた。中には木村が、立派な作者があんな物を書かなければ好いにと思つたものなんぞが挙げてあつた。／一体書いてある事が、木村には善くは分からない。シチユアシヨンの上に成り立つ情調なんぞと云ふ詞を読んでも、何物をもはつきり考へることが出来ない。

（森鷗外『あそび』明治四十三年八月「三田文学」）

鷗外はたとえば『雁』（明治四十四～大正二年）において、「岡田が古本屋を覗くのは、今の詞で云へば、文学趣味があるからであつた」というように「今の詞」

に巧みにしたがってみせている。『雁』は明治十年代の本郷界隈をもっとも細密に描いた文章の一つだが、この小説が問うているのは言葉や記憶をパッチワークのようにつなぎあわせながら過去を書く、現在の書き手の位置である。その際、Stimmungを「興会」と訳してもいた鷗外（口述「浦島の初度の興行に就て」明治三十六年二月「歌舞伎」）は、意識以前ではなく意識の領域において、過去の東京を描くことにこだわったのだと言えよう。

「趣味」が現在を眺めかえる可能性は失われ、かわりになるはずの「情調」は、「何物をもはつきり考へることが出来」ない言葉を使うなという冷たい視線を浴びる――こうした状況のなかで、ひときわ深く「趣味」に身を浸していた人物がいる。次に引くのは、「江戸趣味の第一人者」と呼ばれる永井荷風（ながいかふう）の小説『深川の唄』。書き手である「自分」が深川で三味線弾きを眺め、その生涯を思いやる場面である。

> 江戸伝来の趣味性は、九州の足軽風情が経営した俗悪蕪雑な「明治」と一致する事が出来ず、家産を失ふと共に盲目になつた。そして、栄華の昔には洒落半分の理想であつた芸に身を助けられる哀れな境遇に堕ちたのであらう。その昔、芝居茶屋の混雑、お浚いの座敷の緋毛氈、祭礼の万灯花笠に酔つた其の眼は、永久に光を失つたばかりに、浅間しい電車の電線、薄ッぺらな西洋づくりを打仰ぐ不幸を知らない、よし又、知つたと云つても、かう云ふ江戸人は、吾等近代の人の如く熱烈な嫌悪憤怒を感じまい。我れながら解されぬ煩悶に苦しむやうな執着を持つていない。
>
> （荷風『深川の唄』明治四十二年二月「趣味」）

まずは「江戸伝来の趣味性」という言葉で描かれる細部の、いかがわしく暗いトーンに注目しよう。「芝居茶屋の混雑、お浚いの座敷の緋毛氈、祭礼の万灯花笠」といった道具立ては、徳富蘇峰（とくとみそほう）はもちろん、矢野（やの）龍渓（りゅうけい）でさえ「趣味」と認めるかどうか心もとないものだ。さらに書き手は「哀れな境遇に堕ち」た三味線弾きの身の上を、あたかも悲惨小説や暗黒小説（明治二十年代末から三十年代に多く書かれた、貧困層の物語）さながらの物語で塗り固めてゆくのである。この人格主義の論理からはほど遠い思想を「趣味」の内実とした荷風の方法は当時注目を浴び、たとえば「音曲や落語に非常な趣味を持つて居」た谷崎潤一郎『幇間』（明治四十四年九月『スバル』）の三平や、浅草で「全然旧套を擺脱した、物好きな、アーティフィシヤルな mode of life を見出」そうと奇妙な暮らしを送る『秘密』（明治四十四年十一月『中央公論』）の書き手をはじめとして、多くの追随者を生んだ。

　三味線弾きの歌の描写は、ラフカディオ・ハーン『ひまわり』（1904, 原題 Hi-mawari）の書き手が流浪のハープ弾きにおぼえる感興に、非常によく似ている。その意味では『深川の唄』を、「西洋」のがわに立って日本を描いた作品とみることもできるだろう。ただし『深川の唄』における「趣味」の役割については、書き手が「江戸人」に憧れながらも「近代の人」としての自覚をも抱えこんだ、いわば江戸と近代のあいだで引き裂かれる存在であるという構造をこそ見るべきだろう。洋行以前に深川で「あらゆる自分の趣味、恍惚、悲しみ、悦びの感激を満足」させていたという「自分」は、西洋からの帰朝者となった現在、「江戸趣味の恍惚」に身を浸しうる境遇にはもはやない。一方で帰り道に「あの夕日の沈むところは、早稲田の森であらうか。本郷の岡であらうか」とひとりごち「東洋のカルチヱーラタン」からの距離をたしかめる書き手は、「吾等近代の人」とはいいながらも、近代の「嫌悪憤怒」や「煩悶」とはわずかにズレる地点に立っているのである。

　『深川の唄』はこうした視線の構成によって、江戸東京における「趣味」の不在を浮き彫りにする小説だったと言っていい。三味線弾きが「哀れな境遇に堕ち」てゆく経緯はあくまで書き手の想像によるものであり、したがって「江戸人」と「近代の人」を対比するまなざしには、はじめから矛盾がしかけられていた。たしかに「江戸伝来の趣味性」という言葉づかいはほかの「趣味」と混ざりあわぬ反発力を「趣味」に与えるもので、その暗さは「趣味」をより高位の概念のうちに調停する力をしりぞけるものでもある。しかし書き手の熱烈な視線は同時に、「趣味」に身をゆだねて物を見ることのむなしさに触れてしまっていた。「自分」の言葉のあやうさを描く『深川の唄』の方法には、「趣味の遺伝」という証明不能のあやしい理論と日露戦の記憶をこもごもに語る夏目漱石『趣味の遺伝』（明治三十九年一月「帝国文学」）などとともに、「趣味」をめぐる言葉の閉塞状況を切りぬけてゆく可能性が示されていたといえる（神田二〇〇七）。

「趣味」への熱烈な言葉を通じて、実は空間を見ている者がどの「趣味」にもうまく身を落ち着けられずにいるさまを描くこと。このように東京の居ごこちの悪さを書いた荷風はしかし、自ら設定した「趣味」の快楽に、やがて絡めとられることになる。すでに『深川の唄』を単行本『歓楽』（明治四十二年）に収録する際、荷風は過去の深川の描写を「河を渡て行く彼の場末の一画」という記述から「河を越して行く彼の場末の一画」へとあらため、江戸趣味と現在の距離をわずかに縮めていた。おそらく荷風や啄木の足取りをもう一度一字ずつ確認してみる作業は、江戸東京という日本でもっとも大きな地方が書く者に強いた、見えない言葉の機制を明らかにするはずである。

参考文献

・神田祥子「趣味は遺伝するか—夏目漱石『趣味の遺伝』論」（『日本近代文学』七十六集、二〇〇七年五月）
・河野有時『啄木短歌論』（二〇一八年、笠間書院）
・権藤愛順「明治期における感情移入美学の受容と展開—「新自然主義」から象徴主義まで」（『日本研究』四十三号、二〇一一年三月）
・権藤愛順「木下杢太郎「硝子問屋」の情調表現：—主客融合と無意識—」（『日本近代文学』九十四集、二〇一三年五月）
・馬場美佳「「情調」の生理的心理学と明治四〇年代文学における創作／批評」（『北九州市立大学文学部紀要』八十三号、二〇一四年）

Chapter11

江戸漢詩の名所詠と永井荷風

●合山林太郎

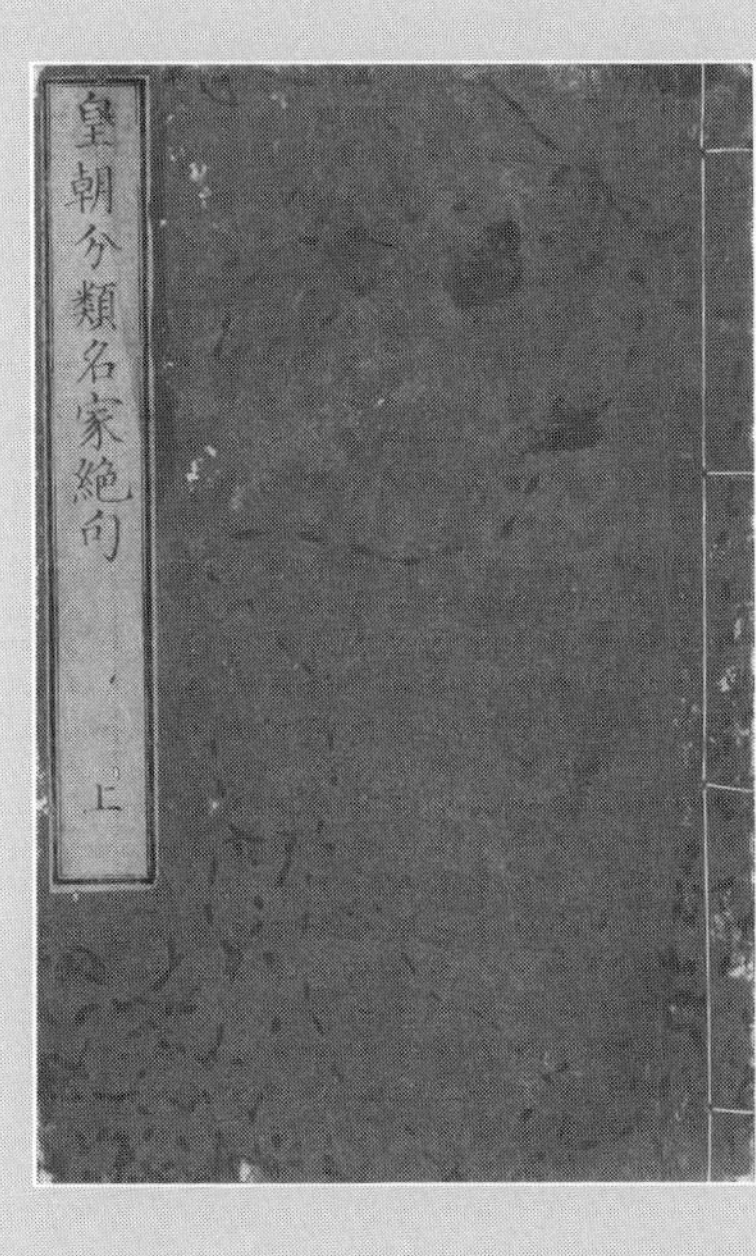
皇朝分類名家絶句　上

霞關朝霞 江戸四時詩十二首之一　雲濤

風峭官溝尚結氷。天鷄三唱日方昇。侯門官舍瑞霞滿。紅抹城樓第幾層。

東叡山觀花　詩佛

夢中昨夜謁靈皇。玉殿瓊樓月似霜。今日來登吉祥閣。花明三十六僧房。

東台看花雜詠　枕山

家僮昨賽大師回。爲報千花一雨催。明曉先生須早探。未開之際艶於開。

早起攀林帶睡思。曉蒼蒼處歩遲遲。小齋櫻下先明眼。

『皇朝分類名家絶句』（明治三年〈一八七〇〉刊）。石川省斎（近代小説家の石川淳の祖父）によって編纂された漢詩詞華集。五巻三冊。大沼枕山校閲・序。江戸時代後期の詩人の作を、テーマごとに分類・収録しており、とくに「名勝」の部に、江戸の名所を詠った漢詩が多数掲出されている。永井荷風が「下谷のはなし」で引用した大沼枕山の「東都看花雑詠」もその一つである（十一首のうち六首を抄録）。近世の漢詩が人々に親しまれたのは、こうした詞華集の流布による部分が大きい。　（個人蔵）

1 はじめに

江戸や東京の姿は刻々と変化し、一度消えた街並みや自然環境、人びとの風習などは、二度と目にすることができない。こうした昔日の面影をたどる際に、一つの重要な手がかりとなるのが、都市を描いた文学である。

都市をめぐる文学といっても、随筆や紀行、あるいは和歌や俳諧など、さまざまなジャンルのものが備わるが、漢詩は、ほかの形式のものに比較して、その場所をめぐる景観や情緒などを印象的に描き出しているものが多い。とくに七言絶句は、漢字二十八字分という、多すぎず少なすぎない量の情報を詩に盛ることができ、風景をスナップショットのように切り取ることができる。

本章では、近世期に作られた代表的な江戸の名所詠を紹介しつつ、近代の文学者永井荷風（一八七九〜一九五九）が、こうした漢詩をどのように自らの作品に取り入れたかを明らかにする。よく知られるとおり、荷風は、漢詩人であった父永井久一郎（号・禾原）の影響もあり、漢詩文への造詣が深く、詩を含め、江戸・明治の漢文文献を縦横に作中に引用している。

2 江戸の名所詠（一）――服部南郭の隅田川の詩

まず、江戸の名勝とかかわりの深い詩人を何人か挙げよう。江戸中期の漢詩人服部南郭（一六八三〜一七五九）は、隅田川をはじめ、江戸の名所を数多く詩に詠ったことで知られている。もっとも人口に膾炙したものは、次に見る「夜下墨水（夜、墨水を下る）」（『南郭先生文集初編』巻五）である[*2]。

金龍山畔江月浮、江揺月湧金龍流。扁舟不住天如水、両岸秋風下二州。
（金龍山畔　江月浮かぶ、江揺らぎ　月湧いて　金龍流る。扁舟住まらず　天　水の如し、両岸の秋風　二州を下る。）

題中の「墨水」とは隅田川の雅称であり、詩は、夜の舟から見える川の情景を取り上げている。具体的には、金龍山、すなわち、待乳山のかたわらを、隅田川が月の光を反射しながら流れるさまは、まるで黄金の龍が躍るようであると詠い、その後、一艘の舟は、空と水のあわいを秋風に吹かれながら下ってゆくのであると述べている。「金龍」という言葉を二度使っているのは、一つの技巧である。詩には、隅田川の川面が月明かりによってキラキラと光り輝くさまや、秋の夜の澄みわたった空気が鮮明に描き出されている。

この詩は、隅田川についての名吟として、多くの漢学者たちから支持を得た。たとえば、原得斎『先哲像伝』儒林伝（平野金華の項、弘化元年〈一八四四〉刊）には、南郭の師である荻生徂徠（一六六六～一七二八）は、この詩と、平野金華「早発深川（早に深川を発す）」及び高野蘭亭「月夜三叉口汎舟（月夜、三叉口にて舟を汎ぶ）」を自身の壁にかけ、愛唱したと記されている。また、頼杏坪（一七五六～一八三四）は「金龍山畔江月浮、金龍依旧湧江流。百年無復南翁句、惆悵西風両岸秋（金龍山畔　江月浮かぶ、金龍　旧に依りて　江に湧きて流る。百年　復た南翁の句無し、惆悵す　西風　両岸の秋）」（「江都客裏雑詩」第七首転結句、『文政十七家絶句』巻上）[*1]と詠い、この詩を百年の絶唱であると述べている。

もっとも、南郭の詩は議論も呼んだ。まず、しばしば指摘されるように、近体詩として見た場合、この詩には平仄の点で難がある。これに加えて、問題視されたのは、結句中の「二州を下る」という表現である。この句については、隅田川西岸が武蔵国、東岸が下総国であることを指して、「二州」と詠ったと解されているが、やや明瞭さを欠き、また殊更に奇を衒ったようにも見え、俗に過ぎるなどの意見が提出されている。たとえば、頼山陽（一七八一

〜一八二三）は、「一生不解南翁好。両岸秋風下二州（一生　解せず　南翁の好きを、両岸の秋風　二州を下るとは）」（「論詩絶句二十七首」第九首、『山陽遺稿』巻二）と述べ、否定的な評価を与えているが、この点などを問題としたのであろう。明治中期の漢詩人森槐南（一八六三〜一九一一）は、この詩に対する詩人たちの評価のあり方をまとめているが（「徳川時代の詩学」『国民之友』一五九号、明治二十五年〈一八九二〉七月）、槐南の父である森春濤は、山陽と同様、この詩には瑕瑾があると考えていたと言う。一方、幕末の儒者大槻磐渓（一八〇一〜一八七八）は、「二州」は、隅田川の両岸ではなく、「二州橋」すなわち両国橋の一帯を指しているので、南郭の詩の意味するところは明瞭であると述べたとされる。古来、名作とされる詩には、表現などに議論を呼ぶものも多いが（たとえば、唐・張継の「楓橋夜泊」など）、この詩も同様のパターンに属するといえるかもしれない。

このほかにも、南郭は、隅田川についていくつか詩を作っている。『南郭先生文集初編』巻五に収録される「永代橋望海二首（永代橋より海を望む、二首）」第一首はその一つであり、隅田川の河口にある永代橋から、房総のほうを眺めた際のひろびろとした海の様子を描いている。

図１『東京名勝図会』巻上（『近代日本地誌叢書』龍溪書舎、1992 年）

東望天辺海気高、三叉口上接滔滔。布帆一片懸秋色、欲破長風万里濤。

（東に天辺を望めば　海気　高し、三叉口上　滔滔たるに接す。
布帆　一片　秋色に懸かり、長風万里の濤を破らんと欲す。）

「三叉口」は三派、すなわち、隅田川と箱崎川が分流するあたりのこと。題で言及されている永代橋よりはやや上流に位置するが、ここでは、隅田川の河口全体のことを指すのであろう。詩は、東の空高く、海面からもやが上がり、それが三派のあたりで、ゆったりと流れる川に接していると詠い、さらに、秋の江戸湾を、一片の帆が大風に乗じて、はるか彼方へと進んでいこうとしていると述べている。

この詩は、先に見た「夜下墨水」ほど知られていないかもしれないが、いくつかの地誌において、挿絵とともに掲出されている。『江戸名所図会』巻一（天保五〜七年〈一八三四〜六〉刊）のほか、岡部啓五郎『東京名勝図会』（丸家善七、明治十年刊）巻上にも載っている【図1】。[*2] 永代橋は、明治七年に橋脚が増強されるなど、南郭が生きた江戸中期とは異なる姿になっていた。また、海には帆かけ舟だけではなく、蒸気船も往来している。しかし、南郭の詩は、なお、この場所の情緒を表すものとみなされ、人びとから親しまれたのである。

3　江戸の名所詠（二）――大沼枕山の上野を詠った詩

幕末から明治初期にかけて活躍した大沼枕山（一八一八〜一八九一）も多くの名勝詩を残している。枕山は中年以降、居を下谷三枚橋に構え、隣接する上野に対しては並々ならぬ愛着を抱いていた。詩においても細やかな観察が認められる。一例として、嘉永七年（一八五四）に作られた「東台看花雑詠」第三首（『枕山詩鈔二編』巻中）を掲げる。

家僮昨賽大師回、為報千花一雨催。明暁先生須早探、未開之際艶於開。

（家僮　昨ごろ　大師に賽して回り、為に報ず　千花　一雨　催さんと。明暁　先生　須く早探すべし、未だ開かざるの際は　開きたるより艶なり。）

「大師」とは、「両大師」などと呼ばれる寛永寺の開山堂を言う。詩の前半では、昨日、上野にお参りにいって帰ってきた家の下男が、ひと雨ふりそうだと教えてくれたと詠っている。後半は、枕山に対して発せられた下男の言葉であろうか。「まだ満開でなくとも、明日の朝早く、桜を見に行ったほうがよい、むしろ咲きそろわないときのほうが桜は美しいから」と述べたというのである。

枕山は、まだ開ききらない桜の持つさまざまな表情に関心を払っていた。この詩は、全十一首の連作詩であるが、ほかにも「春寒勒住早芳蕺、包裹胭脂映夕空。始覚生成含絶艶、花雖淡白蕾濃紅（春寒勒住す　早芳蕺、胭脂を包裹し　夕空に映ず。始めて覚ゆ　生成せるときは絶艶を含むと、花は淡白なりと雖も　蕾は濃紅なり）」（同第一首）という詩がある。まだ寒さの残るなか、ピンク色の桜のつぼみが夕空に映え、とても美しいと述べている。このように詩には、桜についての枕山独自の見解が示されているのである。

「東台看花雑詠」は枕山の持論を主張した詩であったわけであるが、その中でも、この第三首は優れた作と見なされたようであり、枕山自身が校閲した、石川省斎編『皇朝分類名家絶句』（明治三年刊）にも、また、後には清・兪樾の『東瀛詩選』（光緒九年〈一八八三〉刊）にも収録されている。

維新後になると、同じ上野を詠った詩でも、趣きが異なるものを見つけることができる。たとえば、枕山は次のような「雨中東台書感」（『枕山先生遺稿』、明治二十六年刊）という詩を作っている。

三百鴻基殆鑠磨、満山金碧亦如何。疎疎空際濺花雨、不似感時愁涙多。
（三百の鴻基は殆んど鑠磨せり、満山の金碧　亦た如何んせん。疎々たり　空際　花に濺ぐの雨、時に感じて愁涙の多きに似ず。）

起承句は、新政府軍と彰義隊との戦いで、寛永寺が焼け落ちたことを叙している。すなわち、三百年間続いてきた徳川時代の社会の基礎とでもいうべき寺の堂宇がすべて燃えて消えてしまったと述べている。転結句は、杜甫「春望」の「感時花濺涙、恨別鳥驚心（時に感じては花にも涙を濺ぎ、別れを恨んでは鳥にも心を驚かす）」という詩句を踏まえての表現である。枕山は、桜の花にはパラパラと雨が降りかかるが、自身の涙はそれと異なり、世の転変のために、とめどもなくあふれてくると詠っている。

枕山の徳川時代への愛惜の念と、昔日の上野の面影が失われたことへの悲しみを印象的に述べたこの詩は、前田愛「枕山と春濤―明治初年の漢詩壇―」（『幕末・維新期の文学』法政大学出版局、一九七二年、初出一九六八年）に取り上げられてから広く知られるようになった。

4　荷風の随筆と江戸漢詩

さて、荷風は、後に『荷風随筆』（昭和八年）に収録されることになる一連の作品「葷斎漫筆」（初出、大正十四年〈一九二五〉）や、「上野」（初出、昭和二年）、「向嶋」（同）を中心に、江戸・東京の文人や土地、記憶に関する随筆を多く執筆し、その中で地誌や繁昌記などをふんだんに利用して、江戸の状況を紙上に再現しようとしている。もともと、江戸や明治の漢文学についての造詣が深かった荷風が、こうした傾向の著述を多く記したのは、関東大震災とその後の復興により、江戸以来の景観が消滅したことに起因しているのであろう。

これらの随筆の中で、漢詩は、もっぱら、江戸の景色や情緒を描き出すために参照されている。しばしば引用される箇所ではあるが、[*3] たとえば、荷風は、「葷斎漫筆」において、江戸時代後期の漢詩人館柳湾（一七六二～一八四四）の江戸の風景を詠った詩を多く挙げている。その一つは、雑司が谷の鬼子母神を詠った「雑司谷雑題」第二首（『柳湾漁唱二編』巻二）である。

鬼母堂前満路塵、幾群香火晩帰人。風車斜挿籃輿上、紅緑渾渾転彩輪。
（鬼母堂前　路に満ちる塵、幾群の香火　晩に帰るの人。風車　斜めに挿す　籃輿の上、紅緑　渾々として　彩輪を転ず。）

詩はまず、前半において、幾筋も立ちのぼる線香の煙りや、祭りから帰る人びと雑踏など、夕暮れ時のお会式の様子を描き出している。お会式とは、日蓮宗の諸寺において、祖師日蓮の忌日（十月十三日）の頃に行われる法会のことであり、鬼子母神はとくに参詣客が多かった。後半ではこうした縁日において、門前で売られている色紙で作られた風車を取り上げている。赤や緑の羽がくるくると回り、鮮やかな色模様をなしていると詠っているのである。すすきみみずく（薄で作った木菟の玩具）などともに鬼子母神の土産物であった風車は、『江戸名所図会』巻四などにもその絵が掲載されている【図2】。荷風は、この詩について、「これ四手駕籠の上にお会式の風車をさして、参詣の人々の帰り行くさまを詠じたるもの。江戸名所の絵本をひらき見るの思あり」と記し、その描写の精細さを高く評価した。

図２『江戸名所図会』巻四　矢印部分（『日本古典籍データセット』国文学研究資料館等所蔵）

　また、「初冬即事」第二首（同）では、のどかな目白での田園生活の様子が描かれている。

菘畝葱畦新有霜、樹頭柚子弄金黄。郁厨誰道乏時味、老婦朝供香豉湯。
（菘畝　葱畦　新たに霜有り、樹頭の柚子　金黄を弄す。郁厨　誰か道はん　時味に乏しと、老婦　朝に供す　香豉湯。）

詩は、「唐菜(とうな)やネギの畑に新たに霜が降り、柚子の枝には黄金の実がなっている。田園の中にある家の厨房が、季節ごとの味に乏しいと言う必要はない。老妻が朝につくってくれる柚子入りの味噌汁のおいしいこと」といった意味であろう。

荷風は、これらの詩について、フランシス・ジャム（Francis Jammes）の「田園の諸作」やポール・フォール（Paul Fort）の「巴里近郊の景物を詠じたる諸作」の情緒に通うものがあると述べている。フランス近代詩と同じ地平で評価し得ると論じているのである。

なお、「葷斎漫筆」中に引かれた柳湾の名所詠の多くは、『天保三十六家絶句』（天保九年〈一八三八〉刊）や『新選十二家絶句』（嘉永七年〈一八五四〉刊）などの、江戸後期以降に編まれた詞華集に掲載されたものである点には注意が必要である。[*4] 偶然の一致である可能性が高いが、結果として、荷風は、明治以前から人びとに親しまれた詩を、あらためて称揚したのだとも言えよう。

5 『下谷叢話』における考証と江戸漢詩

荷風には、『下谷叢話(したやそうわ)』という大部の史伝がある。この話において、荷風は、鷲津毅堂(わしづきどう)（一八二五〜一八八二）と大沼枕山という、荷風の祖先にあたる二人の漢学に携わる人物に焦点を当てて、幕末・明治期の文人の世界を描き出しているのであるが、その際、江戸期の漢詩はどう用いられているのであろうか。

結論を先に言えば、『下谷叢話』では、先に見た随筆類などと異なり、漢詩は、人物の事績を考証するための材料として取り扱われることが多いように感じられる。『下谷叢話』の成立の状況は複雑であり、まず、大正十三年に雑誌『女性』に「下谷のはなし」が連載された。これを大幅に増補修正して、大正十五年に春陽堂版『下谷叢話』が刊行され、その後、『改訂　下谷叢話』などにおいて、さらなる変更がなされた。このように改作が進むにつれて、その時々の毅堂や枕山の境遇を示すために漢詩を引用するという傾向は一層強くなる。

もっとも、江戸を詠った詩がまったく見られなかったわけではない。たとえば、「下谷のはなし」中の、嘉永七年(一八五四)春における枕山の事績を述べた箇所には、多くの上野の桜についての詩が掲出されていた。[*5] 荷風は、「(枕山が)三月に至つて枕山は殆ど累日家を出で、観花の興を恣にした」(二二三)と述べ、先に見た「東台看花雑詠」(「家僮…」)を紹介している。その後、「三日独遊、仍用前韻、賦五首(三日独遊す、仍ち前韻を用い、五首を賦す)」(『枕山詩鈔二編』巻中)の第四首を引用している。

朝看又暮看、看看看不足。自阜而入林、吟心隴望蜀。愛桜愛小桜、吾取我所欲。
(朝に看て　又た暮に看る、看て看るも看たらず。阜より林に入れば、吟心　隴をえて蜀を望む。桜を愛し　小桜を愛す、
吾は我が欲する所を取る。)

詩意は次のとおりである。「上野の桜を、朝にも夕べにも見て飽きることはなく、岡から林へ向かうと、この美しさを詩によって表現したいという思いがあふれてくる。上野には大小様々な桜があるが、自分は自分の心の赴くままにそれらを愛するのだ。」第四句の「隴を得て蜀を望む」とは、一つの望みを達成した後に、さらに次を望むこと。ここでは詩作の気持ちが尽きないことを言う。枕山は、「看」や「愛」の字を繰り返し用いながら、桜への深い愛着を表現している。

荷風は、さらにここから筆を隅田川の桜に筆を及ぼし、次に引く「三月十七日夜、同楽山柳圃墨隄月下賞花(三

月十七日、楽山・柳圃とともに、墨隄にて月下に花を賞す）」第一首（『枕山詩鈔二編』巻中）を文中に掲げている。

花上灯毬列、防他暗折人。照波紅幾点、艶艶欲焼春。
（花上の灯毬の列、他の暗かに折らんとするの人を防ぐ。波を照らす　紅幾点、艶々として春を焼かんと欲す。）

詩は、隅田川の土手に、茶店が並び、その提灯の明かりが水面に映り、花盛りの河岸の風景に彩りを添える、と述べている。荷風は、「土手の茶店には夜のふくるまで挑灯のつけられた光景、今日は唯一立斎広重の錦絵に於て之を見るのみである」（第二十三）と述べ、詩に描かれた光景を『江戸名所百景』などで有名な広重の浮世絵を彷彿させると主張している。

以上の詩を、荷風は、先に見た「葦斎漫筆」と同じく、ポール・フォールの作品にたとえている。ここでは、「わたしは枕山が江戸遊楽の詩篇を読むに当つて漫にポールフォールの巴里の景物詩パリイ、サンチマンタル（筆者注―*Paris sentimental, ou le Roman de nos vingt ans*（1902））を聯想せざるを得ない」と、具体的な詩集の名を出している。その上で、彼は、「都会詩人の都会の景物に対する固有の感興と固有の修辞とは、其の時と処とを異にするに従つて一吟一誦いよ〳〵其妙なるを覚える」と肯定的に評している。幕末期から時を経た大正末年において、より一層、枕山の詩は味わい深く感じられると論じているのである。

しかし、これらの上野や隅田川の花見の詩は、春陽堂版『下谷叢話』で姿を消している。具体的に言えば、嘉永七年の条からは、上野の桜についての説明が削除され、花見についても、目立つものとしては、わずかに、文久二年（一八六二）三月十五日に隅田川に船を浮かべた逸事が記される程度である。

春陽堂版『下谷叢話』では、枕山が隅田川で舟遊びをする詩も引用されているが、[*6] それらはもっぱら、彼らが毎年同じ八月十五日に舟上に遊んだという歴史的な事実を指し示すために記述されているように感じられる。人物に焦点を合わせてゆくなかで、江戸を詠った漢詩についての記述は省かれてしまったわけであるが、「下谷のはなし」の一節からは、荷風がこうした作品群を、フランスの詩と結びつけながら、やはり高く評価していたことがうかがえるのである。

6 おわりに

本章では、江戸の漢詩における代表的な名所詠の作品を取り上げつつ、それが、後世において、どのように受容されたかについて見てきた。服部南郭や大沼枕山、館柳湾らの江戸の風景を題材とした詩は、詞華集や地誌に取り上げられ、人々に親しまれたが、とくに永井荷風は、西洋の文学などと重ねながら、自らの作品の中で、これらの詩を効果的に利用していたと言えよう。

注

1 稲毛屋山編『采風集』巻三（文化五年刊）にも「月夕泛舟墨水」の題で収録される。転句の「南翁句」が「郭翁句」となるなど、詩句に若干の異同がある。

2 近代の地誌には、このほかにも、上田維暁（文斎）『〈内国旅行〉日本名所図絵』（青木嵩山堂、明治二十三年）など、多数の名所についての漢詩を掲載した著述がある。

3 富士川英郎『江戸後期の詩人たち』（麦書房、一九六六年）など。

4 拙稿「永井荷風による館柳湾評価の背景—明治期漢詩人の江戸漢詩に対するまなざし」（『語文』百三号、二〇一四年十二月）

に記したとおり、「初冬即事」第二首及び「雑司谷雑題」第二首が『天保三十六家絶句』に、「雑司谷雑題」第二首、第三首が『新選十二家絶句』に収録されている。

5 「下谷のはなし」において、ほかに上野の桜が描かれている箇所は、第十六(全集第十五巻・三五一頁、鷲津毅堂の詩)、第十九(同三六三頁)などがある。

6 『下谷叢話』の第十八〈嘉永二年〉、第十九〈嘉永三年〉、第三十三〈文久四年〉、第三十五(慶応二年)などに言及があり、また観月を果たせなかった年は、第二十三(嘉永七年)に見られるように「此年も看月の作を見ない」などの記述がある。

参考文献(本文中で言及したもの以外を掲出した)

・秋庭太郎『永井荷風伝』(春陽堂書店、一九七六年)
・池澤一郎『江戸文人論―大田南畝を中心に』(汲古書院、二〇〇〇年)
・高橋俊夫『永井荷風と江戸文苑』(明治書院、一九八三年)
・多田蔵人『永井荷風』(東京大学出版会、二〇一七年)

付記

本文はとくに断りのない限り、『荷風全集』(岩波書店、一九九二~五年)を用いた。

Check! そこにどんな〈江戸〉像があらわれたのか?

隅田川の舟、上野の桜、江戸の名所は、漢詩人たちの感覚によって、雄大にも瀟洒(しょうしゃ)にも詠われ、また、それぞれの場所の持つ風情が細やかに描かれている。情報だけではなく、それぞれの場所の持つ情趣やイメージが表現されている点が、漢詩に描かれた江戸の特徴であり魅力と言えよう。

Chapter12

〈江戸〉をつくりあげた石川淳

●関口雄士

第二萬二千五百七十五號　（五）

随想録

あけら菅江（上）

石川淳

先日わたしが旅行に出ようとすると、或る友だちが一つ註文を付けた。「不二山の見えないところへ行つてくれ。」わたしはこれを既成概念に洗滌するなと云ふ意に解して、適切な注意だと思つた。云はれるまでもなく、元来間伸びのした湘南風景など性に合はぬわたしなのだから、どうせ行くとすれば信屋も[illegible]ない荒海のほとりとか、[illegible]もつかぬ谷間の村とか、精神と自然とが格闘せずにはゐられぬやうな非情の土地こそなつかしく、不二見西行後向きと云ふごとき昔から極まつてゐる陳腐の型に嵌を當て箱めるくらゐならばまだ自殺のことでも考へてゐたはうがましだと思ひながら、うかうかしてゐるうちに、つい金を遣つてしまひ、どこへも行けなくなり、或る日町を歩き向島へ行つた。何も自殺をしに行つたわけではない、なんとなく散歩に行つたのである。三囲神社の境内にはひり、朱楽菅江の辭世の碑に「執着の心や娑婆に殘るらん吉野の櫻更科の月」とあるのを見て、ははあと思つた。狂歌や狂歌師に感心したのではなく、自然と歌枕の關係に就いて考へるところがあつたのだ。そこで、朱楽菅江の話になる。

市ヶ谷二十騎町に住んでゐたお先手與力と云へば、きつと江戸つ子で、おまけに狂歌師で、しかも辭世の中で人情に拗んだ乙な語呂合せの細工がないとは珍らしいことであるが、これは菅江がもと本歌から出てゐるせゐであらう。初め内山賀邸に就いて本歌を修め、中頃狂歌に轉じ、爾來狂歌のみひとり跳梁してゐたのだが、いざ死ぬ間際になると、今まで踏みつけにされてゐた本歌が突然頸を持ち上げて、此世への妄執を市井の興に留めず歌枕の上に飛ばしてしまつたに相違ない。わたしはこれを文學者が己れの最初の[illegible]に[illegible]された例として見たいのだ。だが、それはともかく、歌枕とは何であらう。一口に云つてしまへば、それは天地山川を小器用に捏ねた丸藥のやうなもので、どんな歌にでも使へば利目があるが、出る味はどれも同じだ。江戸つ子である菅江に與へられた自然が手垢で光つた調法な自然の丸藥でしかなかつたことは、菅江の不幸である。それが一度[illegible]に沁みた以上、あとは一生中[illegible]しか[illegible]らぬ宿命であつた。歌枕化された自然は常に[illegible]々としてゐる。ジイドの作中の或る人物がたしかスイスの風景を déclamatoire（見かけ倒し）と云つてゐた筈だ。おそらくスイスには、嘗て詩にうたはれ畫に描かれ文に書かれた風景でないやうな風景はもはや無いのであらう。それは既成概念の持つ立派らしい化粧顏にほかならぬ。ここで再び一口に云つてしまへば、歌枕とは出來合の自然描寫だ。そして、近代の散文の強烈な性格から驅逐された謂ふところの自然描寫がなほ文學であり得るごとく、歌枕もまた文學ではある。「吉野の櫻更科の月」など洒落たものだ。但そんなものといちやついてゐる文學者の識見は低級であるほかない。だが、菅江の辭世は暫にその歌枕ばなれのしない點がわたしには面白いので、決して低級ではなかつたと推せられるこの狂歌師の識見の隙間に吉野の花が咲いたり更科の月が照つたりする有樣を、江戸文化の中に於ける一つの時代的風景として眺めたいのだ。菅江にも、ちよつといいところがあるのだ。どんないいところか、それは次の話。

石川淳（一八九九～一九八七）は生涯にわたり〈書く〉筆を休めなかった。よく〈読む〉人であり、いかなる時期でも読書を廃さなかった。そのありようを決定づけたのが、戦時下の〈江戸留学〉であった。その〈留学〉において最も大きな存在が大田南畝であった。大田南畝の名は芥川賞受賞からわずか二週間後に発表された「あけら菅江」ではじめて言及されている。

（資料は「あけら菅江」初出の『讀賣新聞』一九三七年二月二十六日号）

1　原体験としての〈江戸〉

石川淳と〈江戸〉の関わりが深いことはよく知られている。「江戸人の発想法について」(『思想』二百五十号、岩波書店、昭和十八年〈一九四三〉三月)という文章や、『江戸文学掌記』(新潮社、昭和五十五年)という著作はもちろんだが、ことに名高いのは戦時下における〈江戸留学〉である。

わたしはいくさのあひだ、國外脱出がむつかしいので、しばらく國産品で生活をまかなつて、江戸に留學することにした。そして、明和から文化に至る何十年に日本の近代といふものを發見したよ。文政以後は品物がおちるね。火事のさいちゆうでも、この江戸の近代人諸君と附合ふことは燒跡見物よりもたのしかつたね。その附合が今日なほつづいてゐる。(傍線引用者、以下とくに断りのないときは同様)

(石川淳「亂世雜談」『文學界』五巻八号、文藝春秋、昭和二十六年八月)

石川淳は戦争を〈江戸〉に留学することによってやりすごし、そこで学んだものをもとに戦後の活動がはじまったという理解は、文学史的理解として一般的である。

だが、石川淳が幼少期から〈江戸〉に接していたことはあまり知られてこなかった。それは、石川淳が文学者として世に出る前の自分について語ることを好まなかったためである。しかし、祖父については例外的であった。

わたし幼少のみぎり、毎日のやうにぢいさんの部屋に呼びつけられて、机の前にすわらせられるといふ家内工業的な課目があつた。机の上には、四角な字のならんだ大阪の本がひろげてある。今おもへば、江戸の刊本の、これが論語といふ小にくらしいしろものに相違なかつた。ぢいさんがムニヤムニヤ読む。わたしはただそのまねをして、無意味に口をうごかしてムニヤムニヤ……もとよりこころここに在らずで、食らへどもそのあぢはひを知らず、漫然と火の玉を食らつたのみ。

（石川淳「一冊の本」『朝日新聞』昭和三十六年六月十八日）

ただ素読を命じられていたわけではない。石川淳の父方の祖父釚太郎（雅号：省斎）は昌平黌の素読教授をつとめ、明治初年代に漢詩集を編纂し、大沼枕山や成島柳北とも交流があったと推察される、江戸の知識人といえる人物であったことが、近年の調査で明らかになっている。このような人物から、彼が江戸時代から続けてきた「素読」という教育を受けたことが、石川淳が〈江戸〉に親しむ素地を涵養したと考えることは不当ではあるまい。

こうした素地の次にあらわれる、石川淳と〈江戸〉のつながりとして、江戸の趣味人であった淡島寒月（一八五九～一九二六）との交流があげられる。石川淳は中学に入ったころ、友人と一緒に淡島寒月のもとを訪れており、このことも自ら言及している。「椿」（『季刊アニマ』七号、平凡社、昭和五十一年十二月）という文章に詳しく書かれているが、ここでは、全集未収録の対談から引く。

石川　あの人（筆者注―淡島寒月）はいろんな本を読んでてね、わたくしが子供の時分ですけど――年ごろからいうと中学の途中ぐらい。寒月さんの梵雲庵というところに時々行ったことがある。会いに行ったわけでなく、向島へ遊びに行ったついでに寒月さんのところにもちょっと寄る、という具合だった。

（中略）

石川　（略）ささやかな庵に住んで、わたくしなど子供を相手に――あの人は子供はうるさいというようなことは言わない人なんだな――いろんな話をする。話が好きで、いつまでも飽きず雑談をする。わたくしは今は寒月さんより年が上になってるけど、あんなことはしないですよ。（笑）菓子を出してくれたり、いろんな話をしたり……。

西鶴の『一代男』のもと刷りを見たのは寒月さんのところですよ。子供の時、見せてくれた。むかしは帝国文庫なんていう活字本がないから、みんなもと刷りですよ。

（石川淳・丸谷才一「文学の核心」『すばる』二巻十一号、集英社、昭和五十五年〈一九八〇〉十一月）

つまり、石川淳は幼少期に江戸の知識人である祖父、少年期に江戸の趣味人である淡島寒月の薫陶を受けていたのであり、戦時下に急に〈江戸〉に開眼したわけではないのだ。だが、戦時下に独自の〈江戸〉を発見するには、一度そこを離れなくてはならなかった。

（略）そこに作るところの植物は西洋種の草花が多く、ダリヤ、パンジイ、薔薇も少少、ネムの木、ゴムの木のたぐひは尋常のふぜいにしても、中についてもつともわたしの目に打つたのは、ポプラの光る木立のはてに、波うつて咲きみだれたコスモスの一むらであつた。まさに絶景といふほかない。後年のコンクリートづくめのなんとか區なんとか何丁目では根こそぎ亡びて返らぬまぼろしだらう。じつは、このコスモスの波間に、わたしの「西洋」がひそんでゐた。（略）

わたしは淺草のにぎやかな部分をうろついたあと、ときどきこのコスモスの一むらに來て、疲勞も、興奮も、飢渴も、快樂も、ガキにはガキの哀歡も、寶物を埋めるやうに、あるひはガラクタを燃すやうに、すべてわたしの「西洋」の中にぶちこんだ。わたしの夢はおそらくそこから芽をふきはじめた。捨子の夢は火の夢である。わたしは「文學」を燒いてゐたのではないかとおもふ。

（石川淳「コスモスの夢」『新潮日本文学33　石川淳集』新潮社、昭和四十七年）

ここで石川淳がいう「文學」とはなにか。この時点で石川淳は多くの江戸文芸を収めた「有朋堂文庫」や、主要漢文を注釈した「国訳漢文大系」、夏目漱石（なつめそうせき）の小説を読んではいた。しかし、やはりその根の部分にあったのは、祖父や淡島寒月のもとで育まれた〈江戸〉的なものだったのではないだろうか。ここで「西洋」と括弧つきで強調される言葉から、そのように思われる。

石川淳はしばしば方法の放棄という観念について述べている。また、実際に石川淳の文業をみても、そのところどころで確立した様式を捨て去ってしまうことで、その都度その文学的世界に新しい生命を吹き込んでいることがよくわかる。そうした放棄という観念と〈焼く〉ということは、どこかで似てはいないだろうか。

そのように一度〈江戸〉的なものを焼いたことが、おそらく、戦時下の石川淳の〈江戸〉に独自の遠近感を生んだのだろう。一度もそこを離れず、江戸に親しみ続けていたのであれば、おそらく〈留学〉という言葉を用いることはなかったはずだ。

2　独自の〈江戸〉の発見と〈江戸留学〉

さて、そのように〈江戸〉を焼いた青年期の石川淳は、森鷗外（もりおうがい）訳の『即興詩人』や『諸国物語』の愛読にはじまり、東京外国語学校入学をきっかけにフランス文学の道に入っていく。

特に、アナトール・フランスとアンドレ・ジッドについては翻訳までおこなうほどになった。翻訳とは、一語も逃さずに字句に眼を通す徹底した読書体験であり、そのような読み方のなかで、ある語句を別の語句に置き換えて書く体験にほかならない。石川淳は、この時期にそうした体験を重ね、また同時に小説創作もはじめていた。

関東大震災後、福岡高等学校でフランス語講師となるが、一年半ほどで辞職し、東京へ戻ってくる。それからは方々を転々とする放浪生活を送ったという。この時期についても石川淳は多くを語っていないが、石川淳と親交の深かった河上徹太郎（かわかみてつたろう）によればそうした生活の中で「インテリくずれ」「下町の町人くずれ」と交流していたという。河上徹太郎はそうした生活が「葦手（あしで）」（『作品』昭和十年十〜十二月号）や「普賢（ふげん）」（『作品』昭和十一年六〜九月号）といった小説に生かされたととらえているが、そこに別の角度から光を当てた文章がある。

> 石川淳が、好事家の生酔いを醒まさせる態の、こういうダイナミックな江戸観（筆者注—「遊民」による文化の形成）を形づくるに至ったのは、一つにはこの浅草生まれの東京っ子が幸か不幸か、旦那衆の師弟のような順境に育ってこなかったという事情がそこにからんでいるだろう。しかしそれよりもっと大きな要因は、彼が、大正期に「書斎という窓」の中で自己形成を完了していた荷風や万太郎の世代とは違って、その窓を思い切り突き破り、「無宿人どうしが寄りあつまってばたばた」騒ぎを演じている、昭和の東京の埃（ほこり）っぽい「巷のまんなか」に丸裸同然の格好で身を乗り出さねばならなかったという経緯にこそ求められるのではあるまいか。
>
> （堀切直人（ほりきりなおと）「からっぽの町・江戸」『朝日ジャーナル』二十九巻四十一号、朝日新聞社、昭和六十二年十月二日号）

幼年期に〈江戸〉を〈西洋〉のなかに焼いた石川淳が、青年期の人生の危機のさなかに、幼少期のそれとは別の〈江戸〉的なものに接近したのである。そして、それは戦争のときに接続していく時期のことであった。そのとき、石川淳独自の〈江戸〉の萌芽があらわれたといえるだろう。

石川淳の文章で、はじめて江戸文学が本格的に扱われたのが、芥川賞受賞の二週間後に発表された「あけら菅江」

（『讀賣新聞』昭和十二年二月二十六日、三月二日）である。その末尾において本書でも論じられてきた江戸文人大田南畝（一七四九〜一八二三）の晩年について「さんざん本を読み、酒を飲み、女になれ、勝手なことを書き散らしてひとのつらを逆さに撫で、おやと思つたときにはもう死んでしまつて、一生いいところばかり独り占めにした」と結論づけている。

翌年発表された「マルスの歌」（『文學界』五巻一号、文藝春秋、昭和十三年一月）でもふたたび大田南畝について言及している。「マルスの歌」は「反軍反戦思想醸成」のかどで発禁処分と罰金刑を受けたことでも有名である。その「マルスの歌」に立ちいるまえに、石川淳が生涯最後となった対談で述べた発言を見ておこう。

> 石川（筆者注—大田南畝は）ともかくいろんな本を読んでいる人だと思ったですね。あれはみんなすぐ書き留めたですね。（中略）そのほかいろんなものを書いているけれども本のことをずいぶん書いてあるのね。南畝は聞いた話というのをこまめに、何でも書き留める癖がありますね。抄写の話だけでも、和綴で相当のものがあります。つまり書くことを、楽しんでいるような感じですね。
>
> （石川淳・田中優子「蜀山人のことなど」『文学』五十五巻七号、岩波書店、昭和六十二年七月）

石川淳は、読むこと、書くことを楽しんだ人物として大田南畝に興味を持ったことが語られている。〈留学〉の入口にはそうした認識があったということは重要なのではないだろうか。

そのような認識の上で「マルスの歌」で「この畏るべき達人（筆者注—大田南畝）のたましひはいかなる時世に生れあはせて、一番いいところは内證にしておき、二番目の才能で花を撒き散らし、地上の塵の中でぬけぬけと遊んでゐられたのか」と述べているのである。

大田南畝を発見した時期と、戦争の時が重なったというのは、いかなる意味を持つか。大田南畝が生きたときは「いくさ」はなかったが、ひとつ間違えれば命を失いかねない政治状況はあった。それでも、南畝はそのなかで読み書きをよくした。その達人の技を学ぶ試みが〈江戸留学〉だったのではないだろうか。それは太平洋戦争突入後に発表された「雪のはて」(『文學界』九巻七号、文藝春秋、昭和十七年七月)にもうかがわれる。そこでは語り手に「蜀山(しよくさん)の狂文學の技術を、操作を、わたしみづから體得し」て「蜀山銅脈の風に倣つて、唐山の詩に一泡ふかせるやうな狂詩を作」り「萬葉古今を踏まへつつ、俳諧の精神を顚倒させつつ、天明調の狂歌を詠まなくてはならない」という決意を述べさせ、そのためには「自分をきちがひにする」必要があるとも述べている。また、その直前に書かれた批評のなかで石川淳は次のようにも述べている。

人生には難關を切り抜けるためにfouにならなくてはならぬやうな時機があるものだと、そんな意味のことをラ・ロッシュフウコオがいつてゐる。自分をバカにしたりをかしくしたりする眞似を嚴重に禁じてゐた鷗外は自分をfouにすることの何たるかを身にしみて知るには至らなかつた。せつかくの博識も理解力も、かへつて精神の運動をそこに停頓させるための限界をなしたかのごとくである。

(「大鹽平八郎(おおしおへいはちろう)」『森鷗外』三笠書房、昭和十六年)

ここでいう「自分をfouにすること」と「自分をきちがひにすること」を、一直線に結びつけることには一応の留保が必要かもしれない。だが、全くの別物としてしりぞけるには、その口振りは似すぎている。

石川淳は「大鹽平八郎」で「fou」というものをどのように位置づけているか。石川淳が文中において「fou」と位置づけているのは大塩平八郎であり、森鷗外(一八六二〜一九二二)はその運動をとらえそこなった「傍観者」であると認識している。

というのは、運動する精神に對しては、鷗外は初めから理解を拋棄してゐるけはひだからである。大鹽の精神の努力は批判の如何を問はず、政治の實際に於て、空虚なる空間を具體的に充實させようとするところに存したのであらう。鷗外の眼にはさういう人間精神の努力空虚としかうつらなかつたのであらう。飢饉から精神の解放がはじまらうとするとき、鷗外の解釋はそのてまへで圓滿に、すなはち不恰好に終つている。

すなわち、石川淳は精神を固定された位置から動かす「運動する精神」を「fou」と位置づけているのだが、ここから、石川淳が「江戸人の発想法について」において天明狂歌のことを「仕事ではなく運動」と位置づけ、戦後の「狂歌百鬼夜狂」(『文學界』六巻十号、文藝春秋、昭和二十七年十月)においても「俳諧化とは、一般に固定した形式を柔軟にほぐすことをいふ。これをほぐすためには、精神は位置から運動のはうに乗りださなくてはならない」と述べていることを想起することは不当であろうか。

「傍観者」として正気でいられない「狂気」の時代に、石川淳は「文学」で立ち向かうために「固定した形式を柔軟にほぐ」しながら現実に裂け目をつくる「fou」≒〈狂〉という方法をとることを是としたのである。

石川淳の戦時下の〈留学〉は、〈江戸〉の文学に耽溺し、目下の現実に眼を塞ぐことではなかった。それは、読書をもとに築き上げられた確固たる教養をあえて崩していくことで、固定された現実に新たなる世界像を現出させる技術を学ぶことであった。

3　戦後の〈随筆〉という方法——永井荷風への認識を通して

さて、そのような石川淳が、生きた模範として憧憬していた文学者が永井荷風（一八七九〜一九五九）である。ともに独自の〈江戸〉を生きた永井荷風と石川淳の道はどこで分かれるのか。それを確かめることで、石川淳の〈江戸〉がより明瞭に見えてくるだろう。

> 荷風はその特設の生活圖形内でつねに柔軟である。（中略）荷風は夢を即座に生活することに依つて青春をうしなはない。そして、作品を老熟させた。（中略）荷風は機敏にも作品に於て老年の實を収め、肉體に於て青年の華を取つた。活潑な操作である。
>
> （石川淳「祈祷と祝詞と散文」『現代文学』五巻五号、昭和十七年五月）

永井荷風への全的な称賛の文章である。また「明月珠」（『三田文学』昭和二十一年四月。ただし執筆自体は前年三月）という、敗戦色濃厚な時期に書かれた小説でも永井荷風を彷彿とさせる藕花先生という人物が追いつくべき先達として「先生が十年間に走つたあとを、わたしは十時間で追ひつめて行かなくてはならない」と書かれている。また小説の結末で、永井荷風の偏奇館と同様に空襲で全焼した、藕花先生の連絲館を語り手は訪れる。

> わたしはまのあたりに、原稿の包ひとつをもつただけで、高みに立つて、烈風に吹きまくられながら、火の子を浴びながら、明方までしづかに館の焼けるのを見つづけてゐたところの、一代の詩人の、年老いて崩れないそのすがたを追ひもとめ、つかまへようとしてゐた。弓をひかばまさに強きをひくべし。藕花先生の文學の弓は尋常のものではないのだらう。

現実の石川淳の住居も空襲で全焼し、蔵書もすべて失われた。住居も蔵書も失ったという条件でいえば、永井荷風と石川淳は同じ位置にいる。また、彼らが親しんできた土地としての〈江戸〉の名残は敗戦により一層見えにくいものとなった。

そのような位置から永井荷風がいかなるものを書くか。〈江戸留学〉によって江戸の文人の技を学び、それを焼跡でいかに表すかという問題の前に立っていたであろう石川淳が、憧憬すべき先達である永井荷風の動向に注目していたと考えても不当ではあるまい。

しかし、その期待はかなえられなかった。永井荷風が没したとき、石川淳が発表した追悼文「敗荷落日」(『新潮』五十六巻七号、新潮社、昭和三十四年七月)は「一箇の老人が死んだ」と書き出され「もはや太陽のエネルギーと縁が切れたところの、一箇の怠惰な老人の末路のごときには、わたしは一燈をささげるゆかりも無い」と結ばれる、苛烈なものであった。

つまり、石川淳にとって戦後の永井荷風のありかたは〈江戸〉から方法を学んだ先達として許しがたいものだったのである。だが、その怒りにこそ、石川淳が戦後の〈江戸〉に見た可能性が含まれているのではないだろうか。石川淳は「敗荷落日」の末尾で、「妾宅」「日和下駄」「下谷叢話」「葛飾土産」を称揚している。これらはいずれも〈随筆〉とされるものだが、石川淳は〈随筆〉というものを次のように認識していた。

> 士大夫の文學は詩と随筆とにほかならない。随筆の骨法は博く書をさがしてその抄をつくることにあつた。美容術の祕訣、けだしここにきはまる。三日も本を讀まなければ、なるほど士大夫失格だらう。
>
> (石川淳「面貌について」『新潮』四十七巻十号、新潮社、昭和二十五年十月 『夷斎筆談』所収)

戦後にはじめられ最晩年まで続けられた、いわば〈留学〉の成果の一つであった「夷齋」と冠された〈随筆〉群の嚆矢となった文章である。

今日のごく一般的な理解においては、随筆とエッセイという区分けは、身辺雑記的な文章という意味において、しばしばほとんど同義のものと認識されているように思われる。しかし、石川淳は戦時中に書いた「雑文について」(『文藝情報』昭和十五年四月下旬号)で、西洋の「エセエ」、日本(特に江戸期)の「随筆」、そして「雑文」のそれぞれの特質について区別しながら分析している。

そのような石川淳が戦後まず示した〈随筆〉観が先述の引用であり、事実それは「夷齋」と冠された〈随筆〉群の基調をなすものであった。それに対して「敗荷落日」では戦後の永井荷風のありかたについて次のように書いている。

しかるに、わたしが遠くから観測するところ、戦後の荷風はどうやら書を讀むことを廢している。もとの偏奇館に藏した書目はなになにであつたか知らないが、その藏書を燒かれたのち、荷風がふたたび本をあつめようとした形迹は見えない。

この背景となる戦後の読書状況について、石川淳はまさに〈江戸留学〉ということについて述べた「亂世雜談」で以下のように書いている。

亂世に處(しょ)する道は古本さがし。こいつ、まんざら商賣上のウソでもないさ。いくさのあひだにあつめた本はそつくり燒いてしまつたが、その後また些少ながらぽつぽつあつまつた。(中略)右のほかに、今日ではフランスの新刊書がはひつて來たから、兩方いそがしいおもひをする。

この文章を裏打ちするように、石川淳は、最初の〈夷齋〉ものである『夷齋筆談』においては和漢の古典文学と戦中戦後のフランス文学を、「亂世雜談」がおさめられている二冊目の『夷齋俚言』においては同時代のフランス文学を読むことを基調に文章を書いている。

とはいえ、ここで注意しなくてはならないのは、石川淳が非難しているのは、永井荷風が読書や蒐書をしなくなったこと自体ではないということである。「敗荷落日」に次のようにある。

念のためにことわつておくが、わたしはひとが本を讀まないことをいけないなんぞといつてゐるのではない。反對に、荷風が書を廢したけはひを遠望したとき、わたしはひいき目の買ひかぶりに、これは一段と役者があがつたかと錯覺しかけた。（中略）わたしはひそかに小説家荷風に於て晩年またあらたなる運動のはじまるべきことを待つた。どうも、わたしは待ちぼうけを食はされたやうである。

石川淳は、本が焼けた地点から開始される運動、そこから拓かれる世界を敬愛する先達である永井荷風に期待していた。それが裏切られたことを非難しているのである。

思えば、はじめのほうで述べたように、石川淳はその〈文学〉を焼くところから、新たに自身の〈文学〉を構築しはじめた。そのように〈文学〉を焼かなければ、あるいは石川淳は祖父や淡島寒月につながる〈江戸〉を継承する知識人、趣味人として生きたのかもしれない。だが、〈文学〉を焼いたことで、独自の文学世界を切り拓くことになったのである。

また、戦時下に〈江戸留学〉していた時期の本もすべて焼けてしまったが、そこで学んだ〈江戸人の発想法〉をもとに、戦後の文学活動をはじめ、熱烈に受け入れられた。焼かれたところから立ち上がるものに、次なる道をみていた。

そのなかで、〈江戸〉と〈西洋〉を自在に往還した先達である永井荷風が〈随筆〉の伝統的な方法をも廃したところから、どのような〈江戸〉、どのような〈世界像〉を作り上げるか。石川淳がそのような期待をもっていたがゆえの憤りが「敗荷落日」であったのだろう。

そして、それは同時に、読むことと書くことを両輪とした南畝の随筆から〈江戸留学〉を志し、その骨法を学んだ石川淳が、その道の先達である永井荷風にして読むことを廃したとき、仮構としての〈江戸〉とも縁が切れてしまうことを知ったことでもあったのだろう。

だからこそ、石川淳は読み書きを続ける道を選んだのである。先述したように石川淳にとって読むことは、ただ趣味人的に知を蓄えることではなく〈随筆〉を書くことにつながるものであった。仮定的に述べれば、それはさらに〈小説〉を書くことに突き抜けるものだった。

4　〈江戸〉をつくるということ

最後に改めて石川淳の〈江戸留学〉に立ち戻りたい。冒頭に引いたように石川淳は「亂世雜談」のなかで〈江戸留学〉を「江戸の近代人諸君と附合ふこと」と述べている。

「附合ふ」とは随分と肩入れした物言いに思われるが、そのように書物を読むことは、それが書かれた過去と読まれる現在とを書物を通して接続することにほかなるまい。さらにその交歓から書かれたものが、未来に読まれるならば、それは過去と未来とを貫くことであるといえよう。

石川淳は自身の〈江戸〉の集大成といえる『江戸文学掌記』の巻頭に収録された「遊民」でつぎのように述べている。

「趣味の人」とは、ものの値打の見える人、擴大していへば精神價値の判者といふやうにきこえる。そこに「普通以上の感受性」がはたらくとすれば、この審判は「貴族」の役どころである。さて、事が「趣味」となると、その道の先祖は遠西のペトロニウスとかぎつたものではないだらう。ここは江戸の遊民の先達に沙汰なしではすまされまい。かの姿なきくせもの仲間、南畝京傳から抱一歌麿までもふくむ大一座こそ、「趣味」の家元として、俗中にあそんで天明狂歌といふあたらしい文學價値を打出してゐる。ローマにも通ふ道ならば、江戸から明治までは一またぎ、「趣味」をもつてつらぬくところ、歴史の羽目をはづして、ぶらぶらはぶらぶらどうし、和風洋風のへだてなく、前後に呼びかはして、どこやらに遊民交流の窓口でもひらけさうな錯覺がちらつく。これは文明開化の錯覺である。

石川淳は「遊民交流」という概念について「錯覺」という言葉を用いている。普通「錯覺」という言葉はあまり肯定的な意味を付与されていないように思われるが、石川淳の文学においては必ずしもそうではない。その重要な概念として〈虚構〉という方法がある。〈虚構〉とは、実在しないものを実在しているかのように扱う「錯覚」の技術にほかならない。

なるほど作者が作品の世界へ乗り出す第一段にあたつては、その世界の構造のために撰擇される要素どもは實在の中に散らばつてゐるものだ。しかし作品の世界が進行するにしたがつて、それらの要素どもはいつかすこしづつ性質の變化を生じて行くであらう。けだし、そこではもう季節が切り換へられてしまふからだ。もはや、作者はいちいち體驗を相手に不潔な談合などはしない。ただこの場合作者に強制であつて、虚構とは切つても切れない間柄に置かれるものだ。（石川淳「虚構について」『エコー』昭和十五年九月号　原題「藝術に於ける虚構」）

ここで石川淳が述べているのは、おそらく一つの仮定した構造を目指すフィクションとは少し趣が異なるように思われる。それこそ作者が、実在のあれこれを取捨選択し、さまざまに組み立て、あるいはそれをほぐしてみせる過程において実在の裂け目にちらつく可能性としての世界を構築する方法を指しているように思われるのである。つまり、石川淳が長い〈江戸〉との関わりのなかで、最後の〈江戸〉としてたどりついた場所とは、読むこと、書くことにおいて、時間・空間を任意に行き来し、そこでぶつかったものと「附合ふ」ことによって開かれる新たな世界像を可能にする自在の場にほかならなかったといえよう。

そのような〈江戸〉を再び発見し、そこからなにかを書きはじめることは、現在においても可能性として残されているはずである。

参考文献

・赤瀬雅子・志保田務『永井荷風の読書遍歴―書誌学的研究』（荒竹出版、一九九〇年）
・飯島耕一『永井荷風論』（中央公論社、一九八二年）
・池内紀「江戸文学と石川淳」（ウィリアム・J・タイラー、鈴木貞美編『石川淳と戦後日本』ミネルヴァ書房、二〇一〇年）
・井上ひさし・小森陽一編『座談会昭和文学史』第四巻（集英社、二〇〇三年）
・大江健三郎「啓蒙的な荷風」（永井荷風『荷風全集』第十六巻「月報16」岩波書店、一九七二年）
・狩野啓子「近代文学における「狂」―石川淳と大田蜀山人」（『国際日本文学研究集会会議録（第九回）』国文学研究資料館、一九八五年）

・菅野昭正『永井荷風巡歴』（岩波書店、一九九六年）
・『国文学　解釈と教材の研究』（二十巻六号、学灯社、一九七五年五月）
・『すばる　石川淳追悼記念号』（十巻五号、集英社、一九八八年四月増刊）
・立石伯『石川淳論』（オリジン出版センター、一九九〇年）
・立石伯「夷齋俳諧骨法」（『アナホリッシュ國文学』第五号、響文社、二〇一三年）
・野口武彦『石川淳論』（筑摩書房、一九六九年）
・野口武彦「書評　江戸文学を縦貫する内景　石川淳『江戸文学掌記』」（『群像』三十五巻九号、講談社、一九八〇年九月）
・野口武彦「石川淳と荷風」（『国文学　解釈と鑑賞』四十九巻四号、至文堂、一九八四年三月）
・『ユリイカ　特集*石川淳あるいは文体の魔術』（二十巻八号、青土社、一九八八年七月）
・渡辺喜一郎『石川淳傳説』（右文書院、二〇一三年）
そのほか、各種文庫解説なども適宜参照した。

付記
石川淳の文章の引用は原則として『石川淳選集』（岩波書店）を使用し、選集未収録の文章については『石川淳全集（十九巻本）』（筑摩書房）を使用した。また、表記の都合上、一部、原文通りの引用でない箇所もある。

Check!　そこにどんな〈江戸〉像があらわれたのか？

石川淳は一九八七年十二月二十九日に没する直前まで小説を書き続け、終の床まで書を廃さなかったという。石川淳にとって、読むこと、描くことは自在に時間・空間をめぐる術であり、そこからさまざまな〈可能〉の世界を垣間見せてくれた。そこから見える〈江戸〉は、現実の江戸とは少しく異なるものにちがいない。しかし、その〈江戸〉はいま、ここしか考えられないせせこましい思考様式をたたき壊す切っ掛けになるのかもしれない。

あとがき ●中丸宣明

○荷風が江戸に見ていたもの —— 歴史意識の東西と古今

永井荷風は、江戸に対する追慕・敬慕を語ってやまない。

江戸伝来の趣味性は、九州の足軽風情が経営した俗悪蕪雑な「明治」と一致する事が出来ず
（「深川の唄」「趣味」明治四十二年〈一九〇九〉二月、引用は岩波版『荷風全集』平成四年〈一九九二〉五月～平成七年〈一九九五〉八月、ふりがなは適宜省略した。ただし難読の漢字には原文になくとも振り仮名を括弧付きで附した。）

改良でも進歩でも建設でもない、明治は破壊だ。旧態の美を破壊して一夜造りの乱雑粗悪を以て此れに代へた丈けの事だ
（「帰朝者の日記」『中央公論』明治四十二年十月）

などという発言は、枚挙にいとまない。引用の前者は本書の Column「趣味を持ちにくい町」で多田蔵人も言及するところであるが、荷風の江戸追慕・敬慕は多く明治政府の暴力性と野蛮さの告発とともにあった。では、荷風は反「近代」主義者だったのかといえば、それは異なる。若き日にはフランスの自然主義作家エミール・ゾラに心酔しその影響下に「野心」（明治三十五年）や「地獄の花」（明治三十六年）などを発表する。しかし、父の意向から明治三十六年、実業を学ぶためにアメリカ・フランスへ渡る。あしかけ六年の外遊生活を経て、明治四十一年帰国すると、明治以来の日本の「近代」への批判をさかんに展開するようになる。

江戸時代はいかに豊富なる色彩と渾然たる秩序の時代であつたらう今日の欧州最強国よりも遙に優る処があつて、又史家の嘆賞ずる路易(ルイ)十四世の御代の、偉大(グランドウル)に比するも遜色なき感がある

(「冷笑(五　二方面)」『東京朝日新聞』明治四十三年一月四日)

あるいは、

以前一種の政治的革命が東叡山の大伽藍を灰燼に帰してしまつて此方(このかた)、新しくこの都に建設せられた新しい文明は、汽車と電車と製造場を造つた代り、建築と称する大なる国民的芸術を全く滅してしまつた。そして一刻一刻、時間の進む毎に、吾等の祖国をしてアングロサキソン人種の殖民地であるやうな外観を呈せしめる

(「霊廟」『三田文学』明治四十四年三月)

といった具合である。前者の「冷笑」の引用部分は、主人公が〈神社の絵馬堂〉に掲げられた〈連歌の額〉や寺の庭にある〈俳句を刻した石碑〉を見て〈巴里(パリー)の公園や墓地を散歩して墓標や記念像の石台に刻された古人の詩句〉を想起する。そして〈江戸人はいかに其の実生活の単調に対する慰籍を芸術によつて仰ぎつゝ、あつたかを知つた事である〉と感じ、その文明の高さをフランスのルイ十四世時代の文明と拮抗するものと感じている。後者の「霊廟」の引用部分は、筆者が上野の徳川家の〈朱と金箔と漆の宮殿〉に言及し、

丁度焼跡の荒地に建つ仮小屋の間を彷徨(さまよ)ふやうな、明治の都市の一隅に於て、吾々がたゞ僅か、壮麗なる過去

の面影に接しうるのは、この霊廟、この廃址ばかりではないかと、その〈霊廟〉に〈ヴェルサイユの旧苑〉を想起する。荷風が江戸に見ていたものは、西洋近代に対峙しうるホンモノの文明であったには違いない。その上で、

> 過去を重んぜよ。過去は常に未来を産む神秘の泉である。迷へる現在の道を照す燈火である。吾等をして、まづこの神聖なる過去の霊場より、不体裁なる種々の紀念碑、醜悪なる銅像等凡て新しき時代が建設したる劣等にして不真面目なる美術を駆逐し、そして吾等をして永久に吾等の祖先の残したる偉大なる芸術にのみ恍惚たらしめよ。
> 　吾等の将来は矢張吾等の過去よりしか発生しないと自分は信じてゐる。（「霊廟」）

という。まさに荷風の「尚古」の姿勢が見て取れる言葉である。しかし、本書で多く取り上げられている江戸期の「考証随筆」について、荷風は、

> 江戸時代の随筆旧記の類を見るに時世の奢移に流れ行くを慨嘆せざるものなし。天明の老人は天明の奢侈を嘆きて享保の質素を説き文化文政の古老はその時代の軽浮を憤りて安永天明時代の朴訥（ぼくとつ）を慕へり。明治に残存せる老爺は江戸の勤倹を称し大正の老人は明治時代の現代に優れるを説いて止まず。時代と人とを異にすと雖もその筆法は皆一律なり。後人の回顧して追慕する処の時代はこれ正に先人の更に前代を憶うて甚喜ばざるの時代なりしにあらずや。此を以て之を看れば老夫の感慨全く理に当らず。然りと雖も人老ゆるに及んで身世漸

く落莫(らくばく)の思ひに堪へず壮時を追懐して覚えず昨是今非の嘆を漏らす。蓋し自然の人情怪しむに足らざるなり。
（「偏奇館漫録」『雨瀟瀟』大正十一年〈一九二二〉七月）

と語る。その指摘の当否は今は問わない。大事なのはそこに見られる歴史意識なのだ。それは過去から現在へ流れる直線的に流れるものであり、過去に対する思いは「老い」に伴う感傷に帰せられる。すぐれて合理的な理解と言えよう。このように荷風における江戸は、近代的なまなざしのなかにあったことは確かである。

○荷風の好古のこころざし ── 過去との対話が可能な場として

しかし、それだけではなかった。荷風には、いわば好古趣味といった理屈をこえた性向があったようである。「几辺(きへん)の記」（『荷風文稾』大正十五年四月）という小さいがエレガントな随筆が荷風にはある。〈つくゑ〉〈置物〉〈墨斗〉などについて誌されているが、その序文に曰く、

文人墨客その平生愛玩する所の机辺座右の器物を把(と)つて、これが記をつくりしもの、西洋の今日には仏蘭西の詩人アンリイ、ド、レニヱーがヱネチヤ十八世紀の墨池の記、その著ヱスキツスヱニシアンに載せられたり。わが江戸のむかしに在りては儒者俳家の文集に載するところの名文挙げて数へがたし。こゝにわが荷風書屋几辺の物器にいたつては、固より貧士茅屋の敝帚(へいそう)にして、古今の名士が珍蔵の貴きに比すべくもあらぬは、恰も彼我の文藻、日を同うして論ずべきものに非らざるが如くなるべし。然りといへども倶にひとしく文雅をよろこぶ心に至つては、誰かまた古今貴卑の別ありと言はむや。彼は玉壷の賛をつくるに錦繍の文を以てし、これは康瓠(かうこ)の記をなすに蕪舛(ぶせん)の辞を以てす。宜なる哉。破鍋にとちぶたのたとへあり。大正十三年冬日。

と。荷風はレニヱーに目配りしつつ、江戸期の随筆の伝統下に自己を定めている。そこには〈古今貴卑の別〉はない。あるいは、「菫斎漫筆」なる随筆もある。それは合山林太郎が本書のChapter11「江戸漢詩の名所詠と永井荷風」で、〈(江戸期の)随筆、地誌、繁盛記などをふんだんに利用して、江戸の状況を紙上に再現しようとしている〉と説明するようなものだが、その序には、

前人の其随筆に命名するものを見るに大抵其居館書斎もしくは其近傍の勝景に因んで之を撰べり。然らざれば謙沖の意を寓して或は兎園(とゑん)或は燕石(えんせき)或は遼豕(れうし)或は敝帚(へいさう)と云ふが如き成語を採れり。予こゝに拙稾(せつかう)を把つて之を訂輯するに莅(のぞ)み新に之が題名を索めんと欲すれども譾劣(せんれつ)寡聞にして前人既に用ひしもの、外他に獲る所あるを知らず。遂に已むことを得ず旧稾の名を存して菫斎漫筆となせり。

(『荷風文稾』)

とある。〈菫〉はにおいの強い野菜の意。〈食性球葱辣薤(らつきよう)の如き菫斎を嗜むを以て〉名付けられたというが、そこには、馬琴(ばきん)や山崎美成(やまざきよししげ)ら文人墨客が集い巷説・珍談奇談を披露しあう兎園会の記録を中心とした〈兎園(小説)〉、江戸時代の風俗や地誌に関する稀書を集めた叢書である達磨屋活東子(だるまやかつとうし)の〈燕石(十種)〉、江戸後期の儒者松本愚山(まつもとぐざん)の〈遼豕(録)〉、江戸中期の茶人松尾宗二(まつおそうに)による茶道に関する記事を集めた〈敝帚(記)〉などの代表的随筆が列挙されている。むろん荷風は自己の文業をそれらの末席に連なるものであるという意識があったことは明瞭である。こういった随筆類は、荷風の作品のなかでも必ずしも多いものではない。むしろ荷風の好古のこころざしは、「一名東京散策記」と副題を持つ『日和下駄』(大正三年)や鷲津毅堂(わしづきどう)や大沼枕山(おおぬまちんざん)の史伝とでも言うべき『下谷叢話』(大正十五年)などに見るべきものには違いない。鷗外の「史伝」を大塚美保は〈時が積み重なる場所〉(本書Chapter3「鷗外歴史

文学の〈江戸〉像）という。考証随筆の時空は、先に見た「偏奇館漫録」にいわれているような直線的に流れる時間とは異なるありかたを見ることができる。そこには〈古今貴卑〉の差異がなく、過去と対話が可能な場として存在した。荷風の史伝もまた鷗外のそれの流れにあるものとしなければなるまい。

長い荷風の文業を見る時、考証随筆に対する、あるいは江戸の文物に対する態度も一様であるはずはない。たとえば「維新期」の文明破壊に対する思いと関東大震災後の江戸に対する思いの間にある変遷は無視できない。しかし重要なのは、江戸に対する思いには、ある意味で相反する、近代的なるアプローチと反近代的なるアプローチのせめぎ合いを見なければならないということであろう。何もこれは荷風に留まらない。「近代文学」といわれるもののなかにさまざまに変奏され「近代」そのものを相対化しているには違いない。本書における、前掲多田合山大塚に加え、関口雄士や出口智之の論、それに拙論をも加えて、「近代」における好古の諸相が論じられているが、その前提は江戸期における「好古」のありようの探究である。本書では江戸期の考証随筆の出発期からその諸相、また読本や歌舞伎、浮世絵との関係など多面的に論じられている。日本の文学史が近世と近代という区別のもとに、これまでその連続性はともすると等閑に付されてきた。本書の試みは、「好古」を視点にして、その二つの「時代」を橋渡しする試みでもある。

本書の刊行にあたって、文学通信の西内友美氏には、もとになったシンポジウム以来、通常の編集作業以上に、さまざまなアイディアをお出しいただくなど多方面よりご尽力いただいた。記してあらためて感謝申しあげたい。

（小林・中丸）

好古趣味人必見！
江戸を知る文献22点

ここでは本書に登場するものを中心に、江戸市中を対象とする主要な地誌や地理考証にかかわる記述のある書物について略述した（武蔵野全域、郊外のみ、また特定地域のみを対象とするものは省略）。写本で伝来した書物については本文異同には触れず、翻刻があるなど主要な本文によって記述した。翻刻はできるだけ近年の信頼できるものを掲載したが、ない場合は校訂方針や底本が必ずしも明らかでない古いものも挙げた。成立の年代順に配列したが、地誌以外の本書頻出の作者の考証随筆類は末尾にまとめた。（小林）

01 色音論　しきおんろん

刊本二巻二冊　**著者**○不明（徳永種久カ）　**成立**○寛永二十年（一六四三）刊カ　**翻刻**○『仮名草子集成』第三十四巻（東京堂出版、二〇〇三年、朝倉治彦編）

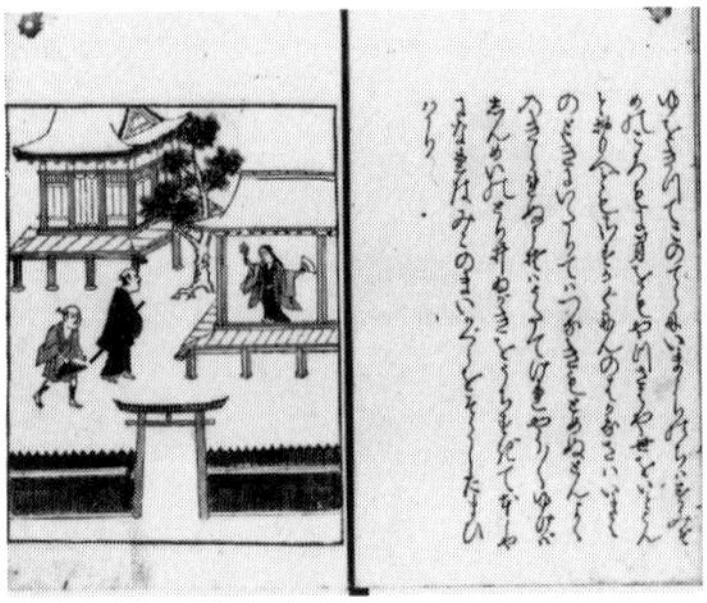

〔**解説**〕奥州の歌枕、しのぶの里の住人が郷里を出て江戸へ着くまでの旅と、到着後、町々や寺社などを見てあるくさまを七五調で綴る。伝本は稀少で、初版の「色音論」の題名では、唯一、上冊のみ刊本、下冊は透き写しの柳亭種彦旧蔵本（筑波大学附属図書館蔵）が現存する。その巻頭に記された種彦の考証で、版元は京都の「はんや清兵衛」であるとされる。改題本「あづまめぐり」の名でもやはり上冊のみ刊、下冊は透き写しの東洋文庫蔵本があるだけで、ほかはすべて写本である。これらの下冊も含め、写本の祖は大田南畝蔵本とされる。東北大学狩野文庫本には南畝の本を山東京伝が写した本から写し継がれたことが記録されている。［図版］筑波大学附属図書館蔵本

02 江戸名所記　えどめいしょき

刊本七巻七冊　**著者**○浅井了意　**成立**○寛文二年（一六六二）刊　**翻刻**○『仮名草子集成』第七巻（東京堂出版、一九八六年、朝倉治彦編）

〔**解説**〕年来の友人同士が往来で行きあって、長年江戸に住みながら「しらぬ人に尋ねられてそこは見ず、爰はしらず」というのもいかがか、と「名所おほき江戸まはり」をめぐることを思い立つ、と序文で設定する。以下七巻にわたって寺社などの名所を各巻七～十五立項し、それぞれの説明を連ねる。大半は江戸市中およびその周縁部の名所であるが、西新井大師総持寺、東葛西（現葛

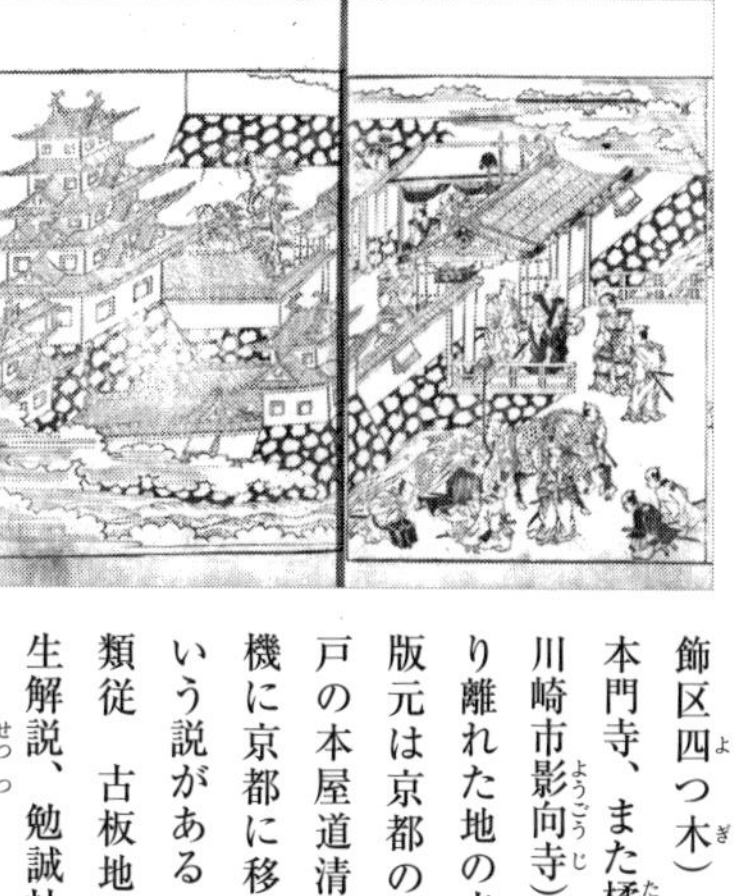

飾区四つ木）若宮八幡、池上本門寺、また橘樹郡栄興寺（現川崎市影向寺）といった、かなり離れた地の寺社も含まれる。版元は京都の河野道清で、江戸の本屋道清が明暦の大火を機に京都に移転したものかという説がある（『近世文学資料類従　古板地誌編8』市古夏生解説、勉誠社、一九七七年）。また摂津生まれの京都の僧侶であった作者了意についても、明暦の大火後江戸に下向したかという推測がある（坂巻甲太「近世初期における作者・書肆・読者の位相」『日本文学』四十三巻十号、一九九四年）。［図版］国立国会図書館蔵本

03 江戸雀　えどすずめ

刊本十二巻十二冊　**著者**○近行遠通、菱川師宣画　**成立**○延宝五年（一六七七）刊　**翻刻**○『日本随筆大成』第二期10（吉川弘文館、一九九四年）

〔**解説**〕江戸の版元から出されたことがわかる最初の江戸案内。版元は、鶴屋喜右衛門。初印本にのみ名が記される著者は、江戸図の編で知られる遠近道印と同一人物で、富山藩士藤井半知かと推測されている（『近世文学資料類従　古板地誌編9』深沢秋男解題、勉誠社、一九七五年）。挿絵は江戸で活躍しはじめた浮世絵師菱川師宣による。序によれば江戸にやってきた郷里の友の乞うに任せて綴った名所案内という。十二巻は地域ごとに江戸城周辺から、品川・目黒、内藤新宿、小石川や目白、上野、浅草、本所、向島、深川あたりまでを収め、それぞれの地域を歩くと行きあたるもの、つまり大名屋敷、寺社、橋や通りなどを紹介する。芝居町や三又の舟遊び、また明暦の大火後に浅草北に移転して約二十年の新吉原もとりあげる。

［図版］国立国会図書館蔵本

04 紫の一本　むらさきのひともと

写本四巻　**著者**○戸田茂睡　**成立**○天和三年（一六八三）奥書　**翻刻**○『新編日本古典文学全集82 近世随想集』（小学館、二〇〇〇年、鈴木淳校注）

〔**解説**〕侍と隠者二人を狂言回しとしてその江戸見物を描く体裁で、城、山、坂、谷、窪、川、島、堀、池、井、橋、渡、野、小路などと地名にしたがって分類順に項目を立て、それぞれについて見物のさま、ときに詩歌も交えたそのやりとりを記す。

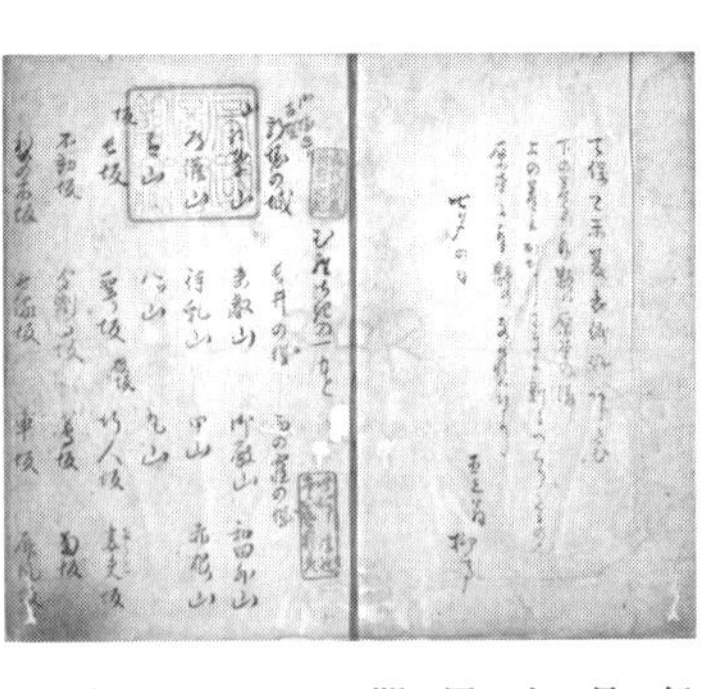

船や時鐘といった人造物や、雪月花、郭公や紅葉、祭なども立項する。当代の伝承や俗説、風俗・流行にも触れる近世前期の江戸の貴重な記録とされてきた。なお、デジタル公開されている国立国会図書館本は柳亭種彦旧蔵書である。［図版］国立国会図書館蔵本・種彦識語部分

05 古郷帰の江戸咄

こきょうがえりのえどばなし

刊本六巻八冊　**著者**○不詳　**成立**○貞享四年（一六八七）刊　**翻刻**○『近世文芸叢書』一（国書刊行会、一九一〇年、ただし元禄の増補版）

【解説】『江戸名所記』『江戸雀』の記述や挿絵を踏襲した江戸案内。江戸の版元山下彦兵衛・簾翠屋仁兵衛・鎰屋平右衛門の合同出版。内容は、江戸に出て数年働いていた主人公のもとを、帰って家督を継ぐように告げる命を帯びた郷里の従兄弟が訪れ、土産話にと江戸各地をめぐる体裁をとる。元禄七年（一六九四）には寺院や名所などの項目を若干増やして『増補江戸咄』として簾屋又右衛門より出される。先行書の模倣、剽窃が強調されて評価の低い本書の工夫や資料性、山東京伝や斎藤月岑の利用については影印本『古板地誌叢書』10・11（芸林舎、一九七一年）水江漣子解題に詳しい。また柳亭種彦が貞享四年ではなく二ないし三年版としてたびたび本書に言及した問題については『近世文学資料類従　古板地誌編10』安田富貴子解説（勉誠社、一九八〇年）が論じる。［図版］国立国会図書館蔵

06 江戸鹿子

えどがのこ

著者○藤田理兵衛　**成立**○貞享四年（一六八七）刊　**翻刻**○『東京市史稿　産業篇七』（東京都、一九六〇年、図版省略あり）

【解説】携帯もしやすい実用的な横本（ほぼA6判大）で出された江戸の地誌。版元は江戸小林太郎兵衛。地域別ではなく、分類別編集を特徴とする構成は京都の地誌『京羽二重』（貞享二年刊）を踏襲したものとされるが、先蹤として『紫の一本』があることについても指摘がある（影印本『古板地誌叢書』8、すみや書房、一九七〇年、熊倉功夫解題）。巻一では坂・堀・池・滝・井～谷など地形・地名による分類で見どころを紹介、巻二に年中行事や山王祭の作り物一覧、諸大名ら所持の宝物、著名な寺社の縁日、巻三・四にそのほか寺社名一覧、巻五に町方の主要な通りの名と商店そのほか日常生活に必要な情報、巻六に医師をはじめ諸職の業種別一覧などを載せる。用途に応じた情報検

索の便を考えた構成で、とりわけこの時期の江戸の商業的発展がわかる好資料とされてきた。右熊倉解題は、巻二の大名名物記が『玩貨名物記』（万治三年〈一六六〇〉刊）を利用した記述で、商業や産業の記述とともに江戸の繁栄を表現するものとされていることも論じている。

二年後、同体裁で版面も模して、巻頭に江戸座俳諧の宗匠不角名の序と大名屋敷情報の一巻を増補した『江戸惣鹿子』七巻（元禄二年〈一六八九〉刊）が大坂書林市兵衛から出される。いわゆる海賊版ながら、二年後には江戸近江屋十左衛門版も現れる。

さらに元禄三年には原書の著者藤田理兵衛が原書六巻の序のみ差しかえ、浮世絵師菱川師宣の挿絵を付して『江戸惣鹿子名所大全』を出す。はじめ中野左太郎・長右衛門版で、のちに年記なしで中野三四郎版も出版されている。

その後、六十年余を経て10『江戸砂子』の刊行後の寛延四年（一七五一）に、奥村玉華子の名で、大きく構成を改めた『再板（再訂）増補江戸惣鹿子名所大全』七巻十三冊が出される。巻一～四に社寺、巻五に原書を尊重する旨を記してその巻一の地形別の見どころ案内を載せ、巻六に所在地町名のいろは順で名所旧跡（町名ヨミのちょう・まちの区分の印を付す）、巻七に月ごとの年中行事、縁日の日付別の参詣案内、売薬とその店舗情報、細工物名店案内、江戸および近在名物案内をまとめる。版元ははじめ藤木久市で、のちに須原屋伊八版もあるらしいことなど、影印『再板増補江戸惣鹿子名所大全』（渡辺書店、一九七三年）に花咲一男解説に説かれる。

07 江戸図鑑綱目　えどずかんこうもく

刊本二巻二冊　**著者**○石川流宣　**成立**○元禄二年（一六八九）刊
翻刻○なし

〔**解説**〕著者は大きな日本図でも知られる浮世絵師。乾坤二冊のうち、乾冊に江戸全体の概略図と番町の図を載せたのち、町名一覧、さらに社寺、諸芸・職人商人らとその居所を業種別に載せて実用に供する。坤冊は大きな江戸全体の地図で手彩色が施されている。版元は江戸の相模屋太兵衛。［図版］国立国会図書館蔵本

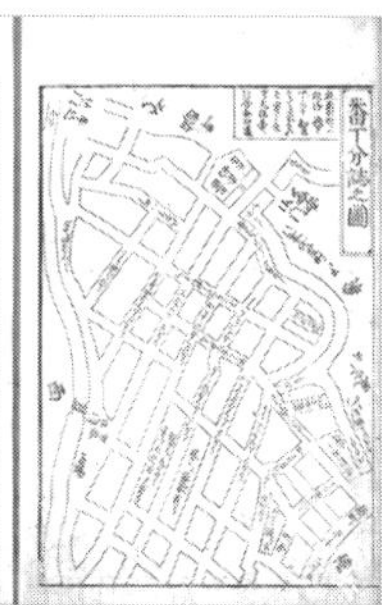

08 江戸内めぐり　えどうちめぐり

刊本一巻一冊　**著者**○不詳　**成立**○享保十三年（一七二八）刊
翻刻○なし

〔**解説**〕各町や通り、寺社の所在を示し、その縁日などの情報を一覧する実用的書物だが、大名屋敷の所付けが詳しく用途を示唆する。はじめ稲村儀右衛門から出され、追って小林重兵衛版が出されたが、長澤規矩也『江戸地誌解題稿』（参考文献参照）によれば両者の内容は同じという。のちに延享三年（一七四六）

に『武鑑』を刊行していた須原屋茂兵衛に版権が移り、そこでは大名家の位置や代替わりを反映しているとされる。

09 落穂集　おちぼしゅう

写本十一巻　**著者**○大道寺友山　**成立**○享保十三年（一七二八）
翻刻○江戸史料叢書『落穂集』（萩原龍夫・水江漣子校注、人物往来社、一九六七年）

〔**解説**〕兵学者の著者が福井藩を致仕したのち、齢九十にして問答形式で書き残した江戸についての諸記録。伝来に複雑な経緯があり、正確には『落穂集追加』と称すべきこと、右翻刻の解題で指摘されている。江戸地理に特化した書物ではなく制度や慣習、うわさや事件についての伝聞といった記述も含み、また体系的でもないが、江戸城の歴史や城内・周辺の構造物、城下の屋敷、寺社、町人地の普請についての記事など江戸の都市としての成り立ちを伝える記述をもつ。伝本は百点を超え、広く読まれたことがわかる。風呂屋や踊子、煙草の普及、江戸大絵図のはじまりなど、江戸時代初期の風俗をうかがわせる記述も含む。後出の13柏崎永以『事蹟合考』は本書を継承したものと称する。本書の全般的な性格や著者のほかの著作については森銑三による研究がある（『同著作集』第十一巻、中央公論社、一九七四年）。

10 江戸砂子　えどすなご

刊本六巻六冊　**著者**○菊岡沾涼　**成立**○享保十七年（一七三二）刊　**翻刻**○小池章太郎校注『江戸砂子』（東京堂出版、一九七六年、正続、および再校の校異を付す）

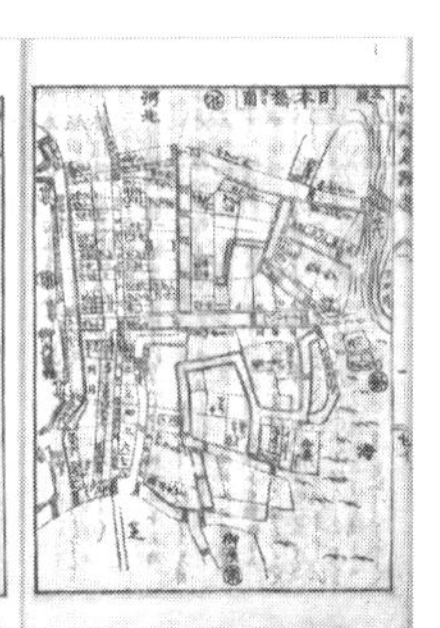

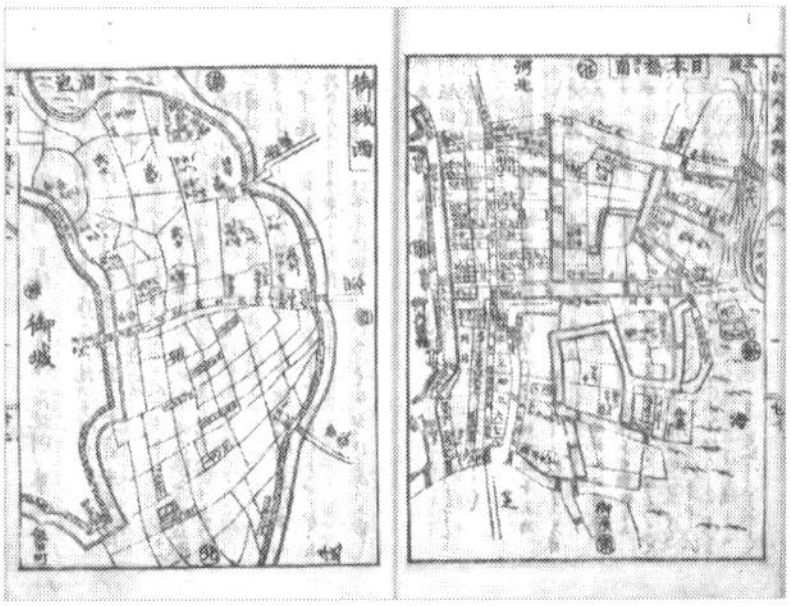

〔**解説**〕『江戸名所図会』以前の江戸の地誌を代表する著作。版元は当初万屋清兵衛、のち『再板増補江戸惣鹿子名所大全』と同じ藤木久市から出される（『古版地誌解題』によれば若菜屋小兵衛版もあり）。三年後には『続江戸砂子』が同じく万屋清兵衛より出版され、さらに著者沾涼の没後、明和九年（一七七二）には丹治恒足軒によって正続を併せ、さらに増補訂正を加えて藤木久市より出版された。その後、須原屋伊八に版権が移る。現在でも正編は八十点以上、再校は百点以上が伝来するように、広く普及した。巻一に江戸城周辺外濠内、巻二に浅草・今戸・下谷方面で千住まで、巻三に上野・駒込・巣鴨方面として王子・板橋まで（ただし板橋は目録のみで記載なし）、巻四に牛込・四谷・赤坂方面として高井戸・世田谷まで、巻五に芝・麻布・品川方面で碑文谷・矢口まで、巻六に本所・深川方面で大島まで、さらに下総国葛飾郡の項を設けて真間まで収める。板橋方面は手薄ながら、現二十三区全域を視野に収めている。各領域の地名や名所、寺社などについて伝承も含めて著者の知見を記す体裁で、文献の引

用などは基本的にない。『続』では、年中行事や名産品、町名など実用的な情報を掲載するとともに、次項11『江戸名勝志』の指摘などをふまえて修正を加え、情報を補う。Chapter4 参照。［図版］国文学研究資料館蔵本

11 江戸名勝志 えどめいしょうし

刊本三巻三冊　**著者**○藤原之廉　**成立**○享保十八年（一七三三）刊　**翻刻**○横関栄一校注『江府名勝志』（有峰書店、一九七二年）

〈**解説**〉書名は一定せず、「新板 江戸名勝志」の題簽（題を刷って表紙に貼った紙片）のほか、そのわきに「江府名勝志」の題とともにもくじを記した副題簽をともなうもの、「増補江戸めぐり」の題簽をもつ本が知られ、いっぽう見返し（表紙裏）には「江府名勝志図解」とあり、機関によってさまざまな題で登録されている。版元は江戸の稲村儀右衛門、のち延享三年（一七四六）に小林重兵衛によって再び出される。「凡例」によれば江戸を「遊観」する人のために携帯用に「確実簡要」の情報をまとめたものといい、地理の概略を地域ごとに記した上巻には、武蔵国全域と江戸全域の略図、および各区域の切絵図のような地図を掲載する。桜田・麹町・番町から千寿大橋・本所・深川・葛西まで三十七に区域を分割してそれぞれの主要な地名を挙げ、それがどこを指すかを解説する。ただし名称や由来などの考証はしない。ほぼ現東京の区部に及び、葛西の一部として真間や国府台に言及、中野の先の「武蔵野」「牟礼野」まで挙げる一方、世田谷は常盤橋のみと手薄で、現大田区・板橋区・江戸川区あたりは対象としない。中・下巻は寺社などの案内にあて、とりわけ中巻巻頭に「考異弁正」をおいて『江戸鹿子』『江戸砂子』の誤りを指摘し、後者に影響を与えたことは特記される。［図版］国立国会図書館蔵本

12 南向茶話 なんこうさわ

写本一巻・追考　**著者**○酒井忠昌　**成立**○寛延四年（一七五一）奥書　**翻刻**○『燕石十種』第二巻（新版、中央公論社、一九七九年）・日本随筆大成三期6（新装版、吉川弘文館、一九九五年）、いずれも底本は同じ

〈**解説**〉「江戸」という地名をはじめ、芝・品川・青山・赤坂・四谷、また浅草や本所など、多数の地名の由来やそれにまつわる伝聞、外濠となる以前の江戸川の水流、古戦場であったという高田馬場・早稲田周辺

の伝承など、江戸の各地の歴史を問答形式で記す。「追考」はそれにもれた情報を漫然と記したもの。伝本は少なくないが、右翻刻項にあげた『燕石十種』本も含め、瀬名貞雄蔵本を借りて大田南畝が写した系統の本が多く知られる。南畝の奥書は寛政二年（一七九〇）付だが安永八年（一七七九）頃に没した大根太木宅で写したことが記されるからそれ以前にも目にしたことがあったか。著者は本書に続いて『求涼雑記』も遺しており、14『新編江戸志』では諸書のなかでもとりわけ両書の記載を継承することを謳う。なお、『国書総目録』以来「チャワ」と読まれてきたがひらがな表記はなく、慣例読みによる「チャワ」ではなく一般的な唐音に従って「サワ」としておく。Chapter1 参照。

13 事跡合考　じせきがっこう

写本五巻　**著者**○柏崎永以　**成立**○明和九年（一七七二）跋　**翻刻**○『燕石十種』第二巻（新版、中央公論社、一九七九年、ただし一部を抜粋した略本）

〔**解説**〕著者柏崎永以は古典籍や故実にかんする著作を残した和学者。大道寺友山『落穂集』にみえる条について知見をまとめた書物であることを序文に記す（右『燕石十種』本解題は同序を都立中央図書館本より翻刻）。09『落穂集』にくらべると町名・地名、橋梁や上水のことなど地理情報に比重をおく。伝来・諸本や内容についても『落穂集』と同じく森銑三による研究がある（『同著作集』第十一巻）。『燕石十種』本は略本とされるが、五巻の完本も含めいずれも、前項『南向茶話』と同じく瀬名貞雄蔵本を借りて大田南畝が写した本に由来する系統の伝本が多いと考えられる。Chapter1 参照。［図版］茨城大学附属図書館蔵本

14 新編江戸志　しんぺんえどし

写本十巻　**著者**○近藤義休・義傅　**成立**○安永四年（一七七五）以前　**翻刻**○巻一・二のみ江戸趣味文庫五『新編江戸志』（珍書刊行会、一九一七年）

〔**解説**〕著者の父子二代による江戸の地誌をもとに、瀬名貞雄らが加筆したもの。原書は近藤義傅の没年からして安永四年（一七七五）までに成立。巻頭の「大意」は、歴代の江戸の地誌のなかでも普及している10『江戸砂子』には誤りや孫引きが多いという問題を指摘、その不足を補った『南向茶話』『求涼雑記』を挙げてそれを継承するものと述べる（12『南向茶話』項参照）。巻一に曲輪内（外濠内側）東西南北、巻二に浅草・今戸・千住方面、巻三に本郷・上野・下谷（～王子含む）方面、巻四に浅草、巻五に小石川・巣鴨・板橋方面、巻六に芝・池上から矢口まで、巻七に赤坂・渋谷・目黒方面、さらに世田谷まで含め、巻八に市ヶ谷・大久保・代々木方面で中野まで収めて「武蔵野」も立項、巻九に牛込・高田方面、巻十に深川・本所・亀戸方面を収める。ほぼ現二十三区のうち江戸川区を除く領域となる。『江戸

地誌叢書』五（有峰書店、一九七六年）には挿絵が補われた東京都公文書館蔵本が巻六まで前編として影印される（後編未刊）。Chapter1・2参照。

15 江戸図説　えどずせつ

写本十六〜二十五冊程度　**著者**〇大橋方長　**成立**〇安永二年（一七七三）、天明五年（一七八五）補、寛政十一年再書　**翻刻**〇なし

〔**解説**〕凡例に歴代の江戸の地誌を挙げてその不足を述べ、14『新編江戸志』については誤写、伝本の不備を嘆いて、すべてを「集成」する決意を述べる。起筆から補までの年代を凡例の末尾に明記し、この文章とは別に、江戸の地理の書目、引用書目を詳細まで含めて一覧にするなど、きちょうめんな編集ぶりを垣間見せる。伝本によって「武江図説」「荏土図説」の題をもつ。配列や本文にも大きな異同があり、成立過程などは不明。著者として名を載せる大橋八左衛門方長は自ら「本街第二」と記すので、本町二丁目に居を構えた町人と推測されるが、美濃大垣藩士と記すものもあり未詳（『日本歴史地名大系』東京都の文献「武蔵演路」項）。現在、国立公文書館内閣文庫所蔵の三本がデジタル公開されている。

16 武江披砂　ぶこうひしゃ

写本五巻・外編一・二、付録　**著者**〇大田南畝　**成立**〇文政元年（一八一八）序　**翻刻**〇『大田南畝全集』第十七巻（岩波書店、一九八八年）ほか

〔**解説**〕南畝がそれまでの地誌が書きもらした記述を、さまざまな文献や金石文、聞き書きなどによってまとめた地誌。文政元年（一八一八）序によれば、二、三十年前に五巻をなし、晩年になって付録をまとめたという。巻一に総説、巻二に隅田川周辺から東岸まで含む城東、巻三に市ヶ谷・四谷から渋谷までを含む山の手の城西方面、巻四に目黒・芝から池上まで含む城南、巻五に神田から上野・浅草・千住までを含む城北を配する。『江戸叢書』（同刊行会、一九一七）などにも収められたが、『大田南畝全集』第十七巻（中野三敏）には一部に南畝自筆本と照らしあわせて記述が整えられた本を用いてあらたに校訂された本文が収められる。Chapter1参照。

17 御府内備考　ごふないびこう

写本正編百四十五巻　**著者**〇三島政行ほか　**成立**〇文政十二年（一八二九）　**翻刻**〇『大日本地誌大系一〜六』（同刊行会、一九一四、のち雄山閣により再版、正編のみ）

〔**解説**〕官撰の江戸の地誌。『新編武蔵風土記稿』の編纂にあたって、江戸の市中分をそれとは別にし、書院番三島政行らによって『御府内風土記』としてまとめることが計画された。その稿は明治五年（一八七二）の皇居の火災によって焼失したが、編纂のために各町より集められた書き上げは災禍をまぬがれ、これが『（御）府内備考』と呼ばれている。内容は巻一に総説、二に御城、三〜七に曲輪内、以下、巻数の多寡はあるが順に、外神田、浅草、

下谷、根津、谷中、湯島、本郷、駒込、巣鴨、小石川、小日向、関口、護国寺領、高田、雑司谷、牛込、市谷、四谷、赤坂、青山、渋谷、麻布、桜田、飯倉、芝、三田、白金、目黒、高輪、品川、深川、中之郷、本所、中之郷（補）、小梅、柳島、亀戸。各地域内の地名・町名、橋などについて多くの書物、また各町に保存されていた文書類の記録を掲載する。なお、同じ年の成立で神谷信順編とされる続編百四十七巻は、府下の寺社の縁起を集めたもの。

18 江戸名所図会 えどめいしょずえ

刊本七巻二十冊　**著者**○斎藤月岑ら、長谷川雪旦画　**成立**○天保五年（一八三四）・七年刊　**翻刻**○鈴木棠三・朝倉治彦校注『新版江戸名所図会』三冊（角川書店、一九七五年、角川文庫版の訂正版）、市古夏生・鈴木健一校注『新訂 江戸名所図会』六冊（ちくま学芸文庫、筑摩書房、一九六六年）ほか。いずれも本文は初版の誤りを訂正した後印本による

〔**解説**〕江戸を近郊も含めて広域に設定し、その名所を中心に紹介する絵入り地誌。版元は須原屋茂兵衛・同伊八で、風俗画を手がけた町絵師長谷川雪旦画。著者の斎藤家は代々神田雉子町の名主であった。数々の序文、続く月岑こと斎藤幸成の「附言」には、その祖父幸雄が江戸名所への愛好から各地を踏査し、没後に父県麻呂がその業を承けて増補、そして自らがその衣鉢を継いで刊行に至ったことを述べる。巻頭の鳥取若桜藩主池田冠山の序は、秋里籬島『都名所図会』（安永九年〈一七八〇〉刊）を自身が強く意識していたことを記すが、その刊が斎藤幸雄の企図にどう影響したかはわからない。江戸にはこの文献一覧に挙げてきた地誌の系譜のほかに、西村重長『絵本江戸土産』（宝暦三年〈一七五三〉刊）・鈴木春信『絵本続江戸土産』（明和五年〈一七六八〉頃刊）、以降、鳥居清長・北尾重政・北尾政美（鍬形蕙斎）・喜多川歌麿・歌川豊国、そして北斎らの浮世絵師による名所絵本の伝統があり、両者を融合させたものともいえる。月岑編『武江年表』宝暦年間記事では重長『絵本江戸土産』に触れ、それらはまちがいなく視野に入っていたであろう。

巻一に武蔵・江戸の名義、江戸城の沿革、日本橋から芝あたりの地域を収め、巻二は東海道に沿って品川・大森から南は金沢までを記す。以下江戸城からみた方角ごとに右廻りに七巻にわたって江戸全域を網羅する。『江戸砂子』『新編江戸志』にくらべても最大限広域を対象とし、北は赤羽・川口、南は相模国金沢、西は府中・国分寺・高幡、東は行徳・真間、また松戸まで及ぶ。

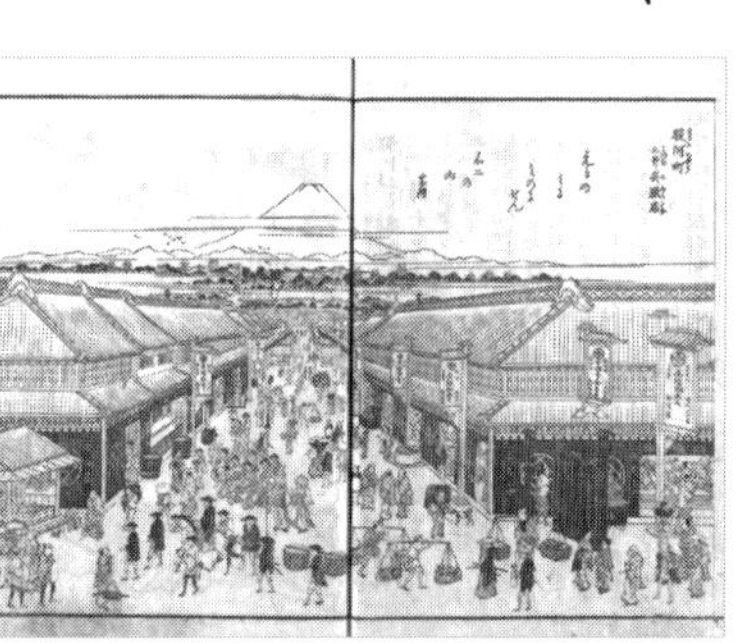

〔図版〕国立国会図書館蔵本

19 砂子の残月　すなごのざんげつ

写本二巻　**著者**○未詳　**成立**○幕末頃　**翻刻**○『江戸叢書』九（同刊行会、一九一七年）

〔**解説**〕『江戸砂子』の記載をほかの文献で増補する体裁をとる地誌ながら、同書にない記事を別の書物から引く項目も少なくなく、江戸の地誌の象徴として「砂子」を冠するのみと考えられる。引用文献に『江戸名所図会』も含まれることから、それ以降の成立となる。おおよそ地域別の編集方針をとり、上巻に下町方面、下巻に山の手側を配する。広域化は当然の流れとして「井の頭の北」として小手指原にまで筆を及ぼしている。日本古典籍総合目録データベースによれば伝本は二本のみ。

20 近世奇跡考　きんせいきせきこう

刊本五巻　**著者**○山東京伝（さんとうきょうでん）　**成立**○文化元年（一八〇四）刊　**翻刻**○『日本随筆大成』第二期6（吉川弘文館、一九七四年）

〔**解説**〕本書で頻出の山東京伝による最初の考証随筆。版元は大坂の河内屋太助（かわちやたすけ）と江戸・大和田安兵衛（おおわだやすべえ）。併行して編まれたことがわかっている『骨董集』（こっとうしゅう）（文化十一・十二年刊）では事物に重きをおくのに対して、古い時代の、とりわけ江戸の風俗や人物のさまざまに関心を示す。土地にかかわる記述は本書に集中する。巻一で上野の花見のさまを『紫の一本』より抜粋、巻四で浅草花川戸の街かどにある中世以来の石灯籠の由来を諸書の記述によって検討し、巻五で吉原の開基まで市中に散在していた遊女町のうち大橋柳町の所在について異説があることを紹介、検討している。本書第Ⅲ部各章で論じられた江戸歌舞伎や一蝶（いっちょう）、其角（きかく）については深い愛着をみせる。このうち一蝶の伝にかかわる記載を含め、繰り返し刊行される過程で数箇所が段階的に削除されていくという（二又淳「『近世奇跡考』の諸本管見」『近世文芸研究と評論』五十二号、一九九七年）。また稿本がパリの装飾美術館に伝存する（クリストフ・マルケ「フランスに渡った京伝『近世奇跡考』の草稿本」『江戸文学』三十五号、二〇〇六年）。なお、国立公文書館内閣文庫には南畝（なんぽ）がほかの文献から得られた知見を書き込んだ一本が収蔵される。Chapter1・4・5・7・8参照。

21 燕石雑志　えんせきざっし

刊本五巻六冊　**著者**○曲亭馬琴（きょくていばきん）　**成立**○文化八年（一八一一）刊　**翻刻**○『日本随筆大成』第二期19（吉川弘文館、一九七五年）

〔**解説**〕曲亭馬琴による、刊行された考証随筆の第一作。その後、『烹雑の記』（にまぜのき）（同八年刊）三巻三冊、『玄同放言』（げんどうほうげん）第一・二集（文政元・三年〈一八一八・二〇〉刊）三巻六冊と続く。馬琴はこれらにおいて江戸の地理や風俗に対する高い関心を示しており、本書では巻三に地名のなまり、また巷の風俗の変遷について記す。続いて「わがをる町」として飯田町、九段周辺の地名について、旧時の地誌の不足を難じるなど、地理的記述は少なくない。次作『烹雑の記』でも「新掘山」こと日暮里の表記の変遷について述べる。『玄同放言』巻一下でも江戸の古図の各種について記す。Chapter2参照。〔図版〕国文学研究資料館蔵本

22 還魂紙料　かんごんしりょう

刊本二巻二冊　**著者**○柳亭種彦　**成立**○文政九年（一八二六）刊　**翻刻**○『日本随筆大成』第一期12（吉川弘文館、一九七五年）

〔**解説**〕本書第Ⅱ部佐藤・金稿（Chapter5・6）の主役で、本文献一覧でも各書の伝来にかかわって頻出した柳亭種彦の最初の考証随筆。とはいえ、本書の関心は地理情報そのものよりむしろ往時の習俗や慣習、それにまつわる物品にあり、それは続いて刊行された『用捨箱』（天保十二年〈一八四一〉刊）でも変わらない。作者種彦自身は旗本の身分にあったが、これほど多くの文献を通じて追い求めた往古の姿が、大きな歴史の流れや都市の構造ではなく、民間の生活の細部にあったことは、「江戸」観の研究の視点からは注視される。地理に関する記述は、『還魂紙料』で古い俗謡にみえる吉原通いにまつわる稲荷岡の所在、『用捨箱』では酒匂川の六郷の渡しにかつて橋があったことなど、わずかにすぎない。Chapter5・6・9参照。

《番外編》

岸井良衛『江戸・町づくし稿』

上中下巻・別巻（青蛙房、一九六五年、新装版二〇〇三・〇四年）

〔**解説**〕本文献案内に挙げたもの、さらにいくつかの明治～昭和の文献を用いて、区ごとに町名・地名などについて何にどのような記載があるかをまとめる。上巻に千代田区・中央区、中巻に港区・新宿区・文京区、下巻に台東区・墨田区・江東区を収め、別巻に郊外篇としてそれ以外の区の名所を収める。もとより情報を網羅するのは不可能なことだが、どの文献にどんな言及があるのかを概略的に把握するのに使用できる重宝な文献といえる。さらに別巻には、江戸の主要なできごとのあいまに地誌や地図の刊行を書き込んだ年表、引用した地誌類の簡便な解題も載せている。

〔主要参考文献〕

※翻刻項、また説明文中に掲げた文献の解題以外
和田萬吉著・朝倉治彦補『新訂・増補　古版地誌解題』（国書刊行会、一九七四年、初版一九一六年）、長澤規矩也『江戸地誌解説稿』（私家版、一九三二年）、そのほか『日本古典文学大辞典』（岩波書店、一九八三～八五年）、『国書人名事典』（同、一九九三～九九年）、『日本古典文学大事典』（明治書院、一九九八年）

執筆者一覧

［編著者］

小林ふみ子（こばやし・ふみこ）→奥付参照

中丸宣明（なかまる・のぶあき）→奥付参照

［執筆者］（掲載順）①所属　②専門　③著作

神田正行（かんだ・まさゆき）

①明治大学准教授　②日本近世文学（特に曲亭馬琴）

③「『その、ゆき』後篇の構想」（『読本研究新集』9・10、二〇一七年六月・二〇一八年六月）、「文渓堂丁子屋平兵衛と『八犬伝』―板株の確立まで―」（『国語と国文学』91―5、二〇一四年五月）、『馬琴と書物―伝奇世界の底流―』（八木書店、二〇一一年）

出口智之（でぐち・ともゆき）

①東京大学大学院准教授　②近代の日本文学・美術

③「紀行「易心後語」に見る幸田露伴の教養の根柢―古人に向きあうということ」（鈴木健一編『明治の教養―変容する〈和〉〈漢〉〈洋〉』勉誠出版、二〇二〇年）、「第二期『新小説』における文学と絵画―口絵・挿絵の戦略と羈軛―」（『比較文学研究』105、東大比較文学会、二〇一九年十二月）、「挿絵無用論と明治中期の絵入り新聞小説―饗庭篁村「小町娘」・尾崎紅葉「笛吹川」「青葡萄」の挿絵―」（『日本文学研究ジャーナル』9、古典ライブラリー、二〇一九年三月）

大塚美保（おおつか・みほ）

①聖心女子大学教授　②近代日本文学

③文京区立森鷗外記念館編集・発行『日本からの手紙　滞独時代森鷗外宛　1884-1886』（共著、二〇一八年）、「東京を駆けめぐる女子学習者―一八八〇年代の小金井喜美子―」（『文学』17―6、二〇一六年十一月）、『鷗外を読み拓く』（朝文社、二〇〇二年）

真島　望（ましま・のぞむ）

①成城大学非常勤講師　②近世文学（地誌・説話）

③「名所絵本『東国名勝志』と元禄地誌」（『国際日本学』16、法政大学国際日本学研究所、二〇一九年三月）、「再生される地誌―『東国名勝志』とその依拠資料をめぐって―」（『国語国文』87―4、二〇一八年四月）、「幕府御大工頭鈴木長頼の文事」（『近世文藝』105、二〇一七年一月）

佐藤　悟（さとう・さとる）

①実践女子大学教授　②日本近世文学

③「『鹿鷟集』をめぐる諸問題」（『近世文藝』108、二〇一八年七月）、「近世文学と大津絵」（『美術フォーラム21』36、二〇一七年）、「十九世紀江戸文学における作者と絵師、版元の関係」（『古典文学の常識を疑う』勉誠出版、二〇一七年）

金　美眞（きむ・みじん）
①韓国国立芸術総合学校世界民族舞踊研究所常任研究員
②日本近世文学（柳亭種彦の合巻など）
③『柳亭種彦の合巻の世界―過去を蘇らせる力「考証」―』（若草書房、二〇一七年）、「『偐紫田舎源氏』と『柳亭雑集』」（『近世文藝』102、二〇一五年七月）、「種彦合巻『鯨帯博多合三国』の創作技法―「鯨帯」を手がかりに―」（『国語と国文学』92―7、二〇一五年七月）

有澤知世（ありさわ・ともよ）
①国文学研究資料館特任助教　②日本近世文学（特に山東京伝）
③「山東京伝の考証と菅原洞斎―『画師姓名冠字類鈔』に見る考証趣味のネットワーク」（『国語国文』86―11、二〇一七年十一月）、「京伝作品における異国意匠の取材源―京伝の交遊に注目して―」（『近世文藝』104、二〇一六年七月）

阿美古理恵（あびこ・りえ）
①国際浮世絵学会事務局　②日本近世絵画史
③『菱川師宣―古風と当風を描く絵師―』（藝華書院、二〇二〇年）、「菱川師宣の源氏絵―浮世絵師の大和絵史観に注目して」（『岩佐又兵衛と源氏絵―〈古典〉への挑戦』展覧会図録、出光美術館、二〇一七年）、「菱川師宣の狩野派学習について―「雑画巻」を中心に」（『美術史』174、美術史学会、二〇一三年三月）

稲葉有祐（いなば・ゆうすけ）
①和光大学准教授　②日本近世文学、俳文学
③『宝井其角と都会派俳諧』（笠間書院、二〇一八年）、「江戸座俳諧と角館―佐竹北家、明和安永期の活動から―」（『日本文学研究ジャーナル』8、二〇一八年十二月）

多田蔵人（ただ・くらひと）
①鹿児島大学准教授　②日本近世文学・日本近代文学
③『永井荷風』（東京大学出版会、二〇一七年）、「蒐集家の表現―宮崎三昧『辛亥日誌』」（『日本近代文学館年誌資料探索』一〇一九年三月）、「永井荷風のノート―『二人艶歌師』と『渡鳥いつかへる』の推稿」（『新潮』115―11、二〇一八年十一月）

合山林太郎（ごうやま・りんたろう）
①慶應義塾大学准教授　②近世・近代日本漢文学
③『幕末・明治期における日本漢詩文の研究』（和泉書院、二〇一四年）、「加藤王香編『文政十七家絶句』の成立過程とその後世への影響」（『藝文研究』117、二〇一九年十二月）、「西郷隆盛の漢詩と明治初期の詞華集」（『アジア遊学・文化装置としての日本漢文学』229・二〇一九年一月）

関口雄士（せきぐち・たかし）
①法政大学大学院人文科学研究科日本文学専攻博士後期課程
②石川淳を中心に、戦後派文学およびそれらに関連した近現代文学
③「石川淳「履霜」ノート―戦時下における小説の第一歩」9（『日本文学論叢』44、法政大学大学院日本文学専攻委員会、二〇一五年三月）

編

法政大学江戸東京研究センター

https://edotokyo.hosei.ac.jp/

編著者

小林ふみ子（こばやし・ふみこ）

法政大学教授。専門は日本近世文学。
主著に『へんちくりん江戸挿絵本』（集英社インターナショナル、2019年）、『大田南畝　江戸に狂歌の花咲かす』（岩波書店、2014年）、『天明狂歌研究』（汲古書院、2009年）、近年の論文に「文政期前後の風景画入狂歌本の出版とその改題・再印—浮世絵風景版画流行の前史として」（『浮世絵芸術』179号、2020年）、「狂歌に文芸性はあるのか」（『古典文学の常識を疑うII』勉誠出版、2019年）がある。

中丸宣明（なかまる・のぶあき）

法政大学教授。専門は日本近代文学。
共著に『コレクション現代詩』（おうふう、1990年）、校注に『政治小説集 2（新日本古典文学大系明治編 17）』（岩波書店、2006年）、同第3巻（岩波書店、2013年）、『円朝全集』第11巻（岩波書店、2014年）、編著に『コレクション・モダン都市文化』第67巻（ゆまに書房、2011年）がある。

好古趣味の歴史

江戸東京からたどる

2020（令和2）年6月15日　第1版第1刷発行

ISBN978-4-909658-29-6　C0095　

発行所　株式会社 **文学通信**

〒170-0002　東京都豊島区巣鴨1-35-6-201
電話 03-5939-9027　Fax 03-5939-9094
メール info@bungaku-report.com　ウェブ http://bungaku-report.com

発行人　岡田圭介
印刷・製本　モリモト印刷

ご意見・ご感想はこちらからも送れます。上記のQRコードを読み取ってください。